KU-238-404

GLI INSUPERABILI
GOLD
21

SETTEMBRE 2018

Della stessa autrice:

Un delitto quasi perfetto

Titolo originale: *Daughter*
Copyright © Jane Shemilt 2014
All rights reserved
Traduzione dall'inglese di Daniela Di Falco

Quattordicesima edizione in questa collana: giugno 2017
© 2015, 2016 Newton Compton editori s.r.l.
Roma, Casella postale 6214

www.newtoncompton.com

Realizzazione a cura di Corpotre, Roma
Stampato nel giugno 2017 da Puntoweb s.r.l., Ariccia (Roma)
su carta prodotta con pasta termomeccanica, senza utilizzo di cloro, proveniente
da foreste controllate, nel rispetto delle normative europee vigenti in tema ambientale

Jane Shemilt

Una famiglia quasi perfetta

Newton Compton editori

PARTE PRIMA

CAPITOLO 1

Dorset 2010. Un anno dopo

Le giornate si accorciano. Sul prato sono sparse le mele cadute, la polpa beccata dai corvi. Oggi, prendendo dei ciocchi dalla catasta al riparo del tetto, ne ho calpestata una già rammollita; si è sfatta sotto il mio piede.

Novembre.

Ho sempre freddo, ma lei potrebbe averne di più. Perché dovrei cercare di star bene? Come potrei?

Quando scende la sera, il cane comincia a tremare. La stanza si oscura; accendo il fuoco e la fiamma mi chiama a sé, mentre i rimpianti tornano a divampare, bruciando e sibilando nella mia testa.

Se solo. Se solo avessi ascoltato. Se solo avessi prestato attenzione. Se solo potessi ricominciare daccapo, esattamente un anno fa.

L'album da disegno rilegato in pelle che mi ha regalato Michael è sul tavolo, e nella tasca della vestaglia c'è un mozzicone mordicchiato di matita rossa; ha detto che mi avrebbe aiutato a disegnare il passato. Ho già in mente le immagini: un bisturi in equilibrio fra dita tremanti, una ballerina di plastica che piroetta in cerchi infiniti, appunti impilati con cura su un comodino nel buio.

Ho scritto il nome di mia figlia sulla prima pagina bianca e sotto ho tratteggiato due scarpe nere con i tacchi alti rovesciate su un fianco, i lunghi cinturini ingarbugliati fra loro. Naomi.

Bristol 2009. Un giorno prima

Stava ondeggiando al ritmo della musica del suo iPod e non si accorse subito di me. La sciarpa arancione avvolta intorno al collo, i libri di scuola sparsi ovunque. Chiusi la porta di servizio senza far rumore e posai adagio la borsa sul pavimento; era piena di appunti, il mio stetoscopio, siringhe, boccette e scatole di farmaci. Era stata una lunga giornata: due ambulatori, visite domiciliari e le solite scartoffie burocratiche. Appoggiata contro la porta della cucina, osservai mia figlia, ma era un'altra la ragazza che vedevo con gli occhi della mente. Jade, distesa su un letto con le braccia piene di lividi.

Quella visione è stato il mio peperoncino nell'occhio. Spruzzano succo di peperoncino nell'occhio dell'elefante quando gli medicano una zampa ferita: serve a distrarlo. Me l'ha detto Theo tempo fa. Allora non avevo creduto che potesse funzionare, ma avrei dovuto prenderlo come un avvertimento. È più facile di quanto si pensi perdere di vista ciò che conta.

Mentre osservavo Naomi, immaginai di disegnarne la curva delle guance in quel suo intimo sorriso. Le avrei delineate con una sfumatura più tenue per via della luce catturata dalla pelle. A ogni passo la frangetta bionda sobbalzava delicatamente contro la fronte. Quando si sollevava, gocce di sudore luccicavano lungo l'attaccatura dei capelli. Si era tirata su le maniche della maglia della scuola; il braccialetto con i ciondoli scorreva su e giù, su e giù sulla pelle liscia del braccio, quasi sfuggendole dal polso. Ero contenta di vedere che lo indossava; credevo l'avesse perso anni prima.

«Mamma! Non ti avevo vista. Che ne pensi?». Si sfilò le cuffie e mi guardò.

«Vorrei poter ballare così…».

Mi feci avanti e sfiorai con un bacio il colorito roseo e vellutato della guancia, respirando il suo odore: saponetta al limone e sudore.

Tirò indietro di scatto la testa, e si chinò a raccogliere i libri con un movimento brusco che aveva in sé una grazia inconsapevole, ancora acerba. «No, intendevo le scarpe. Guardale», disse in tono insofferente.

Dovevano essere nuove. Nere, tacchi vertiginosi, con cinturini di pelle che le fasciavano i piedi e si avvolgevano saldamente intorno ai polpacci snelli; stonavano addosso a lei. Di solito portava delle ballerine in pelle colorata o delle Converse.

«I tacchi sono incredibilmente alti». Persino io notai il tono di critica nella mia voce, così cercai di buttarla sul ridere. «Non come le tue solite…».

«Per niente, vero?». Era trionfante. «Totalmente diverse».

«Saranno costate un sacco di soldi. Non avevi già speso tutta la paghetta?»

«Sono così comode. Proprio della misura giusta». Come se non riuscisse a credere alla propria fortuna.

«Non puoi metterle per uscire, tesoro. Sono esagerate».

«Sei invidiosa, confessa. Le vuoi tu». Mi guardò con un mezzo sorrisetto che non le avevo mai visto prima.

«Naomi…».

«Be', non le avrai. Sono innamorata di queste scarpe. Le amo quasi quanto Bertie». Così dicendo si allungò ad accarezzare il cane. Poi, con un ampio sbadiglio, si avviò lentamente su per le scale. Le scarpe pestarono ogni gradino con un secco rumore metallico, come piccoli martelli.

Si era defilata. La mia domanda era rimasta sospesa, senza risposta, nell'aria calda della cucina.

Mi versai un bicchiere del vino di Ted. Naomi di solito non rispondeva in modo impertinente né si allontanava mentre le stavo parlando. Riposi la borsa medica e gli appunti in un angolo del guardaroba e cominciai a girare per la cucina, sistemando le cose fuori posto. Mi diceva sempre tutto. Mentre appendevo la sua giacca, la forza dell'alcol cominciò a sgombrarmi la mente; rientrava nell'accordo, ed era una parte che avevo valutato attentamente molto tempo prima. Niente di più semplice: facevo il lavoro che amavo e guadagnavo bene, ma questo significava essere a casa meno di altre madri. Il bonus era che lasciava spazio ai ragazzi. Stavano crescendo in modo autonomo, ed era quel che avevamo sempre voluto per loro.

Presi le patate dalla credenza. Erano coperte da piccoli grumi di terra, così le sciacquai sotto il rubinetto. A pensarci bene, però, erano mesi che evitava una conversazione vera e propria. Ted mi avrebbe tranquillizzata. È un'adolescente, avrebbe detto, sta crescendo. L'acqua fredda mi aveva ghiacciato le mani; chiusi il rubinetto. Sta crescendo o si sta allontanando? È preoccupata o introversa? Le domande mi ronzavano nella mente mentre frugavo nel cassetto in cerca dello sbucciapatate. L'estate prima avevo visitato un'adolescente con crisi d'ansia: aveva inciso con cura diverse linee rosse nella pelle delicata dei polsi. Scossi la testa per scacciare quell'immagine. Naomi non era depressa. C'era quel nuovo sorriso a compensare l'inquietudine. Il suo coinvolgimento nello spettacolo a compensare i silenzi a casa. Se sembrava preoccupata era perché adesso era più grande, più riflessiva. La recitazione l'aveva fatta maturare. L'estate prima aveva lavorato con Ted nel laboratorio e aveva cominciato a interessarsi alla medicina. Mentre cominciavo a sbucciare le patate, pensai che quella sicurezza di sé da poco scoperta avrebbe potuto essere la chiave del successo nei colloqui futuri. Forse avrei dovuto esserne felice. Il ruolo di protagonista nella recita scolastica avrebbe anche aumentato le sue possibilità di ottenere un posto presso la facoltà di medicina. Gli esaminatori apprezzavano che gli studenti avessero interessi al di fuori del corso di studi: serviva a controbilanciare il carico di lavoro per diventare dottore. La mia valvola di sfogo era dipingere, eliminava lo stress della medicina generica. Aperto di nuovo il rubinetto, osservai l'acqua roteare in vortici di fanghiglia e scomparire nello scarico. Avevo quasi finito il ritratto di Naomi e in quel momento sentii il richiamo dei pennelli. Ogni volta che dipingevo ero in un mondo differente; ogni preoccupazione svaniva. Il cavalletto era a poche rampe di scale, in mansarda, e avrei voluto rifugiarmi lì più spesso. Buttai le bucce delle patate nella pattumiera e tirai fuori le salsicce dal frigo. Il piatto preferito di Theo da quando ha mosso i primi passi: salsicce e purè. Con Naomi avrei parlato l'indomani.

Più tardi Ted mi telefonò per dire che era stato trattenuto in ospedale. I gemelli tornarono a casa affamati come lupi. Ed alzò una mano in un accenno di saluto e salì di sopra con una pila di sandwich. Sentii la porta della camera chiudersi alle sue spalle e lo immaginai accendere la musica, buttarsi sul letto con un sandwich in mano, chiudere gli occhi. Ricordai come funzionava quando avevi diciassette anni: speravi che nessuno bussasse alla tua porta o, peggio ancora, entrasse a parlare con te. Theo, il volto pallido acceso di lentiggini, snocciolò i trionfi della giornata mentre sgranocchiava biscotti, uno dopo l'altro, dando fondo al barattolo. Naomi scese in cucina, sul collo le ciocche di capelli ancora umidi. Le infilai in fretta qualche sandwich nello zaino prima che uscisse, poi rimasi sulla soglia per alcuni minuti, ascoltando il rumore dei suoi passi percorrere lentamente la strada, sempre più lontani. Il teatro della scuola era nella traversa successiva, ma Naomi arrivava sempre in ritardo. Adesso aveva smesso di correre dappertutto; la recita stava assorbendo tutte le sue energie.

«Benché solo quindicenne, la Maria di Naomi Malcolm è più matura della sua età». «Naomi mescola innocenza e sensualità in una affascinante interpretazione di Maria; è nata una stella». Valeva la pena sentirsi stanca e tesa se erano queste le recensioni pubblicate sul sito della scuola. Ancora altri due spettacoli dopo questo: giovedì e venerdì. Presto saremmo tornati tutti alla normalità.

Dorset 2010. *Un anno dopo*

So che oggi è venerdì perché sento arrivare la signora della pescheria. Mi accovaccio sotto le scale mentre il furgone accosta e si ferma davanti a casa, la sagoma bianca indistinta oltre il vecchio vetro della porta. La donna suona il campanello e aspetta, una figura tarchiata e speranzosa, la testa che ondeggia mentre sbircia dalle finestre. Se mi vede dovrò aprire la porta, mettere insieme delle parole, sorridere. Oggi nulla di tutto questo è possibile. Un piccolo ragno mi si arrampica sulla mano. Abbasso ancora di più la testa, respiro la polvere del tappeto e dopo un po' il furgone si allontana rombando lungo il vialetto. È un giorno da passare in solitudine. Ogni venerdì sto male, è ancora così. Resto nascosta e aspetto che passino le ore.

Bristol 2009. *La sera della scomparsa*

Mi inginocchiai sul pavimento della cucina e aprii la borsa medica per spuntare da una lista i farmaci rimasti e capire cosa mi servisse. Un lavoro che mi risultava più facile fuori dallo studio; c'erano meno interruzioni se sceglievo il momento giusto. Ero intenta a frugare nelle profondità delle tasche di pelle, così non mi accorsi che lei era entrata in cucina senza far rumore. Passò dietro di me e la busta che reggeva in mano mi urtò la spalla. Alzai lo sguardo, tenendo il segno sulla lista; stavo esaurendo le scorte di paracetamolo e di petidina. Naomi mi guardò, gli occhi azzurri velati di pensieri. Nonostante il pesante trucco di scena in vista dello spettacolo, notai le occhiaie scure. Sembrava esausta. Quello non era il momento per farle le domande che avevo in mente.

«Hai quasi finito, tesoro. Questo è il penultimo spettacolo», le dissi con fare incoraggiante.

La busta traboccava di indumenti; i tacchi delle scarpe avevano forato la plastica.

«Domani papà e io saremo lì». Mi sedetti sui talloni e la guardai, studiando il suo viso. L'eyeliner nero la faceva apparire più vecchia dei suoi quindici anni. «Sono curiosa di vedere se è cambiato qualcosa dalla prima rappresentazione».

Mi guardò senza battere ciglio e poi mi regalò il suo nuovo sorriso, sollevando solo un angolo della bocca come se stesse sorridendo fra sé.

«A che ora torni?». Rinunciai al mio inventario e mi alzai in piedi a malincuore; non riuscivo mai a finire quel che avevo cominciato. «È giovedì. Di solito ti viene a prendere papà il giovedì».

«Gli ho già detto di non preoccuparsi secoli fa. Preferisco fare quattro passi con gli amici». Mi parve seccata. «La cena finirà verso mezzanotte. Mi darà un passaggio Shan».

«Mezzanotte?». Ma se era già stanca. Mio malgrado, alzai la voce. «Domani avrai di nuovo lo spettacolo, e subito dopo la festa. È solo una cena. Dieci e mezza».

«Non è nemmeno lontanamente sufficiente. Perché devo sempre essere diversa da tutti gli altri?». Cominciò a tamburellare le dita sul tavolo; l'anellino che le aveva regalato qualche ragazzo della scuola scintillò alla luce.

«Allora alle undici».

Mi fissò. «Non sono una bambina». La rabbia nella sua voce mi colse di sorpresa.

Non potevamo discutere per tutta la sera. Presto sarebbe andata in scena e aveva bisogno di calma, e io dovevo finire di controllare i farmaci prima di preparare la cena.

«Undici e mezza. Non un secondo di più».

Scrollò le spalle e si girò, chinandosi su Bertie, lungo disteso a pisolare vicino alla stufa. Gli diede un bacio sulla testa e gli tirò delicatamente le orecchie morbide; Bertie si limitò a battere la coda sul pavimento.

Le posai la mano sul braccio. «È vecchio, amore. Ha bisogno di riposare».

Si liberò della mia mano con uno strattone, il viso teso.

«Rilassati, è tutto ok. Stai riscuotendo grande successo, ricordi?». Le diedi un rapido abbraccio ma lei girò la faccia dall'altra parte. «Manca un solo giorno».

Squillò il suo cellulare e Naomi si ritrasse dall'abbraccio, posando la mano sullo scolatoio mentre rispondeva. Osservai le dita lunghe, coperte da minuscole lentiggini fino alla seconda nocca, color oro pallido, come zucchero di canna grezzo. Le unghie erano mordicchiate come quelle di una bambina, in netto contrasto con l'anello grazioso. Le presi la mano fra le mie e la sfiorai con un bacio. Stava parlando con Nikita; credo che non se ne sia nemmeno accorta. Era ancora abbastanza ragazzina da avere le fossette sulle nocche delle dita: le sentii sotto le labbra. La telefonata finì e lei si girò per andarsene, un cenno di saluto sulla porta, il suo modo per compensare l'atteggiamento scostante di poco prima.

«Ciao, mamma», disse.

Più tardi mi addormentai per sbaglio. Avevo messo su il bollitore per la sua borsa dell'acqua calda verso le undici, e mi ero sdraiata sul divano ad aspettare; dovevo essermi appisolata quasi subito. Mi svegliai con il collo dolorante e la bocca amara. Mi alzai, mi sistemai il pullover e andai a controllare il bollitore.

Il metallo era freddo. Guardai l'orologio. Le due del mattino. Non l'avevo sentita rientrare. Provai un senso di nausea. Non aveva mai fatto così tardi. Cos'era successo? Il sangue mi pulsò dolorosamente nelle orecchie per un istante finché il buonsenso prese il sopravvento. Di certo si era infilata in casa dalla porta principale ed era andata dritta a letto. Addormentata in cucina nel seminterrato, non avevo sentito chiudere la porta. Doveva essersi tolta le scarpe sotto il portico ed

13

era salita in punta di piedi con aria colpevole, senza far rumore, era passata davanti alla nostra camera e aveva proseguito verso la sua, al secondo piano. Mi stiracchiai, in attesa che l'acqua del bollitore fosse pronta; poteva ancora avere la sua borsa bella calda. L'avrei avvolta in un panno e infilata nel letto accanto a lei; per quanto assonnata, ne avrebbe apprezzato il tepore.

Salii in silenzio al piano di sopra. Mentre passavo davanti alle stanze dei ragazzi, Ed russò all'improvviso, facendomi sussultare. Un'altra rampa fino alla camera di Naomi. La porta era socchiusa, entrai senza far rumore. All'interno il buio era completo e l'aria sapeva di chiuso, con una nota di shampoo alla fragola e un altro aroma di fondo, con l'amaro degli agrumi. Andai a tentoni fino al cassettone, tirai fuori una camicia e la avvolsi intorno alla borsa dell'acqua calda. Avanzai cautamente verso il letto, incespicando tra gli indumen-ti sparsi a terra. Tastai la coperta per sollevarne un lembo senza scoprire il corpo, ma le mie mani toccarono una superficie piatta e liscia.

Il letto era vuoto.

Accesi di scatto la luce. Collant penzolavano fuori dai cassetti aperti, asciugamani e scarpe disseminati sul pavimento. Sul comodino, un perizoma buttato sopra un reggiseno rosso di pizzo, sulla sedia un reggiseno nero a balconcino. Non riconobbi nessuno di quei capi; forse qualche sua amica era venuta a cambiarsi qui? Di solito Naomi era così ordinata. Un flacone di fondotinta si era rovesciato sulla toletta, e uno stick di rossetto giaceva nella piccola pozza beige. Il pullover grigio della scuola era abbandonato sul pavimento, sfilato in tutta fretta insieme alla camicia bianca.

La coperta del letto era leggermente incavata dove si era evidente-mente seduta, ma il cuscino era intatto.

L'ansia mi attanagliò la bocca dello stomaco. Mi appoggiai alla parete, ne sentii il freddo percorrermi il braccio e annidarsi nel petto. E poi mi arrivò il rumore della porta d'ingresso che si richiudeva due piani più sotto.

Dio, ti ringrazio.

Misi la borsa dell'acqua calda sotto il piumone, abbastanza in fondo per creare un posticino accogliente per i piedi. Doveva averli freddi,

14

con quelle scarpe leggere. Poi mi precipitai giù, incurante del rumore che facevo. Non mi sarei arrabbiata, non questa sera. L'avrei accolta con un bacio, avrei preso in consegna la giacca e l'avrei spedita su in camera. Per arrabbiarsi c'era tempo l'indomani. I miei passi rallentarono appena girai l'angolo delle scale e Ted si presentò alla vista. Ted, non Naomi. Alzò lo sguardo verso di me. Aveva ancora il cappotto e la valigetta era posata a terra.

«Non è tornata». Ero senza fiato, le parole mi uscirono a fatica di bocca. «Pensavo fosse lei, adesso».

«Cosa?». Sembrava sfinito, con le spalle curve e due occhiaie profonde.

«Naomi non è ancora rientrata». Gli andai vicino. Emanava un lieve odore di bruciato, di certo riconducibile al calore sfrigolante del bisturi diatermico mentre coagulava i vasi sanguigni recisi. Quindi veniva direttamente dalla sala operatoria.

I suoi occhi, azzurro mare come quelli di Naomi, mi fissarono perplessi. «La rappresentazione finiva alle nove e mezza, no?». Un'espressione di panico gli attraversò il volto. «Gesù, è giovedì».

Si era dimenticato che Naomi lo aveva esentato dall'andare a prenderla il giovedì sera, ma in ogni caso non sapeva mai cosa stesse accadendo nelle vite dei suoi figli. Non chiedeva mai niente. Sentii la rabbia montare lentamente dentro di me.

«Torna a piedi insieme agli amici. Ti aveva avvertito».

«Certo che me l'ha detto. Me ne ero scordato. Tutto a posto, allora». Parve sollevato.

«Ma stasera era diverso». Come poteva essere così tranquillo quando il mio cuore martellava come impazzito per l'ansia? «Andava fuori a cena con il cast».

«Non posso tenere tutto a mente», rispose con una scrollata di spalle. «Quindi è fuori con i suoi amici. Forse si stanno divertendo talmente tanto che hanno deciso di trattenersi oltre».

«Ted, sono le due passate…». Il sangue mi affluì alle guance in un misto di panico e rabbia. Senza dubbio si rese conto che c'era qualcosa di diverso, di strano.

15

«Così tardi? Diamine, scusa. L'intervento si è prolungato più del dovuto. Speravo di trovarti già addormentata». Aprì le mani in un gesto di scusa.

«Dove accidenti è?». Lo fissai, alzando la voce. «Non si comporta mai così. Mi avvisa sempre, anche se è in ritardo di soli cinque minuti». Appena lo ebbi detto, mi accorsi che non lo faceva da tempo, ma in ogni caso non aveva mai fatto così tardi. «C'è uno stupratore a Bristol, l'hanno detto al notiziario…».

«Calmati, Jen. Con chi è, esattamente?». Abbassò lo sguardo su di me e lessi una certa riluttanza nei suoi occhi. Non ci voleva un imprevisto del genere: l'unico suo desiderio era andare a letto.

«Con gli amici dello spettacolo. Nikita, tutti gli altri. Era solo una cena, non una festa».

«Forse dopo sono andati in qualche locale».

«Non l'avrebbero mai fatta entrare». Aveva ancora le guance paffute, il viso di una quindicenne; a volte sembrava anche più giovane, specialmente quando era stanca. «Non ha l'età».

«Ma è quel che fanno tutti». La voce di Ted era pesante di stanchezza. Si appoggiò in tutta la sua altezza contro la parete dell'ingresso. «Hanno carte d'identità false. Ricordi quando Theo…».

«Non Naomi». Poi ricordai le scarpe, quel nuovo sorriso. Un locale notturno? Possibile?

«Diamole un po' più di tempo», riprese in tono pacato. «Voglio dire, non c'è niente di strano: è ancora presto, se ti stai divertendo. Aspettiamo fino alle due e mezza».

«E poi?»

«Probabilmente sarà tornata». Si staccò dalla parete e, passandosi le mani sulla faccia, si avviò verso i gradini in fondo all'ingresso che portavano alla cucina. «Altrimenti, telefoneremo a Shan. Tu hai già chiamato Naomi, ovviamente?».

No. Solo Dio sa perché. Non avevo nemmeno controllato se c'erano SMS. Tastai la tasca in cerca del telefono, ma non era lì. «Dove accidenti è finito il mio cellulare?».

Spinsi da parte Ted e mi precipitai giù per le scale. Doveva essere scivolato fuori, mezzo nascosto com'era sotto un cuscino sgualcito sul divano. Lo afferrai. Nessun SMS. Pestai il suo numero sulla tastiera.

"Ciao, qui Naomi. Mi spiace, ma in questo momento sono impegnata in qualcosa di incredibilmente importante. Ma… uhm… lasciami il numero e ti richiamerò. Promesso. Ciao!".

Scossi la testa, incapace di dire una cosa qualsiasi.

«Ho bisogno di un drink». Ted si diresse con passo stanco verso il mobile bar. Versò due whisky e me ne offrì uno. Sentii l'alcol bruciarmi la gola e scendere lungo l'esofago.

Le due e un quarto. Ancora quindici minuti, poi avremmo chiamato Shan.

Non volevo aspettare. Volevo uscire di casa. Percorrere l'intero tragitto fino al teatro della scuola, spalancare le porte e gridare il suo nome nell'aria polverosa. Se non fosse stata lì, allora sarei corsa giù per la via principale, oltre l'università, avrei fatto irruzione in tutti i locali notturni facendomi largo tra i buttafuori, e avrei urlato alla calca sulla pista da ballo…

«C'è qualcosa da mangiare?»

«Come?»

«Jenny, ho passato la notte in sala operatoria. Ho saltato la cena alla mensa. C'è qualcosa da mangiare?».

Aprii il frigo e guardai dentro. Non riuscii a mettere a fuoco nulla. Forme squadrate e rettangolari. Le mie mani trovarono burro e formaggio. I pezzi di burro freddo strappavano la mollica. Ted mi tolse il pane dalle dita senza dire niente. Si preparò un sandwich ineccepibile e tagliò via la crosta.

Mentre mangiava, trovai il numero di Nikita su un Post-it rosa appiccicato sulla lavagnetta di sughero sopra la credenza. Anche lei non rispose. Il cellulare doveva essere nella borsa, che aveva spinto sotto il tavolo per poter ballare nel locale in cui erano riuscite a entrare. Tutti gli altri volevano andare a casa, tutti i loro amici erano appoggiati alla parete, sbadigliavano, ma Naomi e Nikita continuavano imperterrite a ballare, a divertirsi. Nessuno avrebbe sentito il telefono di Nikita squillare nella borsa sotto il tavolo. Anche Shan doveva essere sveglia, in attesa della figlia. Era passato solo un anno da quando aveva divorziato da Neil; aspettare da sola doveva essere ancora peggio.

Le due e mezza.

Digitai il numero di Shan e, in attesa che rispondesse, ricordai quel che mi aveva detto una settimana prima, che Nikita parlava ancora di tutto con lei – e la fitta di gelosia che avevo provato. Naomi non si apriva più con me. In quel momento fui contenta che Nikita si confidasse ancora con la madre. Shan avrebbe saputo con esattezza dove passarle a prendere.

Rispose una voce assonnata. Doveva essersi addormentata, come me.

«Ciao, Shan». Mi sforzai di mantenere un tono di voce normale. «Scusami tanto se ti ho svegliata. Hai idea di dove siano? Le andiamo a prendere noi, ma il problema è…». Feci una pausa e provai a ridere. «Naomi si è dimenticata di dirmi dove sarebbero andate».

«Aspetta un momento». La immaginai mentre si drizzava a sedere, si passava una mano fra i capelli, sbatteva le palpebre per mettere a fuoco le cifre sulla sveglia sul comodino. «Puoi ripetere?».

Inspirai e cercai di parlare lentamente.

«Naomi non è ancora rientrata. Devono essere andate da qualche parte dopo la cena. Nikita ti ha detto dove?»

«La cena è domani, Jen».

«No, domani c'è la festa».

«Tutte e due domani. Nikita è qui. È esausta; sta dormendo da quando l'ho riportata a casa ore fa».

«Ore fa?», ripetei stupidamente.

«Sono passata a prenderla subito dopo lo spettacolo». Ci fu una breve pausa, poi aggiunse a voce bassa: «Non c'era alcuna cena».

«Ma Naomi mi ha detto che c'era». Avevo la bocca secca. «Si è portata le scarpe nuove. Ha detto…».

Continuai a farfugliare con l'ostinazione di un bambino che vuole qualcosa che non può avere. Aveva preso le scarpe e la busta di indumenti di ricambio. Com'era possibile che non fosse prevista una cena? Di certo Shan si sbagliava; forse Nikita non era stata invitata. Seguì una pausa ancora più lunga.

«Ora chiedo a Nikita», disse. «Ti richiamo fra un minuto».

Ero rimasta fuori da un cancello che si era appena chiuso con un *clic*. Al di là c'era un luogo dove i figli dormivano al sicuro, abbandonati fiduciosamente tra le lenzuola; un luogo dove non telefonavi a un'amica alle due e mezza del mattino.

Le sedie della cucina erano fredde e dure. Il volto di Ted era sbiancato. Continuava a scrocchiare le dita. Avrei voluto dirgli di smetterla, ma se avessi aperto la bocca avrei cominciato a urlare. Afferrai subito il telefono al primo squillo e sulle prime non dissi nulla.

«Non c'era nessuna cena, Jenny». La voce di Shan era leggermente ansimante. «Sono andati tutti a casa. Mi dispiace».

Un debole ronzio cominciò a vibrarmi nella testa, e riempì il silenzio che perdurò dopo le sue parole. Fui colta da un senso di vertigine, come se stessi cadendo in avanti, o il mondo si stesse rovesciando indietro. Mi aggrappai saldamente al bordo del tavolo.

«Posso parlare con Nikita?».

Nel minuscolo spazio di tempo che seguì alla mia domanda, potei misurare quanto mi fossi allontanata dal cancello che si era chiuso con un *clic* alle mie spalle. Shan sembrò esitare.

«È tornata a dormire».

Dormire? Che importanza poteva avere? Nikita era là, al sicuro. Noi non avevamo idea di dove fosse nostra figlia. Un'ondata di rabbia stava per frangersi sulla mia paura.

«Se Nikita sa qualcosa, qualsiasi cosa noi ignoriamo, e Naomi fosse in pericolo…». Mi si serrò la gola. Ted mi prese il telefono di mano.

«Salve, Shania». Pausa. «Capisco che possa essere penoso per Nikita…». Il tono era calmo ma con una nota autoritaria. Era esattamente il modo in cui si rivolgeva ai giovani medici della sua équipe se lo interpellavano riguardo un problema neurochirurgico. «Se Naomi non rientra al più presto, dovremo chiamare la polizia. Più informazioni ci date…». Un'altra pausa. «Grazie. Sì. Saremo lì fra qualche minuto».

I ragazzi dormivano nelle loro stanze. Mi chinai nell'alone caldo di respiro intorno alle loro teste. Theo si era rintanato sotto il piumone; i capelli spuntavano come una gorgiera dal bordo imbottito, duri sotto le mie labbra. La frangia nera di Ed era umida; persino nel sonno le sopracciglia si inarcavano come le ali di un merlo. Mentre mi tiravo su, intravidi la mia immagine riflessa nello specchio. La faccia, illuminata dalla luce del lampione che filtrava dalla finestra, sembrava appartenere a una donna molto più vecchia. I capelli neri e informi. Li sistemai alla meno peggio con la spazzola di Ed.

Quando arrivammo nei pressi del teatro della scuola, Ted accostò e spense il motore. Scendemmo dalla macchina.

Non so perché. Ancora non so perché sentimmo il bisogno di controllare. Pensavamo davvero che potessi essere lì, raggomitolata sul palco a dormire? Che ti avremmo svegliata e tu ci avresti sorriso, stiracchiandoti come un gatto, assonnata e indolenzita, scusandoti per averci messo troppo tempo a cambiarti d'abito? Che ti avremmo presa fra le braccia e riportata a casa?

Le porte a vetri erano chiuse. Ondeggiarono lievemente quando tirai le maniglie. Nel foyer era accesa la luce notturna e le bottiglie scintillavano in file ordinate dietro il bancone del bar. Sul pavimento oltre la porta, c'era un depliant giallo e rosso del programma, mezzo strappato; riuscii a distinguere i caratteri rossi di "West" e "Story" riportati su righe distinte, e parte dell'immagine di una ragazza con una gonna a ruota blu.

Per quanto stanco, Ted stava guidando con prudenza. Aveva premuto il pulsante del cruscotto che faceva riscaldare il mio sedile. Cominciai a sudare, e un senso di nausea sembrò levarsi direttamente dalla tappezzeria in pelle. Gettai uno sguardo a Ted. Era bravo. Davvero bravo a ostentare quell'espressione seria ma non disperata. Quando Naomi aveva dato segni di sofferenza durante il parto, la calma di Ted aveva annullato il mio panico. Aveva predisposto l'epidurale per il taglio cesareo, ed era lì con me quando avevano sollevato in aria il suo corpicino macchiato di sangue. Non avrei dovuto pensarci in quel momento. Guardai subito fuori dal finestrino. Le strade erano lucenti e deserte. Una pioggerella fine aveva cominciato ad appannare i vetri. Com'era vestita? Non riuscivo a ricordare. L'impermeabile? E la sciarpa? Alzai lo sguardo verso gli alberi a lato della strada come se la sciarpa arancione potesse essere lì, aggrovigliata fra i rami scuri e lucidi di pioggia.

Ted bussò con decisione alla porta di Shania. La notte era immobile e silenziosa, ma se fosse passato qualcuno in macchina avrebbe visto una coppia come tante altre. Cappotti caldi e scarpe tirate a lucido, mentre aspettavamo in silenzio, le teste chine sotto la pioggia. Probabilmente avevamo un'aria del tutto normale.

Shania aveva un'espressione di circostanza, calma e seria mentre ci abbracciava. Faceva caldo a casa sua; nel salotto ordinato era accesa la stufa a gas. Nikita era rannicchiata sul divano, curva sul cuscino che si stringeva al petto, le lunghe gambe nel pigiama decorato con dei coniglietti ripiegate sotto di lei. Le sorrisi, ma sentii la bocca tirarsi a fatica e tremare agli angoli. Shan si sedette accanto alla figlia, noi di fronte a loro. Ted mi prese la mano.

«Ted e Jenny vogliono farti qualche domanda su Naomi, piccola». Shania passò il braccio intorno alle spalle di Nikita, che abbassò lo sguardo cominciando ad attorcigliare una ciocca di capelli neri fra le dita.

Mi andai a sedere dall'altro lato di Nikita, che si ritrasse impercetti-bilmente. Mi sforzai di parlare in tono gentile.

«Dov'è, Nik?»

«Non lo so». Nascose la faccia nel cuscino. La voce uscì soffocata. «Non lo so, non lo so, non lo so».

Gli occhi di Shania incontrarono i miei sopra la testa della figlia.

«Comincio io, allora», disse Shan. «Dirò a Jenny quel che hai detto a me». Nikita annuì. La madre continuò: «Naomi ha detto a Nikita che doveva incontrare qualcuno, un uomo, dopo lo spettacolo».

«Un uomo?». La voce di Ted mi mozzò il respiro. «Quale uomo?». Pronunciata da lui, la parola assunse una nota di pericolo. Non un ragazzo. Qualcuno più grande. Il mio cuore iniziò a battere talmente forte che ebbi paura che Nikita potesse sentirlo e rifiutarsi di raccon-tarci tutto.

«Ha detto…», cominciò Nikita, esitando. «Ha detto che aveva co-nosciuto uno. Un tipo arrapante».

Scavallai le gambe e mi girai per guardarla bene in faccia. «Arrapante? Naomi ha detto così?»

«È tutto ok, vero? Siete stati voi a chiedermelo». Nikita aggrottò la fronte, gli occhi pieni di lacrime.

«Naturalmente», risposi.

Ma non era affatto ok. Non avevo mai sentito Naomi usare quella

21

parola. Avevamo parlato di sesso, ma nonostante frugassi disperatamente nella memoria, non riuscii a ricordare quando. Rapporti, sesso e contraccezione – Naomi non sembrava interessata. Oppure sì? Cosa mi era sfuggito?

«Lui è… lei…». Brancolai in una foresta di possibilità. «È uno della scuola?».

Nikita scosse la testa. Intervenne Ted, con incurante leggerezza, come se non fosse importante.

«Questo tipo. Deve averlo conosciuto prima di stasera…».

Nikita incurvò impercettibilmente le spalle e smise di giocherellare con i capelli. La calma di Ted stava funzionando, ma provai una fitta di invidia al pensiero che gli riuscisse così facile. Io riuscivo a stento a non far tremare la voce.

«Sì. Mi sembra di averlo visto a teatro, qualche volta». Abbassò lo sguardo. «Sul retro».

«Sul retro?», ripeté Ted, in tono vagamente indagatore.

«Sì. Dove la gente aspettava. Forse». Nikita alzò gli occhi e vi lessi una certa riluttanza. «Non l'ho visto, in realtà».

«Che aspetto aveva?», domandai in fretta.

«Non lo so». Evitò di guardarmi. Pausa. «Forse aveva i capelli neri?». Si spostò più vicino alla madre e chiuse gli occhi. Pensai che non ci avrebbe detto altro, ma Ted le fece un'altra domanda.

«E stasera? Cosa ti ha detto di stasera?».

Silenzio. Nikita rimase completamente immobile. Poi Shan si alzò. «Adesso è stanca», disse con voce ferma. «Ha bisogno di dormire».

«Dimmelo, Nikita, ti prego». Le sfiorai appena il braccio. «Ti prego, ti prego, di' cosa ti ha detto».

Allora mi guardò, gli occhi scuri spalancati per la sorpresa. La madre della sua migliore amica era una figura lontana e indaffarata: cordiale, che entrava e usciva di casa. Sempre concentrata sulla propria vita e sulla famiglia. Non una che implorava.

«Ha detto», esitò per una frazione di secondo, «ha detto "Augurami buona fortuna"».

CAPITOLO 2

Dorset 2010. Un anno dopo

L'autunno s'incupisce nell'inverno. Al mattino, il freddo del silenzio preme contro il mio viso.

Ascolto, anche se non so bene cosa mi aspetto di sentire. Ormai dovrei essermi abituata all'assenza dei suoni che davo per scontati: i passi ovattati di piedi nudi, il bollitore lontano, il mormorio di voci alla radio e il tintinnio di porcellana delle tazzine da caffè sul bordo della vasca da bagno. I rumori che fa una persona sola sono sommessi, accorti, distinti. Si disperdono nel silenzio. Apro la finestra e il respiro del mare che si frange dolcemente entra nella stanza come qualcosa di vivo.

Passando, sfioro la porta della sua camera. Ha scelto questa stanza quando era piccola. Non è mai stata realmente la sua camera, perché fino a pochi mesi fa questa era solo la nostra casa per le vacanze, ma tutti la consideravamo la sua stanza. Da bambina, le piaceva fingere che la piccola finestra rotonda sotto la paglia del tetto fosse un oblò, e il suo letto una nave. La polizia ha portato via materasso, lenzuola e coperte. Il legno della porta è freddo e umido sotto le mie dita. Ted ha lavato via il sangue dal pavimento; da quando sono arrivata, non ci ho messo piede.

Il riflesso della cornice della finestra si spezza intorno alle mie mani mentre sono immersa nell'acqua della vasca. Quando il campanello suona, esco in fretta dal bagno, mi avvolgo in un asciugamano, infilo la vestaglia. In cima alle scale, i miei passi si bloccano. C'è un uomo in uniforme dietro il vetro. Il mio cuore batte talmente forte che mi sento svenire e devo aggrapparmi alla ringhiera. Questo potrebbe essere il momento in cui sono venuti a dirmi di aver trovato qualcosa nel fango di un campo: forse il tacco mezzo marcito di una scarpa, lo scintillio di un braccialetto d'argento, il bianco di un dente. Non c'è niente che possano dirmi a cui io non abbia già pensato, ma mi blocco come se mi avessero sparato. Poi vedo qualcosa di rosso sulla giacca dell'uomo, una busta voluminosa. Qualcuno con una consegna speciale. Quando apro la porta, mi allunga la posta: l'ordine di pennelli piccoli dal negozio di belle arti di Bristol. Sullo zerbino c'è già una cartolina di una montagna gallese dalla vasta collezione di Ted. Il suo modo di tenersi in contatto. Nessun messaggio, come al solito. Mi siedo al tavolo della cucina e il mio cuore rallenta. L'album è di fronte a me. Lo prendo e lo apro. Quando la polizia è venuta alla mia porta e ho visto il bianco e nero della divisa, i giubbotti antiproiettile e i distintivi, la sua assenza è diventata ufficiale. Era ancora buio, ma doveva essere quasi mattina, forse le quattro o le cinque.

La matita è ruvida fra le mie dita; sento le schegge dove è stata mordicchiata mentre disegno un piccolo top con cappuccio, eseguendo l'ombreggiatura tra le pieghe con brusche linee grigie.

Bristol 2009. *La sera della scomparsa*

Il poliziotto alla porta era sui cinquantacinque anni, gli occhi slavati appesantiti da due borse gonfie. Qualunque fosse la sua espressione naturale, era nascosta sotto una patina di calma professionale, anche se gli occhi, scrutando rapidamente il mio viso, tradirono il suo disagio. Dietro di lui c'era una donna esile, i capelli castani raccolti in uno chignon a conchiglia e un impeccabile rossetto rosso. Mi parve di scorgere una certa irritazione tenuta a freno. Forse si era dovuta alzare appositamente, e aveva dovuto indossare la divisa ben stirata e il trucco coprente.

«Dottoressa Malcolm?». La voce dell'uomo era deliberatamente neutra.

A casa non mi chiamavo "dottoressa"; ero la madre dei miei figli, la moglie di mio marito, ma se quel poliziotto pensava che fossi un tipo professionale avrebbe potuto fare di meglio.

«Sì». Mi tirai indietro per farli entrare.

24

«Sono l'agente di polizia Steve Wareham e questo è l'agente Sue Dunning».

Si tolse il cappello; gli aveva lasciato un piccolo solco sui radi capelli grigi. Mi strinse la mano e parlò in toni sommessi. Era dispiaciuto per noi, ma non quel genere di dispiacere che temevo. Mi sarei spaventata se avesse espresso il suo dispiacere per la nostra perdita. La donna fu più rude. Mi salutò con un cenno del capo ma mise le mani dietro la schiena come se non volesse toccarmi; ero il genere di donna i cui figli non tornano a casa.

Li accompagnai in cucina. Eravamo appena rientrati da casa di Shan e avevo bisogno di controllare l'orologio. Erano passate più di quattro ore da quando Naomi avrebbe dovuto essere di ritorno e volevo parlare subito agli agenti di quell'uomo, la cui ombra sembrava proiettarsi sulle pareti illuminate della cucina. Nella mia mente, stavo urlando loro di affrettarsi. Andate ora. Potreste raggiungerli. È in macchina con lei, sta percorrendo una lunga strada sotto la pioggia, sta entrando in una casa, sta chiudendo a chiave la porta, si sta girando per guardarla in faccia, lei sta piangendo. No, naturalmente no, lei non piange mai. Sbrigatevi.

Ted cominciò a parlare; cominciò dall'inizio, ed era ciò che loro volevano. E per metterli al corrente di tutto ci volle un'ora. Ci chiesero il portatile di Naomi, poi il suo certificato di nascita e il passaporto. Provarono di nuovo a chiamare il suo cellulare, ma questa volta non ci fu alcun messaggio di risposta e nemmeno un segnale acustico. Scarico. Il telefono di Naomi era spesso scarico, non significava niente. Quando Steve Wareham mi disse che, se fosse stato acceso, avrebbero potuto localizzare il telefono, soffocai un moto di rabbia impotente e paura.

Consegnai loro la foto scolastica dell'ultimo trimestre. La fissai per alcuni istanti. Era stata scattata solo pochi mesi prima, ma Naomi sembrava molto più giovane. Fu come se stessi guardando un'altra ragazza con un ampio sorriso, i capelli lucidi fermati in una coda di cavallo, il viso radioso. Pensai alla pozza di fondotinta intorno alla boccetta. Prima dello spettacolo teatrale, non somigliava più alla ragazzina nella foto. Aveva qualche hobby? Forse. Non lo sapevo.

25

Passavo tutto il giorno al lavoro, come potevo saperlo? L'agente inarcò impercettibilmente un sopracciglio. Quale scuola, quale dottore, quale dentista? (Dentista? Per cosa, impronte dentali? Lo spasmo di dolore sul volto di Ted indicò che aveva pensato la stessa cosa). Amici di scuola? Nomi? Ragazzi? Niente ragazzo, no. Qualcuno che la aspettava sul retro del teatro. Aveva i capelli neri e lei lo trovava arrapante. L'aveva presa lui. Forse le stava facendo del male in quel preciso momento; le mani strette intorno alla sua gola. Forse la stava spingendo con la forza sul pavimento, la stava spogliando, bloccandola sotto di lui, una mano sulla bocca per farla tacere. Mi ficcai le dita in bocca e cominciai a morderle per impedirmi di urlare.

Presero nota di ogni cosa.

L'agente Sue Dunning mi diede da riempire un modulo per la denuncia di persona scomparsa. Disse che era troppo presto per definirlo un rapimento, non c'erano prove in tal senso. Mi tremavano le mani, così scrissi lentamente. Continuarono a parlare con me, a fare domande. Altezza? Un metro e sessantacinque. Peso? Cinquanta chili. Sì, era magra. No, non anoressica, semplicemente una di quelle persone sempre in movimento; mangiava con appetito.

Hai fame? Niente cena, vero? Allora non me ne ero preoccupata, perché pensavo che avresti cenato fuori. Avresti dovuto dirmelo, avrei potuto prepararti qualcosa.

Cosa indossava l'ultima volta che l'avevo vista? Stava scendendo le scale con una busta e mi sembra avesse l'impermeabile, o era la giacca della scuola? Forse la felpa grigia con il cappuccio. Fatemi pensare. Posso guardare nell'armadio e farvelo sapere.

Spero che fosse l'impermeabile; sta piovendo, ti bagnerai.

Pensava di cambiarsi d'abito per lo… perché dopo… e scarpe nuove. Nere con cinturini, tacchi alti. Insolite per lei. Forse erano un regalo, no? Un modo per comprarla. Portava un braccialetto con dei ciondoli. Potrebbe essere importante. La busta aveva dei piccoli buchi. Non saprei, Tesco? Waitrose?

Non provare a correre con quelle scarpe, o ti romperai una caviglia. Toglile, e poi scappa.

C'erano problemi a casa? Era scomparsa altre volte? Aveva mai cercato di farsi del male? Il ritmo delle domande era inesorabile. Ero esausta. Non avevano capito niente. Era presa dallo spettacolo. Era stanca, certo, a volte irritabile, ma era una brava ragazza. E per tutto il tempo aspettai di sentire i suoi passi; sarebbe potuta entrare in casa da un momento all'altro, una scusa banale, sorpresa per tanta agitazione. Tutto si sarebbe ridotto a un brutto sogno.

Steve Wareham stava ancora parlando. «Prima di procedere, dobbiamo perquisire l'immobile».

Lo fissai sbalordita. Non credeva a niente di quel che avevamo detto?

«Cosa?». Anche la voce di Ted era incredula. «Adesso?»

«Potreste rimanere sorpresi». Non voleva suonare paternalistico. «Non credereste al numero di bambini scomparsi che troviamo ancora in casa; ragazzini nascosti dentro l'armadio, per sentirsi importanti».

Guardarono al piano di sopra, con Ted che faceva loro strada. Ispezionarono la mansarda, le credenze e gli armadi. Furono metodici e discreti, e lasciarono dormire i ragazzi, indisturbati. Frugarono nel capanno in giardino e nei cassonetti dei rifiuti. Io rimasi ad aspettare in cucina, la mano sul telefono. Quando ebbero finito, avevano un'aria stanca.

«Più tardi tornerà qualcuno della polizia». Sue Dunning era alquanto imbarazzata. «Dovrete essere esclusi dalle indagini. Misure di routine».

Non aveva bisogno di sentirsi in imbarazzo. Stavano agendo in modo scrupoloso; significava che l'avrebbero trovata.

Ted le chiese quali sarebbero state le prossime mosse e lei gli snocciolò un elenco: fare rapporto, contattare la scuola e il teatro, andare da Nikita per una deposizione scritta, controllare Facebook, esaminare il suo portatile e i cellulari degli amici per eventuali SMS, interrogare i professori, visitare locali, pub, ristoranti, garage, stazioni ferroviarie, porti, aeroporti. Contattare l'Interpol. E se non fosse ricomparsa nelle prossime ventiquattro ore, coinvolgere i media.

Aeroporti? Media? Ted mi cinse con un braccio.

«Un'ultima cosa. Ci serve il suo spazzolino da denti», disse tranquillamente Steve Wareham. «Non si sa mai».

Lo spazzolino rosa nella tazza di plastica gialla aveva un aspetto stranamente infantile nel suo bagno. Sue Dunning lo fece scivolare dentro una bustina di plastica e non fu più di Naomi. Diventò il DNA di una persona scomparsa. Non si sa mai.

«Grazie per la vostra collaborazione». Steve Wareham si alzò rigidamente in piedi, la mano premuta sulle reni. Le rughe sul volto mi sembrarono più profonde. Mi domandai cosa si doveva provare ad affrontare genitori come noi, e per un attimo mi fece pena.

«Ragguaglieremo circa i fatti i nostri colleghi del turno di giorno, che comincia alle sette. Ci sarà una riunione con il commissario capo della Scientifica – non che al momento sospettiamo alcuna attività criminosa». Prese fiato e continuò: «Nel frattempo, sarebbe utile che cerchiate indizi qui nella vostra casa, nel caso vi fosse sfuggito qualcosa. Ripensate a tutto quel che è successo negli ultimi giorni e settimane. Tutto ciò che avete notato di diverso o insolito riguardo a vostra figlia. Scrivetelo e riferite a noi. Per il momento porterò via il portatile».

Sorrise mentre lo prendeva, e la sua espressione si fece più gentile. «Michael Kopje si metterà in contatto con voi. È l'agente di collegamento con la famiglia di quest'area. Si attiverà fra un paio d'ore».

Un paio d'ore. E che ne sarà dei prossimi cinque minuti, e dei cinque minuti successivi?

Hanno la foto. Li aiuterà.

Ma non mostra come i suoi capelli risplendono fino a sembrare lamine d'oro.

Ha un piccolo neo, proprio sotto il sopracciglio sinistro.

Profuma lievemente di limone.

Si morde le unghie.

Non piange mai.

Trovatela.

PARTE SECONDA

CAPITOLO 3

Dorset 2010. Un anno dopo

Il fievole andirivieni che ogni mattina spazza la stradina dal paese è cessato. Il mattino sprofonda in un pomeriggio torpido e, improvviso, il dolore si posa tutto intorno a me. Passerà, a patto che resti completamente immobile. In passato, durante le visite domiciliari, mi bastava osservare dalla soglia l'immobilità dei miei pazienti per intuire la gravità delle loro condizioni. Appendicite, rottura dell'aorta addominale, meningite – i muscoli si irrigidivano per contenere il disastro in corso. D'estate, giacevo immobile mentre le ore si consumavano, guardando la polvere danzare in spirali di luce via via che il sole filtrava da ogni finestra. Volevo morire, ma sapevo, allora come adesso, che un giorno avrei potuto alzare lo sguardo e trovarla là, ferma nel vano della porta. E poi non abbandonerei mai i ragazzi; inoltre, il suo cane dorme nella mia cucina.

Con tempismo perfetto, Bertie sbadiglia, si tira fuori dalla cesta e scodinzola. I suoi occhi opachi mi seguono mentre attraverso la cucina. Il collo è caldo sotto le mie dita quando aggancio il guinzaglio; il pelo folto si è indurito con l'età. Infilo album e matita in tasca. La porta sul retro si apre sul giardino e sui campi al di là.

Mia madre mi ha lasciato il cottage prima di morire. È stata una fortuna che l'abbia fatto; mi ha dato un posto dove nascondermi.

Una fortuna. Buona fortuna, questo è il mio giorno fortunato, augurami buona fortuna. Una parola banale per descrivere il peso delle ali del destino che si aprono o si chiudono davanti a te, come porte massicce che sbattono nel vento. Naomi non pensava mai di aver bisogno di fortuna. Pensava di essere nata sotto una buona stella. E

29

lo pensavo anch'io; lo pensavo di tutti noi. Solo un anno fa, pensavo che avessimo tutto.

È difficile dire con esattezza quando ha iniziato a non essere più così. Continuo a riconsiderare diversi momenti nel tempo per capire dov'è che avrei potuto cambiare il destino. Potrei scegliere quasi ogni momento della mia vita e dargli una forma diversa. Se non avessi deciso di diventare un medico, se Ted non mi avesse aiutata a portare i libri nella biblioteca anni prima, se quel pomeriggio non avessi avuto tanta fretta di tornare allo studio, se avessi avuto più tempo. Di tempo ne era rimasto poco, ma allora non lo sapevo.

Prendo il sentiero che sale alla scogliera, aspettando Bertie che supera i dislivelli di roccia grigia con salti rigidi e incerti. Arrivata in cima, il vento mi spruzza acqua sulla bocca, sottile come pioggia. Filtra tra le mie labbra, salata, più simile a lacrime che a pioggia.

La mia mente torna al pomeriggio della mia vita di dottore in cui l'orologio ha cominciato a battere le ore dell'ultimo giorno di Naomi con noi. Il pomeriggio in cui ho visto Jade, il mio peperoncino nell'occhio.

Seduta su una panchina, di fronte alla distesa del mare e del cielo, tiro fuori l'album dalla tasca e comincio a disegnare una giraffa di peluche, le macchie sul manto e il bordo frastagliato di un orecchio. Bertie si accuccia, la testa posata sui miei piedi, e aspetta, lanciando di tanto in tanto un guaito sommesso.

Il 2 novembre di un anno fa non avevo modo di sapere che ci rimanevano soltanto diciassette giorni.

Bristol 2009. Diciassette giorni prima

Aveva piovuto tutto il giorno. I pazienti stavano arrivando lungo la stradina, vestiti gocciolanti e capelli umidi, lasciando il sibilo e il rombo del traffico della via principale alla fine del nostro piccolo vicolo cieco. Il nostro studio era nei pressi del porto, leggermente arretrato fra un negozio di mobili in pino e un parcheggio cosparso di rifiuti, dove le erbacce crescevano alte e sottili nelle crepe dell'asfalto. Le strade vicine erano affollate di piccole case vittoriane a schiera; quando andavo al lavoro, addentrandomi cautamente con la macchina nelle strade strette, intravedevo l'acqua scura del porto tra i vecchi depositi.

Lo studio era conosciuto, o forse semplicemente comodo. La piccola sala d'attesa era sempre piena zeppa di pazienti, sebbene i pochi minuti che potevamo dedicare a ognuno non sembrassero mai sufficienti. Nei sette minuti assegnati a ogni persona era quasi impossibile dare alla gente ciò che voleva. Ciò nonostante, pensavo sapessero che eravamo dalla loro parte; almeno l'ho pensato fino a quel pomeriggio. Ricordo parecchio; in particolare ricordo l'odore.

Nel tardo pomeriggio, la mia stanza aveva un cattivo odore. Sudore, sangue e alcol svaporato. La pelle assumeva una tonalità verdastra sotto la luce fredda delle lampade. Le veneziane chiuse lasciavano la strada fuori dalle finestre, e all'interno sembrava che il mondo non esistesse. Il caldo era opprimente. C'erano giocattoli sparsi sul pavimento. Il lavabo nell'angolo era pieno di strumenti metallici sporchi di sangue, coperti da asciugamani di carta blu.

Ero stanca. La visita alla signora Bartlett era stata faticosa – l'emorragia aveva reso difficile individuare il polipo cervicale – e l'avevo rinviata a una clinica per un consulto l'indomani. Diedi un'occhiata alla lista sullo schermo e, mentre sgombravo il lavabo e mi lavavo le mani, pensai al paziente successivo. Un residente temporaneo. Yoska Jones. Polacco? Sbadigliai nel piccolo specchio sopra il lavandino; i capelli erano sfuggiti al fermaglio e mi incorniciavano il viso in riccioli ribelli. Il mascara era di nuovo sbavato. Scrutai la mia immagine riflessa, sperando che il problema del signor Jones fosse semplice, così avrei recuperato tempo prezioso. Lo feci entrare. Circa venticinque anni. Zigomi alti, pelle abbronzata. Mi bastò un istante per capire che non era sofferente. Me la sarei cavata alla svelta.

«Come posso aiutarla?»

«Mal di schiena, ereditario». Accento gallese. La mano, forte e segnata dalle intemperie, era posata vicino alla mia sul tavolo. Ritirai le mani in grembo.

«Cosa l'ha provocato, secondo lei?»

«Portare in giro la mia sorellina». Una nota difensiva si insinuò

31

nella sua voce. «Le piace farsi portare sulle spalle, ma comincia a essere pesante».

«Portare i bambini in braccio non aiuta». Ma è una vera tentazione. Io avevo portato Naomi in braccio ovunque, anche molto dopo che aveva imparato a camminare. Mi piaceva sentire il suo peso, la sua guancia contro la mia. «Meglio lasciarla camminare con le proprie gambe».

Colsi una scintilla di rabbia nei suoi occhi, ma in sette minuti un valido consiglio era più importante della comprensione, e dovevo dare un'occhiata alla sua schiena. I lunghi muscoli erettori ai lati della colonna vertebrale erano tonici e levigati come due serpenti, ma quando si sdraiò sulla schiena sussultò appena gli sollevai le gambe. Sciatica. I riflessi e la sensibilità erano normali. Quando gli dissi quali esercizi fare e gli prescrissi degli antidolorifici, sorrise e mi strinse la mano. L'imposizione delle mani aveva operato il miracolo: la sua ostilità era completamente svanita. Mentre usciva con un opuscolo informativo e la ricetta medica, urtò accidentalmente un giocattolo con il piede. Il pupazzetto roteò sul pavimento e andò a sbattere contro la parete. Lo raccolsi mentre la porta si chiudeva. Era l'anatroccolo di plastica con il becco arancione sbiadito, mordicchiato talmente spesso da essere sfilacciato in morbidi spuntoni, e l'ala si era staccata di netto, lasciando un bordo tagliente. Ci fu un clangore smorzato quando atterrò sul fondo di metallo del bidone. Feci entrare un altro paziente.

Sapevo che Jade aveva dieci anni anche se ne dimostrava molti di meno. Rimase immobile mentre la madre le toglieva la giacca a vento, la maglia della scuola, la gonna. Aveva lividi sul viso, sulle braccia e sulle gambe. Sembrava a posto, a parte i lividi, ma il visetto grazioso era spento. Mi scrutò, stringendo a sé una giraffa di velluto malconcia. Quell'anno era venuta almeno quattro volte allo studio: spossatezza, dolori addominali non ben precisati, scarso appetito e ora la tosse. Non c'era stato mai niente che mi avesse colpita in particolar modo, sebbene avessi notato i vestiti sporchi e i capelli aggrovigliati in ciocche. Mi ero limitata a dare consigli e avevo cercato di rassicurare la madre ansiosa. Questa volta era diverso. I lividi erano freschi. Sorrisi a Jade, ma la stanza parve oscurarsi intorno a lei.

La madre, avvolta in una voluminosa pelliccia finta, parlava a voce alta e concitata, senza concedersi pause. Le pause potevano fornire chiavi di interpretazione, invece le parole le uscivano di bocca senza soluzione di continuità.

«Continua a tenerci svegli con questa maledetta tosse».

Gli occhi verdi, duri della donna seguirono i miei.

«C'è qualcos'altro, oltre alla tosse».

Il viso nascosto sotto uno spesso strato di fondotinta si avvicinò, e piccoli grumi di mascara ormai secco tremolarono appena sbatté le palpebre. Le dita si strinsero saldamente intorno alle spalle della figlia.

«Arriva a casa coperta di lividi. Dice che inciampa di continuo. Noi pensiamo che siano gli altri ragazzini. Se la prendono con lei».

«Per quale motivo?»

«Come faccio a saperlo?».

Aprii adagio le dita chiuse a pugno di Jade e le posai il disco dello stetoscopio sul palmo, così il freddo del metallo sul torace non l'avrebbe infastidita.

«Posso sentirti il pancino?».

La testolina chiara si mosse su e giù.

Per conquistare la sua fiducia, poggiai lo stetoscopio prima sulla maglietta; i capelli ricaddero sulla mia mano e vidi qualcosa di scuro zampettare lungo una ciocca. Quando smise di trattenere il respiro, le sollevai la maglia per auscultare i polmoni. La gabbia toracica, piccola e sporgente, era piena di lividi; ce n'erano altri sulla spina dorsale. Sentii la voce della madre aumentare di tono, sempre più concitata mentre mi osservava, ma smisi di ascoltare le parole. Mantenni un'espressione impassibile e mi concentrai sui gonfiori violacei lungo una costola. A ogni suo respiro avvertivo un sottile crepitio. Ampliai la visita. Quando notai lividi nella parte alta e interna delle cosce, provai una morsa d'ansia allo stomaco.

Digitai una prescrizione di antibiotici mentre la madre rivestiva Jade. Se avessi accennato ai pidocchi, probabilmente non sarebbe più tornata.

«Questo dovrebbe aiutarla con la tosse. Un cucchiaio tre volte al giorno. Vorrei rivederla tra un paio di giorni, va bene per lei?».

La donna fece cenno di sì fissando la ricetta, poi si avviò in fretta verso la porta trascinandosi dietro Jade.

Andai da Lynn, l'infermiera dello studio. Era nella sua stanza, intenta a riempire il vassoio di boccette e siringhe mentre canticchiava sottovoce. Quando le raccontai di Jade socchiuse gli occhi castani con espressione preoccupata.

«Jade non è mai stata portata qui per le vaccinazioni. L'estate scorsa l'ha medicata l'infermiera sostituta: brutta caduta, escoriazioni sulle braccia», mi informò, digitando sulla tastiera con mani efficienti. «Anche il padre è stato qui qualche settimana fa, punti di sutura a una mano. Quel pomeriggio era ubriaco fradicio». Mi lanciò uno sguardo con la fronte aggrottata. «Ho avuto la sensazione che mi avrebbe colpita da un momento all'altro».

Mi ero imbattuta in uomini ubriachi con ferite alla testa durante i turni di assistenza ad adulti e anziani del sabato notte. Ricordavo le minacce oscene, i pugni agitati selvaggiamente mentre ricucivo i bordi delle ferite con dita tremanti.

Quindi il padre di Jade era quel genere di uomo.

«E cosa ne pensi della mamma, Lynn?»

«Non saprei». Si avvicinò allo schermo. «Non viene mai per il Pap test. Qui risulta che l'anno scorso ha visto Frank per una depressione e le è stato prescritto del citalopram, ma non è tornata per i controlli successivi».

Mentre parlava, le tessere del puzzle cominciarono a incastrarsi perfettamente tra loro.

«Grazie, Lynn. Esiste la possibilità che tu, diciamo, possa contattare la madre per le vaccinazioni…».

«E sfruttare l'opportunità per visitare la bambina? Certo che è possibile».

Telefonai all'assistente sociale, lasciai un messaggio. Rintracciare l'infermiera della scuola richiese più tempo. Non era il suo giorno di ambulatorio senza prenotazione, ma la scuola mi diede il numero di cellulare. Rispose al secondo tentativo.

«Jade Price? Sì, conosco Jade. Una creaturina silenziosa. Non è una bambina felice».

«Come mai?»

«Viene esclusa. Gli altri bambini la trattano come una lebbrosa».

La voce stridula era in vena di spettegolare. Tagliai corto.

«Si azzuffa con i compagni? La mamma ha detto…».

«Come dicevo, i ragazzini non le vanno vicino, è troppo taciturna. I pidocchi non l'aiutano. A volte suo padre la viene a prendere a scuola, completamente sbronzo e pieno di rabbia».

Un'altra tessera del puzzle che si inseriva al suo posto. Il pediatra di comunità era fuori; avrei ritentato più tardi. Era mio dovere riferire a Frank in quanto medico più anziano, ma ormai avrei dovuto aspettare fino all'indomani. Si era fatto tardi. Immaginai i pazienti storcere la bocca e guardare nervosamente l'orologio. La morsa d'ansia si era allentata, lasciando una leggera scia di panico. Quando il cellulare mi vibrò nella tasca, lo tirai fuori e diedi un rapido sguardo al display. Ed. Dovevo dire ai ragazzi di non telefonarmi qui; non c'era tempo per parlare con loro. Feci entrare il paziente successivo.

Nigel Arkwright, agente assicurativo di quarant'anni, fece scivolare il referto medico della sua assicurazione sulla scrivania. «Dicono che devo tener d'occhio la pressione». Ampio sorriso.

Mentre gli avvolgevo la fascia del misuratore intorno al braccio bianco e gelatinoso, le dita grassocce tamburellavano sul tavolo; sembravano lucide salsicce rosa, di quelle a buon mercato, con la pelle sottile che si taglia appena la sfiori con il coltello. La pressione era alta ma non in modo preoccupante. Prese l'opuscolo con i consigli per un corretto stile di vita e la prescrizione per le analisi del sangue, poi uscì per prenotare una visita di controllo, borbottando fra sé.

L'aria nel mio piccolo studio sembrava irrespirabile. Fui grata quando Jo, la nostra segretaria, mi portò una tazza di tè fra un paziente e l'altro. Aveva i capelli biondi raccolti a cipolla sulla testa, ma a quell'ora del giorno qualche ciuffetto era sfuggito dall'acconciatura. Posò gentilmente la tazza di porcellana bianca sulla scrivania, in uno spazio libero fra le carte. Prendendo i primi sorsi, guardai le fotografie incorniciate appese alla parete. Era da tempo che non le cambiavo. Una ritraeva Naomi a cinque anni che stringeva fra le braccia Bertie, allora un cucciolo. I ragazzi erano chini su di lei, seminascosti, e le

35

sorridevano. Un'altra risaliva alla notte di Capodanno dell'anno precedente. Ted ci cingeva tutti con le braccia; doveva aver detto qualcosa di divertente perché stavamo ridendo, tutti tranne Naomi; lei stava fissando la macchina fotografica con una concentrazione tale da sembrare aggrottata. Tornai alla realtà e feci entrare un altro paziente.

Il pomeriggio buio scivolò nella sera. I pazienti si susseguirono a ritmo regolare, e per un momento mi sentii in dirittura d'arrivo. Poi Jo fece capolino dalla porta, gli occhi sgranati per l'agitazione: avevano appena portato il piccolo Tom con un attacco d'asma. Sua madre, una graziosa adolescente con una chioma di treccine rasta, era ammutolita dalla paura. Tom stava sudando, la pelle come risucchiata fra le costole, il respiro un sibilo appena percettibile. Inserii la "modalità automatica" e di lì a poco il piccolo stava inalando Ventolin e ossigeno attraverso la maschera pediatrica, troppo stanco per opporre resistenza. La testa cominciò a ciondolare e si addormentò profondamente. L'ambulanza arrivò subito dopo per portarli entrambi all'ospedale, dove la situazione di Tom si sarebbe normalizzata nel corso della notte.

Appena uscirono, lo studio piombò nel silenzio. Il mio stetoscopio era rimasto sopra una pila di buste aperte traboccanti di carte. Moduli per le analisi del sangue erano ammassati alla rinfusa e un abbassalingua di legno era finito sul pavimento. La superficie beige del tè era cerchiata da un anello bianco di latte. Sbrigai le solite faccende di fine giornata, riordinai le carte e registrai lettere sul dittafono per il pediatra e gli assistenti sociali.

Niente visite. Jo si preparò per tornare a casa; sentii il suo saluto echeggiare nella sala d'attesa vuota. Stilai un elenco di cose da fare il giorno dopo e lo attaccai sullo schermo spento del computer.

La strada era deserta. Luci aranciate tremolavano in pozzanghere oleose. Il negozio di mobili in pino aveva la saracinesca abbassata e dal pub arrivavano suoni smorzati e risate. La mia vecchia Peugeot era rimasta sola nel parcheggio; dando la schiena al buio, armeggiai in cerca delle chiavi, la bocca percorsa da un fremito di paura. Una volta a bordo, l'altra mia vita prese immediatamente il sopravvento con un odore di cane, fango e mute subacquee; mi ricordò la pienezza delle nostre esistenze. Quel che avevamo era stato conquistato con fatica, ma quasi sempre pensavo che eravamo fortunati. Sul pavimento della macchina c'era il foglio lacero di un compito di matematica, e un paio di scarpe da ginnastica infilate sotto il sedile anteriore. Ficcata dentro la tasca laterale, trovai una bustina di cellophane spiegazzata con un'ultima gelatina. Aveva un sapore dolce e pungente. Accesi il motore e avviai la macchina.

CAPITOLO 4

Dorset 2010. Un anno dopo

Nei campi vicino al cottage l'odore forte della terra, misto al profumo intenso dell'erba, porta con sé il ricordo di bambini che si attardano a giocare in giardino nella penombra della sera – oppure è l'aria che si respira ai funerali? Il volto di Naomi si libra nello spazio grigio davanti a me, le guance velate di ombre come se fosse in una bara. Rapida, mi concentro sul mare, sulla sua voce che ci accompagna. Ma il flusso e il riflusso delle onde in lontananza diventa un battito cardiaco. A sei settimane era tutta cuore. Avevo eseguito un'ecografia precoce, ma il muscolo traslucido e pulsante sullo schermo mi aveva reso inquieta persino allora. Come poteva non sfinirsi? Più avanti, auscultandole il petto per via di una tosse infantile, avevo premuto l'orecchio contro la sua pelle perfetta e sentito quel battito veloce, come di uccellino. Era possibile che alla fine – se c'era stata una fine – si fosse resa conto che il suo cuore stava rallentando? C'è abbastanza sangue in un cervello morente per registrare che il cuore si è fermato? Inciampo nella radice sporgente di un albero e batto forte la testa contro il tronco ruvido. Avevo dimenticato lo shock del dolore fisico. Peperoncino nell'occhio dell'elefante.

Conservo sempre una scorta di bende nell'armadio riscaldato per la biancheria. Le mensole polverose sono piene di vecchie coperte, ma sul retro le mie dita trovano la piccola sacca di stoffa. Una volta è caduta dal muro del giardino, con conseguente lacerazione alla testa. Quando, a cinque anni, le spazzolavo i capelli setosi, vedevo la piccola cicatrice sul cuoio capelluto.

Era stata colpita alla testa? Le ferite alla testa possono rivelarsi fatali in breve tempo. Pensavo di aver smesso di torturarmi, ma è una di quelle brutte giornate in cui i pensieri scivolano lungo i ricordi, affilandoli come coltelli.

Disinfetto il taglio alla svelta, lo tampono con una garza asciutta e unisco i lembi con il sistema di sutura Steri-Strips. Appena ho finito, Bertie mi preme il naso contro la gamba, con un guaito sommesso. Mi sono dimenticata di dargli da mangiare, e il consueto rituale di aprire la scatoletta, trasferire cucchiaiate di cibo per cani nella ciotola e mescolarle con dei biscotti, mi riporta alla normalità di ogni sera. Anche allora era così.

Bristol 2009. Diciassette giorni prima

La pila di panni da stirare sopra la stufa era calda sotto la mia mano, e le corolle arancione carico di un mazzo di crisantemi risplendevano contro il buio oltre le finestre. La cucina era immersa in un aroma pepato di carne lasciata a sobbollire nella casseruola per tutto il giorno. Bertie mi premette la testa contro la gamba per richiamare la mia attenzione e sentii la tensione della giornata mollare la presa. Gli diedi da mangiare e lo portai fuori. Mentre Bertie frusciava in mezzo alle foglie spinte dal vento e si abbeverava nelle pozzanghere, sbirciai attraverso le finestre illuminate delle case a cui passavamo davanti: in una scorsi il bordo lucido di una libreria, in un'altra una tavola apparecchiata con bicchieri scintillanti. Difficile immaginare che quelle case perfette nascondessero da qualche parte credenze come la nostra, piene zeppe di sveglie fuori uso, vecchie chiavi, cavi di computer e tazze con il manico rotto. Mentre superavo l'ultima casa, qualcuno all'interno chiuse le alte persiane di legno.

Le piccole dune alla fine della nostra strada portavano a una distesa erbosa dalla quale si dominava il Clifton Suspension Bridge. Le travi d'acciaio erano state inghiottite dal buio e i cavi imperlati di luci sembravano sospesi nell'aria. Un ricordo baluginò come il fiume giù in basso: il mare di Corfù, l'estate prima, sfolgorante di mille scintille di sole. Nuotando, avevo avuto una visione fugace dell'oscurità sotto di me, digradante negli abissi, e avevo provato un moto irrazionale di terrore. Se avessi dimenticato i movimenti istintivi per tenermi a galla sarei affondata, inerme e invisibile, trascinata dalla corrente nel buio, le mani che si aggrappavano al vuoto. Mi ero girata sul dorso e avevo nuotato verso gli scogli; seduta sulla ruvida superficie di roccia, circondata dal frinire delle cicale e dal profumo di timo, avevo lasciato che la calura sciogliesse il mio terrore. Tirandomi dietro Bertie, mi affrettai verso casa, ascoltando l'eco dei miei passi sul marciapiede; impossibile dimenticare i movimenti istintivi, era questo il punto. Il corpo ricordava.

I gemelli stavano suonando la chitarra, buttati sul divano sotto la finestra. Ed accennò un saluto, le spalle curve, le lunghe dita che pizzicavano le corde. Era cresciuto nell'ultimo anno: si era allungato parecchio, gli zigomi si notavano sotto la pelle, le guance si erano incavate. Mentre lo osservavo, registrando i cambiamenti che ancora mi sorprendevano, lui distolse rapidamente lo sguardo da me e mi ricordai della sua chiamata nel pomeriggio.

«Scusa se non ti ho risposto, tesoro. Volevo richiamarti ma c'è stata un'emergenza. Magari la prossima volta lascia un messaggio in segreteria, oppure aspetta che torni a casa, ok?».

Ed si strinse nelle spalle. Non riuscii a capire cosa stesse pensando, ma ormai mi succedeva spesso. Non ricordavo nemmeno quando era stata l'ultima volta in cui avevamo fatto una chiacchierata insieme. Anche Naomi era diventata più taciturna. Mentre mi toglievo il cappotto, pensai: Cos'è che succede quando i figli crescono? Un processo talmente graduale che non sono mai riuscita a individuare il momento esatto in cui sono diventata solo una figura nel loro entroterra, qualcuno che li guarda da lontano. I miei occhi si spostarono su Theo; la testa gettata indietro e gli occhi chiusi, strimpellava cantando ad alta voce, la cravatta allentata, i libri di arte sparsi sul pavimento fra briciole di toast. Alzò di colpo lo sguardo su di me e sorrise, la bocca larga che fendeva il viso lentigginoso. Avrei voluto abbracciarlo. Almeno Theo era ancora Theo, scherzoso, felice e senza complicazioni. Ed mi stava osservando, così sorrisi a entrambi. Erano sempre stati diversi malgrado avessero ricevuto lo stesso amore e la stessa attenzione. Forse questo dimostrava il fatto che il carattere è predeterminato. Mi piaceva questa spiegazione; mi scagionava da ogni colpa.

Un etto di burro e un etto di zucchero, una manciata di farina, tuorli giallo oro. Tocchetti bianchi di mela dentro la teglia, versare sopra la pastella e mettere in forno. Un'altra serie di gesti automatici, colorati e profumati.

La porta di servizio si spalancò.

«Ehi, cagnolino». Naomi in giaccone nero con cintura si chinò su Bertie. «Ti sono mancata, eh?». I capelli chiari ricaddero come un velo scintillante sul naso del cane, che starnutì sonoramente. Naomi alzò lo sguardo, ma il suo sorriso sbiadì appena mi vide vicino alla stufa, e non rispose al mio. Parlò in tono brusco.

«So cosa stai per dire, quindi lascia perdere. Farò i compiti dietro le quinte. Non posso mancare alle prove. Vado a cambiarmi».

«Non stavo per dire nulla riguardo ai compiti». Ero offesa. «Ma se hai molto…».

Si girò in silenzio e si avviò su per le scale trascinando i piedi. Sentii sbattere una porta al piano di sopra. Di solito saliva di corsa quei gradini. Era stanca. Spuntai i fagiolini; erano ancora i suoi preferiti, saltati nel burro con una spolverata di mandorle tostate. Stanca e nervosa. Le prove dello spettacolo erano incalzanti e si aggiungevano agli esami per il GCSE[1]. I ragazzi raccolsero i libri e si spostarono verso le scale, parlottando. Theo stava prendendo in giro Ed – qualcosa riguardo alle ragazze – a bassa voce perché io non sentissi.

Pace, finalmente. La sensazione rassicurante che ti dà sapere che i figli sono a casa e la notte è chiusa fuori dalla porta. Scolai le patate e le schiacciai fino a renderle morbide, feci dei sandwich per tenere Naomi buona per un po' e preparai un thermos di cioccolata calda. Le avrei lasciato la cena da parte. L'immagine di Jade Price indugiò per un istante nel calore della cucina; mi era parsa così esile quel pomeriggio. Mi domandai se qualcuno le stesse preparando la cena.

Suonò il campanello della porta sul retro: gli amici di Naomi erano

[1] General Certificate of Secondary Education, titolo di istruzione secondaria superiore, rilasciato intorno ai 16 anni (n.d.t.).

41

passati a prenderla per andare alle prove. Lei scese in cucina e poi scomparve in mezzo a una baraonda di giovani voci.

La porta principale si aprì al piano di sopra. Un tintinnio di chiavi sul tavolo, passi rapidi sulle scale che scendevano in cucina.

«Puzzi di ospedale», mormorai, la guancia contro quella fredda e ispida di Ted. Quando rientrava a casa aveva sempre addosso un odore acuto di disinfettante, appena smorzato da un vago aroma di lavanda del lavaggio asettico. Volevo stargli vicino, ma Ted si tirò indietro e sorrise, sbirciando oltre la mia spalla.

«Ehi, sembra invitante».

Allungò il braccio per staccare un pezzetto di dolce caldo, poi si chinò a prendere una bottiglia di vino dalla rastrelliera. Riempì due bicchieri e me ne porse uno.

«Com'è andata la tua giornata?», mi chiese.

Notai una luce entusiasta nei suoi occhi, così non gli dissi della bambina piena di lividi, dell'irritazione di Naomi o che mi ero ricordata cosa si provava a nuotare in acque profonde.

«Bene», risposi. «E la tua?»

«Fantastica. La bambina è completamente guarita. Grande rilevanza a livello internazionale, è tutto il giorno che la stampa telefona all'ospedale».

Cominciò a passeggiare su e giù, incapace di restare fermo, passandosi le dita fra i capelli biondi fino a sollevarli in ciocche arruffate. Mentre lo osservavo, il mio sguardo si posò sul thermos, lasciato sul tavolo insieme al pacchetto di sandwich confezionato con cura.

«Ha smesso di strillare. Niente più allucinazioni». Mi guardò, gli occhi azzurri lucenti di entusiasmo. «Un'operazione per curare sintomi psicotici – assolutamente innovativa».

A cena, il viso lentigginoso di Theo e quello più scuro di Ed non fecero che alzarsi e abbassarsi dal piatto, seguendo il racconto del padre. Ted ci condusse attraverso i difficili momenti della delicata esplorazione della materia cerebrale per distruggere le cellule malate. La bambina presentava i classici sintomi di psicosi con allucinazioni paranoiche. In corsia, aveva gettato acqua bollente addosso ad altri bambini e morso le infermiere. Quel giorno, dopo l'intervento, disegnava fiori.

Squillò il telefono, il «Daily Mail» voleva sapere di questa cura miracolosa. Ted prese la telefonata al piano di sopra.

Theo finse di trapanare la testa del fratello con le punte smussate della forchetta. «Risolverò i tuoi problemi una volta per tutte».

Prima che Ed potesse sfuggirgli, Theo lo spinse giù dalla sedia e lo immobilizzò a terra, gridando: «Le voci nella mia testa mi stanno dicendo di ucciderti!».

«Se andate subito a fare i compiti, vi dispenso dal lavare i piatti». Un patto che di solito funzionava. «Theo, hai fatto vedere a papà il tuo progetto di arte?»

«Quale?»

«"Il posto dell'uomo nella natura". Finirà per vederlo alla mostra».

«Non posso, mi ucciderà».

«Su, caro, falla finita».

Una volta spariti, la cucina si riempì di silenzio. Cominciai a radunare i piatti sporchi. Quello di Ed era mezzo pieno. Troppi toast prima di cena. Ero ancora lì quando Naomi entrò piano dalla porta sul retro, un'ora più tardi del previsto.

«Com'è andata?», le chiesi, notando le occhiaie scure.

«Bene». Un sorriso le indugiò sulle labbra. Forse mi avrebbe raccontato un aneddoto scherzoso; forse il regista era rimasto soddisfatto di come aveva cantato o recitato la sua parte. La osservai sfilarsi il giaccone, versarsi un bicchiere di latte e appoggiarsi alla stufa per berlo.

Sembrava essere da tutt'altra parte, molto lontano da lì; mi lanciò un'occhiata di traverso, senza incontrare il mio sguardo.

Mentre si avviava verso le scale, non potei fare a meno di ripeterle: «Allora, com'è andata?»

«Al solito. Sono stanca».

Un tempo mi sarebbe venuta dietro mentre sparecchiavo, investendomi con un flusso continuo di chiacchiere, domande, dubbi, battute scherzose. Avrei dovuto chiederle di fare una pausa per consentirmi di controllare le email, ma mi avrebbe seguita fino alla scrivania e avrebbe continuato a parlare seduta sul bracciolo del divano. Sembrò qualcosa che succedeva secoli prima.

Quando mi passò accanto, sentii un vago odore acre. Tabacco.

«Naomi?».

Si girò infastidita.

«Non hai fumato, vero?».

Gli occhi azzurri mi parvero più chiari del solito. Scosse la testa. «Izzy ha fumato nello spogliatoio dopo le prove. Era scocciata perché la signora Mears continuava a darle addosso per le sue battute, perciò…». Si strinse nelle spalle. «Dov'è papà?».

La fissai per un istante. Non le credevo, ma non sarebbe stato difficile sapere se aveva cominciato a fumare abitualmente: vestiti impregnati di fumo, tosse. Una sigaretta isolata non era un dramma. Lasciai correre.

«Il famoso neurochirurgo è nel suo studio, intento a rispondere con cognizione di causa alle domande della stampa mondiale», risposi.

Cominciò a salire i primi gradini.

«Non hai fame, tesoro? Ti sei dimenticata…».

Ma era già scomparsa fra le ombre in cima alle scale.

CAPITOLO 5

Dorset 2010. Un anno dopo

Non ricordo l'ultima volta che ho toccato o sono stata toccata da qualcuno. Ho baciato la mano di Naomi un anno fa, in cucina. Il calore del ruvido abbraccio di Theo dello scorso Natale è svanito da tempo. Vedo Ed ogni mese, ma evita qualsiasi tipo di contatto con me. Ted e io dividevamo il letto prima che io me ne andassi, ma dormivano separati, dandoci la schiena. Durante i miei giri di visite nelle case di riposo, trovavo i residenti arenati lungo le pareti di una sala, vecchie mani che si allungavano verso le mie, avide di contatto; ora ho fatto dietrofront. "Non toccare" è diventata una prassi meticolosa. Sto attenta a evitare il contatto accidentale delle dita quando il cassiere mi dà il resto in un negozio. Se qualcuno bussa alla porta, faccio un passo indietro. Così un pomeriggio, quando vedo la signora anziana abbandonata sui gradini del suo villino lungo la stradina, mi sorprendo di quanto mi risulti naturale soccorrerla. È pallida, ma il polso è pieno e regolare, la mano che le ho posato sul petto si alza e si abbassa a ogni respiro. Sotto le palpebre, le pupille sono di eguali dimensioni. Ha un'espressione così serena che esito, chiedendomi come scuoterla senza spaventarla. So cosa si prova a tornare di colpo alla realtà; anche se a volte ne sono stata contenta.

Bristol 2009. Sedici giorni prima

Mi svegliai di soprassalto. Nei miei sogni arrancavo in uno spazio pieno di voci aspre e di un implacabile scrosciare d'acqua. Un rubinetto aperto nelle vicinanze. Jade stava piangendo da qualche parte. Il sollievo del mattino si diffuse a poco a poco dentro di me. Il pianto divenne il grido dei gabbiani portato dal vento. Fuori della nostra finestra, il chiacchiericcio di una gazza che si dondolava sui rami spogli del tiglio. Da qualche parte sopra di me, nella casa, Naomi stava facendo la doccia mattutina. L'acqua doveva scrosciarle addosso, avvolgendola in una colonna lucente.

Avvolsi i piedi intorno a quelli di Ted e lo osservai indugiare in un sonno più leggero. Le guance erano più cascanti del solito, la luce metteva in risalto venature grigie fra i capelli biondi che gli sfioravano il collo. Mi avvicinai, modellando il mio corpo sul suo. Insieme, eravamo al caldo e al sicuro. Il sogno spaventoso si dissolse.

Avevamo piantato due tigli vicini fra loro, diciotto anni prima, quando avevamo saputo che aspettavo due gemelli. Avevamo fatto a gara per vedere quale dei due sarebbe cresciuto più in fretta, ma alla fine i due alberi si erano attorcigliati insieme a formare un unico, grande tronco. Persino i rami erano intrecciati fra loro. D'estate, la luce del mattino che filtrava nella nostra camera era sfumata di verde, ma in quel periodo dell'anno i rami spogli riempivano il cielo di nere linee intersecanti.

Ted emise un verso soddisfatto. Si svegliava sempre felice. La sua mano, calda sulla mia spalla, scivolò lungo il braccio, poi sulla schiena, attirandomi a sé. Le nostre facce si toccarono, la sua bocca sulla mia guancia.

La radio si accese, impostata per la sveglia alle sette. Martedì 3 novembre, disse la voce. Era ora di alzarsi. Dovevo rintracciare il pediatra ed ero di servizio. Rammarico e senso di colpa mi avvolsero come un mantello familiare.

«Scusa». Allontanai il piumone con un calcio. «Scusa. Scusa».

«Metto su il bollitore». I suoi passi scesero lentamente le scale; sentii la sua voce, ma lontana.

L'acqua calda e scintillante che mi accolse nella vasca ebbe su di me un effetto calmante. Niente di grave, pensai, osservando il volto tranquillo di Ted mentre si lavava i denti. Sorseggiai il caffè nero che mi aveva portato. Pazienza.

Parlammo della giornata che ci aspettava: la mia visita a Jade Price, la sua clinica e la lezione che avrebbe tenuto subito dopo agli studenti. Dopo la doccia, Ted si asciugò passeggiando avanti e indietro sul pianerottolo, seguendo il corso dei suoi pensieri. D'un tratto notò i poster per il progetto d'arte di Theo impilati fuori della porta della sua stanza, pronti per essere laminati a scuola. Si fermò di colpo e, accovacciatosi a terra, cominciò a sfogliarli. Quindi Theo non glieli aveva mostrati la sera prima; non voleva avere guai. Erano una serie di foto di Naomi nei boschi autunnali del Brecon Beacons, scattate in diverse domeniche di ottobre. Ogni volta che gli alberi avevano perso altre foglie, Naomi si era tolta un capo di vestiario. All'inizio solo i guanti, poi le scarpe, il giaccone e il pullover. Ted fece un fischio di ammirazione per il modo in cui Theo aveva saputo catturare le forme e i colori dell'autunno, e il volto pallido di Naomi che risaltava sullo sfondo degli alberi. Via via che passava in rassegna i poster, Ted si fece sempre più silenzioso. L'ultima immagine mostrava Naomi nuda, nascosta fra i rami. I suoi occhi fissavano l'obiettivo, sfidando apertamente lo spettatore. Intuii lo sconcerto di Ted dal suo silenzio.

«Caro», mi fermai alle sue spalle, avvolta in un asciugamano, gocciolando acqua sul parquet. «So cosa stai pensando…».

«Non sai cosa sto pensando», replicò tranquillamente.

«È una metafora. Se ci apriamo al mondo della natura, se ci disfiamo dei nostri strati artefatti, la natura ci proteggerà a sua volta. Conosco Theo…».

«Smettila di dire che conosci tutti. Non è così». Aveva alzato la voce. «Non c'entra un cazzo di niente con il mondo naturale. La sta sfruttando, scattandole una serie di foto osé per attirare l'attenzione. Naomi è troppo giovane per rendersene conto, ma tu sei perfettamente in grado di farlo».

«Ted, è arte».

«Non riesco a credere che tu possa usare questo stereotipo come giustificazione per la pornografia».

«Non è pornografia». Stavo alzando anch'io la voce. «Per l'amor di Dio, aveva le mutande! Si è tenuta il cappotto finché non è stata nascosta dai rami. Nikita era lì con lei. Naomi le lanciava i vestiti man mano che si spogliava». Feci una pausa per riprendere fiato. Come poteva pensare che Theo volesse sfruttarla? Theo e Naomi erano sempre stati molto legati fra loro, anche da piccoli.

«Ti ostini a non capire», replicò seccamente.

Mi tirai fuori dalla lite. Non ce n'era il tempo.

«Ne parleremo stasera con Theo».

«Non c'è altro da dire», concluse con una scrollata di spalle.

Il tempo a disposizione era finito. Le discussioni vengono spesso lasciate incompiute e cessano apparentemente di esistere, falò abbandonati che si consumano, lasciando solo un mucchietto di cenere. Indossati i vestiti, Ted divenne ancora più ostile, energico, efficiente. Mi diede un bacio che non toccò le labbra, gli occhi che guardavano altrove. La porta principale si richiuse alle sue spalle.

Naomi comparve mentre stavo radunando le mie borse. Aveva ancora l'aria stanca nonostante una notte di sonno e si aggirò senza fretta per la cucina, recuperando cartelline, sciarpa e scarpe da hockey. Sembrava assorbita dalla giornata che l'aspettava, e non mi guardò quando le proposi di fare colazione.

«Non ho fame», si limitò a dire, annodandosi la sciarpa davanti al piccolo specchio sulla parete vicino al telefono.

«Mangia qualcosa, tesoro. Un toast? Un uovo?».

Arricciò il naso disgustata senza rispondere, poi si chinò ad accarezzare il cane.

«Ti voglio bene, Bertie».

Baciò l'aria sopra la testa pelosa e uscì sbattendo la porta. Rientrò per prendere il cellulare e sparì di nuovo.

Arrivarono i ragazzi, insonnoliti e taciturni. Ed aveva un'aria arruffata, la cravatta non annodata e i capelli spettinati. Si riempì una ciotola di muesli e mangiò lentamente, leggendo gli ingredienti sul lato della scatola con grande concentrazione. Theo si appoggiò contro lo sportello del frigo, masticando l'ultimo pezzo di torta di mele a occhi chiusi. Poi se ne andarono, scontrandosi mentre uscivano insieme dalla porta principale, le spalle curve mentre portavano la cartella di arte di Theo.

Era ora che uscissi anch'io di casa. Li seguii, ma arrivata alla porta mi fermai, risucchiata dal caldo disordine della cucina. Toast imburrati e morsicati, una pozza luccicante di zucchero rovesciato, confezioni accartocciate, barattoli aperti. Volevo rimanere, chiudere quel caos dentro la credenza e ristabilire l'ordine sul piano dei mobili.

Mia madre, in versione giovanile, sembrava osservarmi fra le ombre dietro ai cappotti appesi nell'ingresso, talmente vicina che sentivo il suo respiro sulla nuca, il mento sulla spalla. Mi stava dicendo di rimanere, di rimettere in ordine e badare alla casa come aveva fatto lei. Mi affrettai a frugare fra le paia di scarpe finché non trovai quelle nuove, rosse con i tacchi. Le infilai, diventando la professionista, il dottore, e uscii tirandomi dietro la porta.

Fuori m'imbattei in Anya che scendeva dalla macchina del marito. Sotto il cappotto portava l'immancabile grembiule a disegni stampati che usava per fare le pulizie a casa nostra. Lavorava sempre con calma, facendo onore a ogni incombenza con mani pazienti. Io invece, per quanto mi adoperassi, finivo sempre con l'affrontare ogni cosa con rabbia, lasciando un lavoro incompleto per cominciarne un altro. Anya e il marito venivano dalla Polonia. Ogni volta che lo vedevo, lui mi fissava con cipiglio severo. Avrei voluto dirgli che Anya rendeva la mia vita possibile, ma questo l'avrebbe fatto arrabbiare ancora di più, come se la mia vita fosse più preziosa di quella di sua moglie. Il suo sguardo ostile saettò dal mio cappotto pesante alla borsa di pelle, alla casa a più piani alle mie spalle.

Mentre aprivo la macchina, salutai la signora Moore dall'altra parte della strada; stava mettendo fuori i rifiuti, confezionati per il riciclaggio. Ted aveva lasciato i nostri sul marciapiede la sera prima: le bottiglie di Shiraz lavate, le esotiche confezioni di cartone dei pasti precotti, copie del «Telegraph» piegate ordinatamente. La signora Moore si raddrizzò premendosi una mano sulle reni. Guardò nella mia direzione e la bocca anziana si dischiuse in un breve sorriso. Intravidi la sagoma indistinta del figlio Harold fare timidamente capolino dalla finestra a golfo. Aveva circa trent'anni ed era affetto da sindrome di Down. Suo marito l'aveva lasciata anni prima. Mi domandai, come facevo ogni volta che la vedevo, cosa la spingeva ad andare avanti un giorno dopo l'altro. Continuò a fissarmi mentre avviavo il motore e premevo il pulsante della radio. D'un tratto, pensai che poteva essere esattamente il contrario: forse non c'era bisogno che mi sentissi in colpa perché apparentemente avevo molto più di lei; mi vedeva sempre andare e venire in tutta fretta, e sapeva che Ted lavorava ogni giorno fino a tardi. Probabilmente mi compativa.

La mattinata scivolò via senza intoppi. Tre donne, una dopo l'altra, destabilizzate da questioni di semplice biologia: mestruazioni, gravidanza, menopausa. Mentre le ascoltavo e le visitavo, avrei voluto dire loro che quella era la normalità della vita, non una malattia. In altre culture avrebbero celebrato momenti del genere; forse lì ero io il celebrante delegato a prendere atto di quei riti di passaggio. L'ultimo paziente, però, il signor Potter, stava davvero male. Novant'anni, si era lucidato le scarpe, aveva disceso la collina e aspettato il suo turno per dirmi che accusava un dolore opprimente al petto, al centro e sul lato sinistro. Guardai il volto sudato, il sorriso forzato che gli tremava sulle labbra. Non c'era molto tempo.

«Mi spiace, dottoressa, non lo sapevo; pensavo fosse indigestione. Non volevo disturbarla». Parlava con difficoltà, cercando di riprendere fiato. «Chi darà da mangiare al mio gatto?».

Usò il telefono per chiamare i vicini, mentre io organizzavo il suo ricovero nell'unità coronarica. Il suo mondo stava cambiando: si lasciava alle spalle un ordinato appartamentino in una casa popolare, le foto sbiadite del matrimonio sulla mensola del camino, il bagliore della stufa a gas davanti a una poltrona ormai vuota, la presenza confortante di un gattino. Lo aspettava un ambiente di luci abbaglianti, di tubicini e il continuo *bip* dei monitor di controllo; il personale dietro la scrivania sarebbe stato troppo distante, o troppo opprimente; gli avrebbe alitato in faccia, parlandogli ad alta voce come se fosse un bambino sordo. Avrei voluto dirgli di appuntarsi sul petto le sue medaglie di guerra.

Frank era seduto dietro a una scrivania antica con il pianale in cuoio, parlava al telefono; vedendomi, sorrise e accennò alla sedia. Due tazze di caffè erano posate davanti a lui, l'aroma riempiva la stanza. Mi accomodai.

Riagganciò il telefono, sospirò e afferrò una delle tazze con entrambe le mani. Gli occhiali gli pendevano storti sul naso; la superficie della scrivania era completamente nascosta da un cumulo di strumenti, penne e moduli.

A quanto pareva, c'era stato un pasticcio burocratico da parte del Dipartimento cure primarie, il che significava che le valutazioni sarebbero cambiate di nuovo. Mentre Frank si lamentava della politica medica, il caffè mi scaldò e mi rilassai. Cominciammo a parlare della mattinata.

«Ho rinviato Jade Price al pediatra di comunità. Possibile abuso di minore. Al momento non ne ho accennato alla madre, quindi passerò da casa loro in giornata».

Frank ascoltò la storia con espressione circospetta.

«Conosco i Price. Fai attenzione, Jenny, e considera la faccenda da ogni possibile angolazione. Non mi sembrano persone in grado di maltrattare bambini».

«Le angolazioni non sono poi tante», dissi, ricordando i lividi e l'immobile spossatezza di Jade. «Il profilo familiare combacia. Il padre è un prepotente che alza facilmente il gomito. La madre è depressa».

«Perché passare da casa loro? Potresti semplicemente telefonare».

«Non sarà facile dirle che sospetto la famiglia di abuso di minore – sarà più semplice trovare il momento giusto parlandone di persona». Mi venne in mente un'altra considerazione. «E poi a casa potrei trovare ulteriori indizi».

«Vuoi che venga con te?»

«Cosa? Perché?»

«Potrebbero cercare di confonderti, o diventare ostili. Mi sembri un po'… preoccupata. Non solo per i Price, intendo dire. C'è qualcosa che ti irrita».

Non era un caso se Frank faceva il medico di fiducia da trent'anni.

«Oh, faccende di famiglia».

«Ted sta bene?»

«Benissimo, direi. Una stella in ascesa, in realtà». Ripensai all'entusiasmo della sera prima, alla scintilla di eccitazione nel suo sguardo.

«I ragazzi? La mia nipote preferita?»

«Naomi è cambiata. Più riservata, forse. Non riesco a individuare con esattezza…». Dicendo questo, provai un moto di preoccupazione. Mi stava sfuggendo qualcosa?

«Sta combinando qualcosa, presumo». Sorrise. «Le quindicenni passano la vita a combinare qualcosa».

«Di solito me ne parla». Non ultimamente, però. Non da settimane. Da mesi, forse.

«Conoscendo Naomi, lo farà quando lo riterrà opportuno. Ted cosa ne dice?»

«Nulla. Be', non gliene ho ancora parlato – troppe cose tutte insieme». Sorrisi mestamente. «Il tempo non è mai abbastanza, e uno dei due finisce per addormentarsi».

«Solo Dio sa come fai a fare tutto. Io ho avuto solo un figlio e Cathy era a casa tutto il tempo».

Non mi piaceva quando la gente mi diceva così. Come se io la stessi imbrogliando. Non c'era nulla di magico. Non era nemmeno particolarmente difficile. Dovevo solo continuare ad andare avanti, e sapevo esattamente come fare. A volte avevo la sensazione di fuggire da una vita a un'altra e viceversa. Non sapevo con precisione da cosa scappassi ogni volta, ma sembrava funzionare; dicevo alle mie amiche che mi forniva una giustificazione inconscia se qualcosa andava storto. Col tempo mi ero resa conto che se lasciavo che i ragazzi se la sbrigassero da soli, di solito ci riuscivano. Adesso potevo biasimare solo me stessa se Naomi stava imparando a essere indipendente. Avrei aspettato finché non avesse abbassato la guardia e fosse stata disposta a parlare.

Avrei sorvolato sulla faccenda della sigaretta e poi, appena mi avesse detto qual era il problema, l'avrei aiutata.

Se qualcuno me lo avesse chiesto, avrei risposto che era felice, e che lo eravamo anche io e Ted. Eravamo tutti perfettamente felici.

La casa dei Price era in una strada nei pressi del porto, a poco più di un chilometro dallo studio. L'area vicino al fiume era stata riedificata; i vecchi depositi erano stati rimpiazzati da uffici in vetro e mattoni e da una palestra. Ma l'architettura ricca di stile non aveva raggiunto la via dove abitavano i Price, due strade più indietro. Parcheggiai la macchina e mi incamminai in cerca del civico 14. Una o due finestre avevano i vetri rotti, rappezzati con dei cartoni; in un giardino davanti a una casa c'era un televisore abbandonato nel fango. Nessuna porta sembrava avere numeri. Notai un gruppo di ragazzi intorno a una motocicletta, un'elegante due ruote in netto contrasto con la strada. Ragazzi esili, ma dritti nel vento pungente. Uno di loro stava scolando una lattina con fare disinvolto, incurante che il liquido gli colasse sulla faccia. Il vento soffiò una pagina ingiallita di giornale contro le mie gambe. Me la strappai di dosso e la osservai svolazzare verso il palo di un lampione. Mi avvicinai al gruppo.

«Salve. Sapete dirmi dov'è il numero 14?».

Il ragazzo più alto alzò di scatto la testa.

«Jeff Price? Perché?».

Si fece avanti un altro ragazzetto. Mi fissò spostando il peso da un piede all'altro, una sigaretta arrotolata a mano stretta fra i denti, le braccia nude incrociate sul petto. Senza dire una parola, accennò alla casa con la porta gialla.

«Grazie per l'aiuto». Rivolsi a tutti un mezzo sorriso.

«Se la tira, eh?», commentò qualcuno mentre mi giravo, e uno di loro lanciò una lattina in mezzo alla strada.

C'erano delle bottiglie fuori della porta gialla, alcune rovesciate. Salendo i gradini le urtai con i piedi e finirono in pezzi sul viottolo. Un'ondata di risate echeggiò alle mie spalle.

Dalla porta socchiusa usciva un tanfo di birra e urina. Il campanello non funzionava, così bussai; nessuna risposta. Spinsi la porta, entrai nell'angusto ingresso buio e chiamai: «Signora Price? Salve, sono la dottoressa. Ci siamo viste ieri».

«Chi c'è?».

Un uomo corpulento emerse dall'oscurità della casa. La vestaglia macchiata era aperta, e rivelava un groviglio di peli tendenti al grigio sul torace e un paio di mutande sformate. Mentre avanzava verso di me veloce come un treno, serrai istintivamente le mani intorno alla borsa.

«La dottoressa. Sono… la dottoressa».

«Ah sì? E cosa vuole?»

«Ieri sua moglie ha portato Jade allo studio medico».

Il cambiamento fu improvviso e totale. La bocca si aprì in un ampio sorriso e dagli occhi sparì ogni traccia di sospetto.

«Che Dio ti benedica, cara. Sono molto preoccupato per Jadie. Entra, ti presento mia madre».

Glielo avrei detto subito. Dopo aver conosciuto sua madre, lo avrei avvisato che ero preoccupata perché sua figlia subiva dei maltrattamenti, anche se non avrei usato quella parola. Gli avrei detto che l'avevo rinviata al pediatra, per maggior sicurezza. Mi guidò lungo il corridoio e oltre una porta stretta in fondo. «Saluta la dottoressa, Ma. È venuta per la nostra piccola Jadie».

L'odore di ammoniaca mi fece lacrimare gli occhi. Una donna anziana sedeva accanto a una stufa con un'unica barra incandescente. Aveva l'aria di un vecchio pappagallo, con gli occhi infossati tra pieghe di pelle avvizzita e piccoli artigli affondati nei braccioli della poltrona. Il corpo era scosso da spasmi e le guance si gonfiavano ritmicamente masticando a vuoto. Sotto la poltrona, il tappeto appariva scuro e bagnato.

«Non riesce a controllarsi. Ora vi preparo una bella tazza di tè. Mettiti comoda, tesoro».

Cercai un posto dove sedermi, ma ogni superficie era occupata: blister di pasticche, fazzoletti di carta appallottolati con depositi verde scuro annidati tra le pieghe. Giocattoli di plastica ingombravano il pavimento ed erano stati spinti sotto il televisore. Appeso alla parete, un foglio con una casetta disegnata da una mano infantile. Il caldo e il cattivo odore erano soffocanti. Tornai nel corridoio e mi misi in ascolto. Sentii il bollitore fischiare, un acciottolio di stoviglie, il rumore di qualcosa che finiva in pezzi e le imprecazioni del signor Price. Guardai su per la stretta scala a chiocciola che si snodava nell'oscurità. Tesi l'orecchio per sentire la presenza di una bambina, ma non ne ebbi il tempo.

«Cercavi me, tesoro?». Il signor Price comparve con una tazza fumante in ciascuna mano. Mi seguì nel soggiorno, incalzandomi con lo stomaco prominente. «Eccoci qui, Ma».

Posò la mia tazza in equilibrio precario su una pila di quotidiani, soffiò rumorosamente dentro l'altra, poi sollevò il viso della madre e cominciò a darle il tè a cucchiaini; rivoli ramati le colarono giù per il mento e sulla camicia da notte di nylon rosa. Accanto alla poltrona c'era una foto di famiglia; da dove ero seduta, riuscii a distinguere la sagoma di una bambina, minuscola in mezzo ai due genitori.

«Riguardo a Jade...».

«Sì?»

«Sono preoccupata per... quei lividi».

«Tracey me l'ha detto. Questa tosse. A volte sente caldo, sa, è tutta sudata. E non ha voglia di mangiare, è sempre più secca. Quei lividi, poi».

«Mi chiedevo come se li è procurati». Lo guardai attentamente mentre lo dicevo.

«Questo è il punto. Non ne abbiamo la più pallida idea. Non ne fa parola».

«È questa, in parte, la ragione per cui voglio mandarla in ospedale per un controllo – i lividi».

«In ospedale. Che mi venga un colpo! Allora è una cosa seria?». Aggrottò la fronte, sembrava sinceramente preoccupato, e capii cosa intendeva Frank. Quest'uomo poteva confondermi.

«Tutto ciò che non ci è chiaro diventa importante». Mantenni un tono pacato. «Voglio che la visiti un pediatra».

«Ah sì? E chi sarebbe costui?»

«Un medico dei bambini. Qualcuno che esamina i problemi che si presentano quando i bambini hanno lesioni inspiegabili. Come Jade. A dire il vero, siamo preoccupati che qualcuno le abbia fatto del male».

«Quelle luride canaglie a scuola».

Ci avevo provato. Avevo fatto tutto il possibile. Se lo avessi costretto a un confronto diretto avrebbe potuto prendere la bambina e sparire.

«Le invieranno un promemoria dell'appuntamento, o forse le telefoneranno entro uno o due giorni se si libera un posto».

«Grazie, doc». La faccia si increspò in un sorriso che parve convincente. «Lo dirò a mia moglie».

Mi alzai, ignorando il tè. La madre sussultò e cominciò a smaniare nella sua poltrona.

«È tutto ok, sta andando via», le gridò il signor Price in un orecchio. «Saluta la dottoressa».

Gli occhi da pappagallo guizzarono nella mia direzione. Lei sapeva. Non poteva abitare in una casa dove una bambina subiva maltrattamenti e non esserne al corrente. Probabilmente sapeva esattamente il motivo della mia visita.

La banda di ragazzi era ancora là. Uno aveva nascosto la faccia dentro una busta, un altro si dondolava appoggiato contro un lampione, gli occhi chiusi. Due erano in posizione accovacciata, teste chine e mani penzoloni. Non mi videro passare. La strada stretta mi parve ancora più tetra; la striscia visibile di cielo era di un grigio cupo e stava cadendo una pioggia leggera. Controllai l'orologio mentre affrettavo il passo: le quattro. Theo doveva essere nello studio d'arte a disporre le sue foto per la mostra. Ed a vogare durante gli allenamenti della squadra della scuola, sguardo concentrato e muscoli in tensione. Avevano più o meno la stessa età di questo gruppo di ragazzi. Ma non mi sentii fortunata, mi sentii spaventata.

Dentro la macchina faceva freddo. Accesi il riscaldamento e la radio. Stavano trasmettendo il notiziario locale. Aggressione da parte di uno stupratore nel centro di Bristol. Allagamenti. Fabbrica di cioccolato che chiudeva i battenti.

D'un tratto sentii il bisogno di parlare con Ted, di sentire la sua voce. Spensi la radio, tirai fuori il cellulare e digitai il suo numero. La sua voce disse che non poteva rispondere, di lasciare un messaggio dopo il segnale acustico. Era diverso dall'ultimo messaggio di risposta, uno che aveva registrato a casa, con un leggero sottofondo di musica, il clangore di un tegame e voci dei ragazzi. Qui c'era unicamente la sua voce, chiara e determinata. Sembrava molto sicuro di sé, e terribilmente lontano.

CAPITOLO 6

Dorset 2010. Un anno dopo

Stringo fra le dita il polso sottile dell'anziana signora. La sua è un'immagine che ho registrato senza rendermene conto, come un albero lungo la strada che percorro spesso in macchina. Fino a oggi non è stata altro che una figura curva dentro un cappotto ingombrante. Avevo capito che era anziana dall'andatura rigida e zoppicante. A volte, durante il lento scorrere delle ore notturne, guardo fuori dalla finestra e provo conforto nel vedere la luce accesa nella sua stanza. Adesso è stesa in una posizione innaturale: il collo piegato contro lo stipite della porta, le braccia abbandonate sul corpo, le mani conserte.

«Salve, mi sente?».

Nessuna risposta.

«Sente dolore da qualche parte?».

Niente.

«Adesso la tiro su, si regga a me».

Le passo un braccio sotto le spalle e l'altro sotto le ginocchia divaricate. Vista da vicino, la pelle diafana è solcata da una ragnatela di rughe; ci sono chiazze brune sulle guance. Le labbra sottili sono pallide, i capelli bianchi tirati indietro così saldamente da evidenziare le ossa della fronte. Ha l'aspetto di un gattino addormentato e il peso di una bambina. Apro la porta spingendola con una spalla, ed eccomi tornata a fare quel che facevo ogni giorno, quando prendermi cura della gente era parte della mia vita.

Bristol 2009. Da quindici a dieci giorni prima

I giorni passavano in fretta. Giorni normali.

Erano normali? Allora sembrava di sì. È proprio così che sono impressi nella mia memoria: giorni grigio-azzurri di routine e piccoli drammi. Normali, sebbene fossero gli ultimi giorni di vita familiare; normali, anche se venne fuori che quasi tutti stavano mentendo.

Lavoravo presso lo studio, le cliniche prenatali di routine e gli ambulatori giornalieri. A casa, io e Ted parlavamo, discutevamo, facevamo l'amore quando non eravamo troppo esausti. Ed rimase un paio di giorni a casa per un brutto raffreddore e quelle mattine lo lasciai tranquillo a dormire, con bevande e paracetamolo a portata di mano sul comodino. Theo ricevette un encomio per la serie di fotografie nel bosco e le prove di Naomi erano più frequenti e duravano più a lungo. Ted passava più tempo al lavoro. Il suo saggio fu accettato dalla rivista medica «Lancet». Festeggiammo a tarda notte con una bottiglia di vino.

Se i giorni sembravano inafferrabili mentre l'oggi scivolava nel domani, la vita almeno procedeva senza grandi scossoni. Il trucco stava semplicemente nel bilanciare ogni cosa. Famiglia. Matrimonio. Carriera. Pittura. Se la bilancia pendeva in una direzione e il lavoro assorbiva più tempo, nessuno si lamentava. A volte mi sentivo come se stessi facendo le prove per la vita reale, così se qualcosa andava storto non aveva importanza. Un giorno sarei riuscita a organizzare ogni cosa. Sarei stata madre, moglie, dottoressa e artista perfetta. Era solo una questione di pratica. Se sbagliavo qualcosa, bastava ritentare. Al lavoro avevo sempre la fresca sensazione di cominciare da capo. Ogni mattina il lavabo era pulito, il lettino era rivestito da un lenzuolo nuovo di carta azzurra, i giocattoli erano stati riposti nella loro scatola.

Jade fu ricoverata in ospedale giovedì 5 novembre. Nella sua lettera, la segretaria del pediatra aveva menzionato il signor Price. L'uomo aveva ribaltato una sedia nella sala d'attesa e spaccato una finestra. Era stata chiamata la polizia che lo aveva arrestato. Avevo passato la palla a chi di dovere, così cercai di non pensarci più, ma non riuscivo a togliermi dalla mente l'immagine della sua faccia quando gli avevo detto che ero andata lì per Jade. Mi era parso così contento. Decisi che era semplicemente perché lui sapeva di aver perso il controllo ed era sollevato all'idea che qualcuno intendesse fermarlo.

Il lunedì dopo andai presto allo studio per ritagliarmi un momento di tranquillità prima dell'arrivo dei pazienti. Controllai gli esiti degli esami medici mentre sorseggiavo la mia prima tazza di caffè, e i test di funzionalità epatica della signora Blacking erano ancora sul monitor quando il telefono squillò.

«Dottoressa Malcolm?»

«Sì?».

Bloccai il telefono tra mento e spalla mentre facevo scorrere i dati sullo schermo. La mia intuizione era giusta. Capelli radi, palmi arrossati e le venuzze sulle guance l'avevano tradita; la smemoratezza non dipendeva solo dalla menopausa. Non mi aveva detto della bottiglia di sherry in fondo alla credenza, quella che probabilmente acquistava ogni giorno alla Tesco insieme al latte. Mandai una email a Jo chiedendole di fissare un appuntamento per la signora Blacking.

«...dall'Ospedale pediatrico».

«Mi scusi, non ho capito...».

«Dottor Chisholm. Primario dell'Ospedale pediatrico. Ha chiesto il mio consulto per Jade Price».

Posai la tazza e impugnai correttamente il telefono.

«Sì, esatto. Grazie per aver...».

«Vorrei discutere del caso con lei, dottoressa Malcolm».

Mi fece piacere che avesse preso la cosa sul serio, ma non avevo tempo di dilungarmi al telefono. «Posso richiamarla in tarda mattinata? Il mio orario di visita inizia fra tre minuti».

«Preferirei parlarle di persona. Sarò libero all'una – ho cancellato una riunione».

Mi dissi che ero io ad aver bisogno di lui, quindi dovevo essere gentile. «Oggi all'una? Farò il possibile».

«La prego. Sarebbe di grande aiuto. Il mio ufficio è al quinto piano dell'Ospedale pediatrico».

«Chiederò a Frank, il dottor Draycott, il mio collega. Forse può...».

«Bene. A più tardi».

Mi feci subito un'immagine molto chiara del primario. Capelli grigi, pettinati indietro con cura. Teneva la lastra nella mano grande e coperta di efelidi, esaminandola attraverso lenti con montatura di

metallo, individuando le vecchie fratture a spirale, impronta incon-
futabile di abuso di minore. Non stava pensando alla mia giornata,
alle telefonate e alle visite in recondite abitazioni lungo strade dove
era impossibile trovare parcheggio. Non sapeva delle richieste di
consulto, delle ricette da firmare, della consapevolezza di essere in
ritardo e dello sforzo per completare ogni cosa entro la fine della
giornata. Voleva parlare con me di Jade, e poiché potevo essere
d'aiuto, sapevo che sarei dovuta andare.

All'una in punto, bussai alla porta su cui la scritta "Dr Chisholm"
campeggiava a chiare lettere dorate su sfondo nero. Lui si alzò in
piedi appena entrai. Era esile e di pelle scura, con intensi occhi castani che fissarono attentamente i miei, cogliendo in essi un lampo
di sorpresa.
«Non c'è problema. Tutti vengono tratti in inganno. Purtroppo
ho perso il mio accento del Ghana a Oxford». Mi diede una stretta
di mano breve ed energica. «Grazie per essere venuta. Prego, si
accomodi».
Sedetti sulla sedia di plastica grigia e lui prese posto dietro la scrivania. Sembrava quasi un colloquio di lavoro. Parlai in fretta: «Grazie
per avermi chiesto di incontrarci. È una situazione difficile...».
«Jade è malata, dottoressa Malcolm».
«Sì. Il padre non lascia trapelare nulla, ma penso che la cosa vada
avanti da un po'. Oltretutto, la bambina è molto depressa».
«Molto malata». Mi fissò impassibile.
«Le assistenti sociali...».
«Ha la leucemia». La sua voce s'impose sulla mia senza difficoltà.
«Leucemia?». Ero confusa, forse lo era lui. Probabilmente stava
parlando di un'altra bambina.
La voce era andata avanti a parlare: «...quindi abbiamo la certezza
che nessuno abbia abusato di lei. Scarsa igiene, forse, pidocchi e
via dicendo. Inconsapevole incuria da parte di genitori inadeguati,
sebbene abbia motivo di credere che la bambina sia amata. No, ha
una leucemia linfoblastica acuta».
Gesù.

«Le analisi del sangue mostrano linfociti atipici, cellule blastiche. Incapacità di coagulazione. È pericolosamente anemica».

Come diamine avevo fatto a non accorgermene? Tutto divenne improvvisamente, rovinosamente chiaro. L'atteggiamento passivo, lo sfinimento, non dipendevano dalla depressione ma dall'anemia. L'infezione polmonare era marginale rispetto ai globuli bianchi non funzionanti. I lividi erano dovuti a scarsa coagulazione. Era venuta quattro volte allo studio e io non avevo ascoltato, non avevo creduto a sua madre. Un'ondata di rimorso cocente si abbatté su di me.

Il dottor Chisholm raggiunse i miei pensieri e li distanziò.

«Le stiamo somministrando antibiotici per endovena. La risonanza magnetica è prenotata per domani e poi cominceremo la chemioterapia».

«I genitori lo sanno?»

«Non ancora. Per questo ho voluto vederla. È una situazione delicata. In clinica ho detto loro che dovevamo ricoverarla per esaminare la possibilità di lesioni non accidentali. Mi hanno chiesto se era questo che lei aveva pensato».

«Sono andata a casa loro proprio per informarli». Ma era stato un errore, lo capivo adesso. Nel giudicarli mi ero lasciata condizionare in parte dalla loro casa, dalla strada in cui abitavano. «Ho cercato di dirlo al padre».

«La gente sente quello che vuol sentire». I suoi occhi scintillarono prima di volgersi altrove. «Non ho dubbi che lei abbia fatto del suo meglio, dottoressa Malcolm, ma temo che non ne abbiano la minima idea. Il signor Price si è sentito accusato; era irritato».

Irritato? Avrebbe ammazzato qualcuno. I sospetti erano caduti su di lui per colpa mia. Immaginai quella figura taurina scagliare la sedia contro la finestra in preda a una rabbia impotente.

«I risultati dei test sono di stamattina. Da questo momento in poi subentriamo noi nelle cure. Sapevo che sarebbe stata una sorpresa per lei, così ho pensato di dirglielo di persona. Mi chiedevo anche se volesse informarne i genitori. Nel lungo termine, sarebbe meglio per lei discutere la diagnosi insieme a loro in questa fase. Creare un clima di fiducia».

Discutere? Cosa c'era da dire? Che avevo commesso un errore madornale perché non avevo creduto alle loro parole? Che li avevo stereotipizzati nel peggior modo possibile?

Mi fissò dritto negli occhi. Difficile dire se fosse uno sguardo solidale o sprezzante.

«Qual è la prognosi?»

«Il tasso di sopravvivenza a cinque anni è tra il venti e il settantacinque per cento. Dobbiamo aspettare l'esito della risonanza magnetica. Jade ha un numero insolitamente elevato di globuli bianchi anormali in circolo e, come sa, questo peggiora la sua prognosi». Mi stava ancora guardando attentamente. «Quindi, come suo primo punto di contatto, cosa vuole fare?».

Avrei voluto fuggire via dal senso di colpa che mi stava sommergendo. Alla fine avevo chiesto un consulto per Jade, ma per le ragioni sbagliate, e in ritardo di mesi.

«Andrò a far visita ai suoi genitori, naturalmente». Riflettei un istante e aggiunsi: «Vorrei vedere Jade; almeno potrò dire loro come sta».

«Venga con me».

Sgusciò fuori da dietro la scrivania e scivolò oltre la porta e nel corridoio. Dovetti quasi correre per non restare indietro. Sta bene, avrei detto più tardi ai genitori. Sta meglio. Di lì a poco glielo avrei detto. È una fortuna che adesso sia in ospedale. Ha riso – no, riso forse no. Ha sorriso. Ha detto… poi ha detto… poi ha riso…

All'inizio non capii perché ci fossimo fermati vicino al secondo letto. C'era disteso un bambino. Molto magro, con gli occhi chiusi e i capelli chiari, corti e dritti. Non doveva avere più di sei anni. Nel braccio era infilata una flebo, che si allungava fuori del lenzuolo. Poi vidi la giraffa, sporca sullo sfondo immacolato della biancheria stirata. Alcuni lividi erano diventati verdastri, ma ce n'erano di nuovi, rossi e color malva.

«Le abbiamo tagliato i capelli per liberarla più facilmente dai pidocchi». Parlò in tono estremamente pacato. «Ma l'aiuterà anche ad abituarsi alla perdita dei capelli. Abbiamo avuto il suo permesso e quello dei genitori, anche se, come le dicevo, non conoscono la diagnosi».

Mi domandai quanto tempo ci sarebbe voluto perché la chemio la rendesse completamente calva.

Il dottor Chisholm stava parlando a bassa voce, come se avesse letto nei miei pensieri. «Non sappiamo ancora quale combinazione di farmaci useremo. Tutto dipende dalla risonanza magnetica».

«Jade?», le sussurrai. «Ciao, sono la dottoressa».

Il dottor Chisholm mi guardò. I suoi occhi dicevano: dottoressa? La dottoressa?

«Jade non fa che vedere dottori, ormai». Il tono era sprezzante. «Sta dormendo».

Lo ignorai. «Jade? Adesso vado a trovare i tuoi genitori. Dirò loro – cioè, darò loro…». Cosa? Cosa avrei detto? C'era qualcosa da dare?

Un fremito delle palpebre e aprì gli occhi.

Forse fu perché aveva sentito la mia voce prima di allora o forse perché mi aveva sentito nominare mamma e papà, ma per un secondo, meno di un secondo, mi guardò e sorrise.

Fu solo mentre facevo manovra sul cemento sporco d'olio nel parcheggio sotterraneo dell'ospedale che mi venne in mente. Naturalmente, Jade non sapeva che era colpa mia o che avrei potuto aiutarla molto prima, se solo avessi ascoltato.

CAPITOLO 7

Dorset 2010. Un anno dopo

Mi trovo subito in una cucina calda, ordinata e piena di colori. Noto il linoleum a disegni arancioni, un tavolo rosso scuro, elementi componibili gialli con le maniglie bianche, piano di cottura azzurro e un divano rosso vicino alla parete. Il bagliore di una stufa accesa, lo schermo del televisore che sfarfalla in un angolo, grandi gatti ricamati su una poltrona rivestita di chintz. Bertie ci ha seguite dentro casa; prima che possa impedirglielo, spolvera via un mucchietto di cibo per gatti rimasto in una ciotola e poi si accuccia accanto alla stufa con un piccolo brontolio sospiroso. Adagio l'anziana signora sul divano, le sfilo le scarpe e mi siedo accanto a lei. Mentre le sento il polso, mi guardo rapidamente intorno nella stanza. Ci sono fotografie su ogni superficie: un uomo anziano con un berretto che scava nel giardino, una giovane donna dai capelli neri in riva al mare, che tiene un neonato in braccio e un altro bambino per mano. Famiglia ovunque. Torno col pensiero alla nostra cucina a casa, talmente impregnata di famiglia da convincermi che, se premessi l'orecchio contro la parete, sentirei le voci dei ragazzi impresse nei mattoni. Quando tutto cominciò ad andare storto, il mio unico pensiero era tornare a casa.

Bristol 2009. Dieci giorni prima

Lasciai l'ospedale più in fretta che potei, superando una macchina della scuola guida e scattando in prossimità di un incrocio prima che il semaforo diventasse rosso. Mentre acceleravo lungo Park Road, manciate di parole affiorarono e sgusciarono via dalla mia mente.

Pensavo che i lividi... non c'era mai abbastanza tempo... so che me lo ha detto... mi dispiace.

Raramente rientravo così presto. La porta principale non era chiusa a chiave, le scarpe da ginnastica di Ed abbandonate appena oltre la soglia. Doveva essere tornato di corsa a casa a prendere qualcosa che aveva dimenticato. Le raccolsi. In realtà non aveva bisogno di togliersi le scarpe perché avevamo eliminato i tappeti anni prima. Anche le tende. Le stanze erano spazi vuoti; il sole che si riversava all'interno dalle grande vetrate a ghigliottina disegnava linee a me sconosciute sul legno scuro del pavimento; di solito era buio quando rientravo a casa. C'era un pianoforte lì, pareti tappezzate di libri e una fratina sulla quale Ted poteva spiegare comodamente il suo giornale.

Ora i miei passi echeggiarono cupi mentre attraversavo le stanze deserte. Nonostante la loro ordinata perfezione, le usavamo raramente. Ted lavorava sempre nel suo studio; i ragazzi vivevano nelle loro camere o in cucina. Scesi le scale di legno che portavano alla cucina nel seminterrato e un confortante tepore mi accolse. Tenevo le scarpe di Ed strette al petto. Troppo strette, perché più tardi mi accorsi che avevano lasciato un alone di fango sulla mia camicia.

Ed era seduto davanti al computer nella zona giorno adiacente alla cucina. Mentre mi avvicinavo, una pagina web fu iconizzata in un angolo e se ne aprì un'altra, piena di cifre. Ero talmente contenta di vederlo che provai un lieve senso di vertigine. Mi sedetti accanto a lui sul bracciolo del divano. Volevo dargli un bacio sulla guancia, che odorava sempre di toast caldo, posargli la mano sui capelli ribelli. Ma quando gli arrivai vicino, si ritrasse. Avevo sempre regole nuove da imparare.

«Ciao, tesoro», dissi alla sua schiena. «Sei tornato a casa presto».

«Verifica di matematica», rispose senza guardarmi.

«Ed, sto solo dicendo…».

«Lezioni cancellate. C'era una conferenza per quello stupratore».

«Sì?».

Tenne gli occhi fissi sullo schermo.

«Non mi sono fermato. Era per le ragazze. Consigli su come evitare di tornare a casa da sole, di parlare con sconosciuti. Una noia».

«Cosa hanno detto dello stupratore? Perché proprio oggi?». Qualcos'altro di cui preoccuparsi. «È dall'altra parte di Bristol, no?»

«Cristo, domande». Serrò il pugno sul tavolo. «Alcuni professori dicono di aver visto un tipo strano aggirarsi intorno agli alloggi delle ragazze». Mi lanciò un'occhiata di sbieco, nascondendo qualcosa. «Devo assolutamente fare questa cosa. Sono in ritardo con la consegna».

«Cioccolata calda?»

«Sì, ok».

La preparai subito; mettendo la tazza davanti a lui, gli posai la mano sulla spalla per un momento. Così da vicino, sentii che aveva un odore stantio. Esitai, e lui mi sbirciò con sospetto.

«Di solito a quest'ora non sei al lavoro?», borbottò.

«Di solito, sì».

«Te la sei svignata prima?». Inarcò le sopracciglia, d'un tratto interessato.

Rimasi sbigottita. «Certo che no. E tu?»

«Te l'ho detto, era un discorso per le ragazze. Una volta finito questo, mi rimetto in carreggiata».

«Ok. Bene».

Avrei voluto dirgli che è estremamente facile sbagliare tragitto: un solo errore e sei perduto.

Concessi a me stessa di sedergli accanto per qualche minuto assorbendo la sua aura, la figura alta stravaccata sulla sedia, i piedi grandi con i calzini spiegazzati, la pelle liscia della nuca. Si girò di nuovo a guardarmi con una sorta di diffidenza, non abituato a vedermi inattiva.

Cominciai a spiegare. «Le cose al lavoro sono un po'… C'è qualcosa che mi preoccupa».

«Sì?». Spalle curve, occhi cauti.

«Ma è tutto sotto controllo. Me ne sto occupando».

Le spalle larghe si rilassarono. «Solo che… adesso devo finire…».

«Bene». Raccolsi le scarpe da ginnastica. «Queste sono tue, caro. Hanno bisogno di una lavata. Ed… ricordati qualche volta di mettere a lavare anche i vestiti…».

Prese le scarpe con un mezzo brontolio. Avvicinò di nuovo la faccia al monitor. Gli diedi una pacca sulla spalla e mi allontanai.

In cucina, mi preparai una tazza di tè e osservai il giardino attraverso le volute di vapore. I tronchi si confondevano nella luce del tramonto. Chiamai Ted e questa volta riuscii a parlargli. Mi ascoltò.

«Dio, deve essere dura per te», disse quando feci una pausa. «Mi dispiace, Jen».

«È per Jade che deve dispiacerti, non per me».

«Io ho fatto lo stesso errore – peggio. Ricordi cos'è successo con la spina dorsale di quella ragazzina? Paralizzata. Terribile».

«Sì, certo. È stato terribile», ne convenni. Un errore che era quasi sfociato in un processo; il senso di colpa aveva portato Ted alla depressione. Per un istante mi vergognai; allora non avevo pensato di dargli quel conforto di cui sentivo il bisogno adesso.

«Ma tutti conoscono i rischi della neurochirurgia», dissi dopo una breve pausa. «Firmano i moduli di consenso. Tu spieghi a cosa vanno incontro. I Price non avevano calcolato che fidarsi di me poteva essere rischioso, e io non ho mai pensato alla leucemia. Non ho mai dato ascolto a quel che dicevano…». Mi interruppi, ricordando come avevo ignorato le loro parole, lasciando che i miei pensieri seguissero una diversa direzione.

«Il dovere mi chiama, Jenny», concluse in fretta. «Ora non posso parlare. Cerco di tornare a casa prima. Prendo del vino».

Quella sera, dopo l'orario di visita, telefonai ai Price. Non rispose nessuno. Io e Frank avevamo stabilito di andare da loro l'indomani mattina, ma io decisi di farlo subito. La strada era deserta. Le luci al civico 14 erano spente. Bussai, aspettai, bussai di nuovo. Mi figurai la madre anziana nel soggiorno, in ascolto, che si agitava nella sua poltrona al buio. Dopo un po' andai a casa.

Quella sera i ragazzi erano a un colloquio di orientamento professionale e Naomi alle prove dello spettacolo. Eravamo solo io e Ted. Bevemmo insieme la bottiglia di vino e restammo a lungo seduti davanti ai piatti vuoti. Ted mi teneva per mano e il calore della sua stretta si diffuse fino al polso.

«Cosa devo dire, Ted?»

«Di' loro la verità. Ti sei basata sulle prove che avevi davanti agli occhi; è quello che facciamo sempre».

67

«La madre ha detto che non sapeva nulla dei lividi. E anche il padre. Ma io non gli ho creduto. Entrambi mi hanno parlato della tosse. Era quella la prova, ma io avevo già tratto le mie conclusioni».

«Non siamo uomini di legge, Jenny. Non sempre c'è il tempo per valutare ogni cosa, non alla prima visita».

«Non era la prima visita; comunque sia, noi ci comportiamo davvero come uomini di legge. Esprimiamo continuamente giudizi».

«Giudizi?»

«I Price erano colpevoli di essere poveri. Di non essere in grado di riferirmi chiaramente le cose, o almeno di esprimersi in un modo per me comprensibile o credibile. Colpevoli di avere una bambina piena di lividi. E ora sono puniti per questo».

«A volte devi andare per istinto».

Si sporse verso di me e mi chiuse la bocca con un bacio. Feci per girare la testa, ma le sue labbra me lo impedirono, la lingua premeva, cercando di aprirsi un varco.

Anche lui non stava ascoltando. Andare per istinto non era abbastanza. Mi tirai indietro. A causa dei miei preconcetti non avevo rinviato Jade a uno specialista con sufficiente tempestività e poi, quando mi ero finalmente decisa a farlo, era stato in base a una diagnosi errata. L'istinto mi aveva completamente tradita.

I ragazzi e Naomi tornarono a casa. I gemelli mangiarono in fretta e andarono di sopra per mettersi in pari con il lavoro. Naomi si liberò presto delle mie domande circa lo stupratore; le ragazze giravano in gruppo, mi disse, ed erano controllate ovunque andassero. China sul tavolo, raccolse con il cucchiaio i resti di *gratin dauphinois* rimasti attaccati ai bordi della pirofila davanti a noi. Rispose alle nostre domande fra un boccone e l'altro. Le prove erano andate magnificamente. I professori le avevano parlato di scuola di teatro. La sua espressione era chiusa, riservata. Era evidente che le possibilità per il futuro stavano cominciando a spiegarsi. La vidi intenta a difendere i propri pensieri e decisi di non forzarla con altre domande. In ogni caso ero troppo stanca per concentrarmi sulle sue risposte. Dopo un po' salì in camera.

Ted e io lavammo i piatti in silenzio e riponemmo il cibo avanzato.

Avviai la lavatrice con l'ultimo carico di panni. Salimmo di sopra insieme, le mani si sfioravano. Sentivo le gambe lente, pesanti di stanchezza. A metà rampa, Ted mi passò un braccio intorno alla vita, tirandomi a sé. Arrivai al pianerottolo con l'affanno. I ragazzi erano andati a letto, così parlammo a bassa voce.

Mi costrinsi a spogliarmi, a fare la doccia e a infilarmi una camicia da notte pulita, trovando conforto nella sua morbidezza e nel pizzo. Ted comparve accanto a me mentre mi guardavo allo specchio. Dicono che "chi si somiglia si piglia", ma io non sono mai stata di questo avviso. Ted era alto e robusto con gli occhi di un azzurro intenso. Io gli arrivavo alla spalla, e nello specchio rivedevo il viso irlandese di mia nonna, immortalato nelle foto dell'album di famiglia; capelli neri ricci, occhi chiari, lentiggini. Mentre Ted fissava la mia immagine riflessa, sentii la sua mano sulla nuca. Le dita erano calde, distese sotto l'attaccatura dei capelli.

A letto ci girammo l'uno verso l'altra senza dire una parola. Ora ero pronta per le sue labbra e per un bacio sempre più profondo. La sua bocca sapeva di vino. Conoscevo il suo odore, la sensazione dei suoi muscoli, le spalle, il ventre piatto con la folta peluria alla base, il peso del suo corpo. Lo conoscevo a memoria. Ma quella sera fu diverso. Quella sera fu più rude e più rapido. Mi spinse giù sul letto, la camicia da notte sollevata, ammassata intorno al collo, e affondò subito dentro di me. Cominciò a muoversi e io con lui, come se lo stress della giornata e lo sfinimento ci avessero scaricato in un luogo diverso dal solito, offrendoci un posto da saccheggiare. Niente preliminari. Nessuna delicatezza. Solo un prendersi e afferrarsi, bocche aperte e occhi increduli, sbattendo uno contro l'altro come animali. Poi, improvviso, squassante, il piacere. Alla fine il nostro abbraccio si sciolse, i nostri corpi rimasero scomposti, ancora intrecciati. Immobili. Senza parlare. Ted si chinò sul mio viso e leccò via le lacrime che non sapevo fossero lì. Dopo di che si addormentò quasi subito, il respiro profondo, la faccia girata dall'altra parte. Rimasi sveglia per un po', lasciando una mano posata sulla sua schiena.

Il sonno, quando venne, fu come una coperta gettata sopra di me. Annullante. Senza sogni.

CAPITOLO 8

Dorset 2010. Un anno dopo

Probabilmente ha perso i sensi, ma la causa scatenante può essere stata più d'una: un infarto, un coma diabetico, un ictus. Forse ha avuto una convulsione o una colica addominale, sebbene la faccia sia simmetrica e l'addome morbido. Cerco indizi – medicinali su un tavolo o un kit per monitorare la glicemia da qualche parte – ma la casa non ha un'aria trascurata da malattia cronica. Si muove, dischiude le labbra e poi apre gli occhi, perplessi piuttosto che spaventati. Mi guarda in modo diretto mentre le spiego come l'ho trovata, e noto che gli occhi presentano l'anello velato di colesterolo intorno alle iridi. Le tengo la mano in attesa che metta insieme qualche parola. Le articolazioni gonfie e la pelle fragile mi sono familiari; erano così anche le mani di mia madre. Provo una fitta di rimorso a pensarmi qui ora, seduta insieme a una sconosciuta, mentre non ho mai trovato un po' di tempo per mia madre nell'ultimo anno della sua vita.

Bristol 2009. Nove giorni prima

Stavo infilando il portatile nella borsa quando il telefono squillò.
«Ciao, cara».
Presa. Dannazione. «Non posso trattenermi al telefono, mamma».
«Quindi oggi lavori?»
«Sì, sai bene che lavoro tutti i giorni, tranne il venerdì».
«Di nuovo quella sorta di confusione. Assurdo, no? Ieri sera mi sono sentita davvero male, così ho pensato…».
«Male? Cosa vuoi dire, mamma?»
«Male, e basta. Non so spiegarti, Jennifer». Il tono accusatorio mi

riportò alla ragazzina di dodici anni di tanto tempo prima. «Parliamo di qualcos'altro. Come sta Jack?», aggiunse con voce più decisa.

«Jack?»

«Tuo marito, cara».

«Mamma, Jack è l'ex marito di Kate».

«Naturalmente. Che sciocca. Allora chi è tuo marito, cara?».

La vedo come se fossi nella stessa stanza. Sta guardando fuori dalla finestra, i vialetti deserti intorno alla casa per anziani; sospira e sfiora la collana di perle, getta un'occhiata indietro, verso il televisore coperto da un trionfo di polvere e da una pila ordinata di riviste. C'è odore di naftalina e di detersivo. La sua memoria comincia a fare acqua. Non devo perdere la pazienza.

«Ted. Ascolta, mamma…».

«Non so cosa fare del cottage. Kate non lo vuole».

No, anche il cottage, adesso. «Verrò a trovarti e ne parliamo insieme».

«Domani?»

«Venerdì. Il mio giorno libero».

«Che bello, cara. È solo che mi sento male».

Frank mi aspettava nel parcheggio dello studio. Salii nella sua macchina e mi trovai circondata dagli accordi di un concerto per violino. Frank era scuro in volto.

«Togliamoci questo dente». Guidò la vettura fuori dal parcheggio.

«Mi dispiace darti questa incombenza, Frank». I suoi appuntamenti con i pazienti della prima parte della mattinata erano stati cancellati; non avevamo nemmeno avuto il tempo per controllare gli esiti degli esami medici del giorno.

«Non che io non abbia mai commesso errori. Sei tu che mi preoccupi».

«Quali errori puoi aver mai fatto?». Lo guardai; i suoi occhi erano fissi sulla strada.

«Non ho riconosciuto quel caso di ipertiroidismo, così il tipo è andato fuori di testa».

«Ma dopo le cure è stato bene», gli ricordai.

71

«E che mi dici della frattura alla caviglia che pensavo fosse una distorsione?». Mi lanciò una rapida occhiata.

«Dovrai fare di meglio, se vuoi impressionarmi».

«Non ti sto raccontando i casi più gravi. Guarda le riviste della Medical Protection Society. Ti farà sentire meglio».

Le sfogliavo spesso, prendendole dalle instabili pile accatastate nella nostra camera da letto. Non era una lettura facile. Bambini con febbre alta che non venivano nemmeno visitati, poi a mezzanotte la corsa in ospedale con una meningite; alterate abitudini intestinali che erano cancro, non colon irritabile; il mal di testa che era un tumore al cervello, non stress. Le leggevo con un peso sul cuore.

«Mi fanno sentire molto peggio».

Jeff Price aprì la porta e si fece da parte, il volto inespressivo.

Ci accalcammo nell'ingresso angusto. La sua faccia era talmente vicina alla mia che sentivo il calore della sua pelle. Ci indicò la cucina con un cenno brusco della testa.

«Andiamo là. Non voglio che mamma senta tutto questo». Ci fece strada fino alla cucina, dove si fermò con le braccia conserte, in attesa.

«Ho commesso un errore», dissi. Mi sentii avvampare ed ebbi la netta sensazione che sarei scoppiata a piangere.

«Fantastico, non c'è che dire». Era evidente che il signor Price non era disposto a perdonarmi. Una vena sul lato della fronte cominciò a pulsare visibilmente. «La mia bambina viene ricoverata in ospedale per sospetto abuso di minore, io arrestato e ammonito prima di essere rilasciato, e lei viene a dirmi che ha commesso un errore?».

Alla facoltà di medicina mi avevano insegnato ad ammettere i miei errori, ma in quel momento mi chiesi se fosse stato un consiglio valido. Sembrava peggiorare ogni cosa.

«Signor Price», intervenne Frank con voce pacata, «la dottoressa Malcolm è passata per dirle qualcosa di importante».

«Ho richiesto il consulto di un medico ospedaliero per via di quei lividi». Cercai di contenere il tremito della voce. «Noi non sapevamo…».

«Le ho detto che non sapevo niente di quei lividi. Gliel'ho detto quando è venuta qui a ficcare il naso, quando pensavo che volesse aiutarci».

«Mi spiace». Due parole che suonarono meschine e insignificanti in quella cucina.

«Davvero? Non sparirà tutto solo perché d'un tratto decide di sentirsi in colpa. Mia figlia è ancora lì, non è vero? Le hanno tagliato i capelli eccetera. Solo per eliminare i pidocchi. Quando possiamo riaverla?»

«Per il momento, no. Ieri, quando sono andata all'ospedale, mi hanno detto…». Feci una pausa; era qualcosa da comunicare con tatto, poco alla volta, ma ormai era troppo tardi. «Non è una bella notizia, signor Price».

«Che sta cercando di dirmi, adesso? Aspetti, aspetti». Alzò la voce. «Trace. Tracey, vieni qui». Ci fissò con aria ostile, prese una sigaretta da un pacchetto spiegazzato sul tavolo, la accese e tirò una lunga boccata.

Sentii Frank mettersi sulla difensiva e soffocai l'impulso di nascondermi dietro di lui.

La signora Price arrivò in vestaglia. Stava fumando e aveva pianto; le guance erano rigate di mascara.

«Salve, signora Price».

Mi guardò senza tradire alcuna emozione.

«Sono spiacente, ma devo comunicarvi una notizia penosa».

«Penosa per chi, dottoressa?», sbraitò il signor Price. «Sputi il rospo, per l'amor di Dio!».

La moglie gli posò una mano sul braccio. Ora le unghie avevano un aspetto diverso: rosicchiate fino alla carne.

«Temo che abbia una malattia del sangue». Feci una pausa e guardai le loro facce, di colpo sbiancate in un pallore incredulo. «Si chiama leucemia».

«È cancro, vero?». La voce del signor Price era calata di tono.

«Sì, è un tipo di cancro, uno che si può curare». Continuai ad annuire mentre parlavo, tentando di infondere una sicurezza che non provavo.

«Cristo santo», mormorò.

La signora Price crollò a sedere, gli occhi fissi su di me.

«Come fanno a dirlo? Potrebbero sbagliarsi, no? Gli ospedali non ne azzeccano mai una», disse in tono di sfida.

«Dalle analisi del sangue. Hanno ripetuto gli esami due volte. Temo che non ci siano dubbi».

Rimasero per un momento in silenzio; vidi la testa del signor Price sprofondare tra le spalle.

«E ora?». La signora Price prese a torcersi le mani, gli occhi sempre fissi su di me.

«Per il momento deve restare in ospedale».

«E poi?», domandò il marito.

«Le somministreranno dei farmaci potenti, che si sono dimostrati efficaci».

«No», disse piano. «Morirà?».

Ormai avrei dovuto essere in grado di rispondere a domande del genere, ma non c'era mai una risposta, o almeno non una facile. «È una diagnosi grave. Molti bambini sopravvivono e hanno una vita normale. Posso farvi vedere le statistiche…».

«Andiamo all'ospedale». La signora Price si alzò. «Subito. Non posso stare qui ad ascoltarla, non con mia figlia che sta per morire».

«Ha buone possibilità. Non sappiamo ancora…».

«Se muore sarà per colpa sua». Lo disse girando la testa dall'altra parte, come se non potesse più sopportare la mia vista.

«La dottoressa Malcolm si è assicurata che Jade fosse ricoverata in ospedale», disse cautamente Frank. «Si era resa conto che i lividi erano qualcosa di grave. La bambina è stata sottoposta subito agli esami necessari. Non si sarebbe provveduto senza l'intervento della dottoressa».

Credo che i Price non l'abbiano nemmeno sentito.

Il signor Price si rivolse a me. «Mia moglie le ha portato mia figlia in ambulatorio quattro volte. Quattro volte. Avrebbe potuto fare qualcosa e non ha mai alzato un dito. Gliela farò pagare per questo».

In seguito, non sono mai riuscita a ricordare se abbia detto effettivamente queste parole o se sia stata io a immaginarle. In ogni caso, i suoi occhi furono molto eloquenti. Mi guardavano con odio.

CAPITOLO 9

Dorset 2010. Un anno dopo

L'anziana signora mi fissa, c'è confusione nei suoi occhi, poi aggrotta la fronte e si guarda intorno nella stanza. «Stavo togliendo le erbacce…».

Sfilo la mano da sotto la sua. Sono stata attenta a evitare qualsiasi coinvolgimento con la vita altrui, ma ho come la sensazione che ormai sia troppo tardi: non posso ancora lasciarla.

«Credo che sia svenuta». I suoi occhi si girano verso di me mentre continuo: «Abito qui di fronte. L'ho vista…».

Annuisce e mi sorride. Anche lei mi ha visto, naturalmente; deve aver notato che mantengo sempre le distanze dalla gente del paese. Probabilmente sa anche di Naomi. «Io sono Mary», dice.

«Io Jenny. Posso chiamare qualcuno?». Accenno al telefono. «Un familiare?»

«Starò benissimo fra due minuti». Si guarda intorno nella cucina con aria infelice. «C'è un tale disordine». A me sembra pulsante di vita.

«Mi spiace averle dato questa seccatura», mormora. «Le offrirei una tazza di tè…», aggiunge con voce esitante.

«Lo preparo io».

Il bollitore di metallo è pronto sul piano di cottura. Nel frigorifero c'è una ciotola di lattuga coperta da pellicola per alimenti, alcune uova scure in un piatto smaltato e un bricco da latte in porcellana decorato con una mucca gialla. Sulla mensola accanto allo zucchero c'è una pila di scatolette di cartone: furosemide e perindopril. Farmaci per abbassare le pressione, che forse l'hanno abbassata al punto da farla svenire. Trovo una piccola teiera marrone sulla mensola sopra le pillole e due tazze di porcellana.

Avvicino uno sgabello al divano per poggiare le tazze, prendo un cuscino dalla poltrona e glielo infilo dietro la testa. Ha la pelle fredda.

«Le porto una coperta?».

Sorseggia il tè e un po' di colorito affiora sulle guance pallide. Mi indica una porta.

«Di là, se vuole essere così gentile, cara».

Entrando nella camera da letto, sento di invadere ancora di più il suo territorio. Lei se lo è tenuto stretto; è stata più fortunata di mia madre, che ha dovuto abbandonarlo. La sua demenza incombente ha avuto la meglio dopo la scomparsa di Naomi, ed è morta senza sapere chi fossi, sebbene ne fosse pienamente consapevole quando mi ha lasciato il cottage. Fino a quel momento, tutto era filato liscio.

Bristol 2009. Sei giorni prima

Entrai nel cortile esterno della casa per anziani nella luce incerta del primo mattino. Piccoli globi luminosi evidenziavano vialetti identici fra loro, che si allargavano come dita di luce davanti a identiche porte d'ingresso. Un'intera vita passata a marcare e a contraddistinguere il suo territorio si era ridotta a un viottolo e a una porta uguali a quelli di chiunque altro.

La sua fragilità mi sorprendeva ogni volta. Sul dorso delle mani, la pelle chiazzata e sottile non riusciva a nascondere il blu intenso delle vene; le palpebre flosce ricadevano pesantemente sugli occhi slavati. Camminando adagio con l'ausilio di un deambulatore, mi fece strada dentro il piccolo, anonimo soggiorno. Mentre le massaggiavo i piedi nodosi, portò subito la conversazione sul cottage nel Dorset. Voleva che lo avessi io. Pensai alle prime vacanze di famiglia trascorse lì con i nostri figli, i costumi bagnati di acqua salina messi ad asciugare sul muretto di pietra del giardino, il grido dei gabbiani, le pareti inclinate della camera da letto, le ammoniti che mio padre aveva incassato nelle mura esterne. Era un'offerta allettante, ma io esitai.

«Ti prego, Jenny. Prendilo. Fallo subito. Kate non lo vuole. Una preoccupazione di meno per me. Ho parlato con il mio avvocato».

Una preoccupazione in più per me, però. I ragazzi avevano perso da tempo ogni interesse per il cottage. A loro piaceva praticare il windsurf a Lefkada e i piccoli caffè a Corfù. Ted amava andare a pesca in Galles insieme ai suoi amici.

Quando arrivai a casa, Naomi stava uscendo. «Devo andare, mamma». Era rossa in viso; mi spinse da parte e passò in fretta. Il vestito sotto il cappotto aperto era rosso, scollato, con scintillanti bottoni di madreperla sul corpetto. Aveva una consistenza setosa, insolita.

«Cosa ti sei messa? Non è un po' troppo scollato? Non mangi niente?»

«Me lo ha prestato Nikita. Lo sto provando per lo spettacolo». Si girò a guardarmi in modo accusatorio. «Il frigo è vuoto. Troverò qualcosa dietro le quinte». Era già sulla porta.

«Deve esserci qualcosa nel freezer», dissi subito. «Lo scaldo in forno».

«Come mai sei andata da nonna, Ma?», chiese Theo a gran voce. Era seduto al tavolo e continuò a sfogliare il suo portfolio senza alzare lo sguardo.

«Aspetta un momento. Naomi, quando…».

La porta si richiuse dietro di lei.

«Lasciala respirare, Ma», intervenne Theo con voce annoiata. «Stasera le prove costumi, lo spettacolo tra un paio di giorni… è stravolta».

Posai la borsa a terra e accesi il bollitore. «Stravolta?»

«Sì». Sembrava pensieroso. «Prima è di cattivo umore, poi la senti cantare, poi di nuovo incazzata. È stressata».

Naturalmente aveva ragione. Preparai il tè per tutti e due. Rovistando nel freezer sotto filoni di pane e pacchetti aperti di piselli, trovai dei filetti di platessa che avevo comprato mesi prima e una busta di patatine fritte mezza piena.

«Allora, mamma», insistette Theo. «Nonna sta bene?».

Disposi i filetti su un vassoio e li infilai nel microonde a scongelare. «Vuole lasciarci il cottage».

«Figo!». Si illuminò in volto; spinse indietro la sedia e si alzò. «Lo dico a Ed».

«È rientrato?»

«Dorme. Vado a chiamarlo».

L'ultima volta che eravamo stati al cottage, poco più di un anno prima, erano rimasti quasi sempre a poltrire dentro casa. Solo un film a Bridport. Non ricordavo nemmeno se fossero andati in giardino, e di certo non più lontano della spiaggia.

Ed scese in cucina stropicciandosi gli occhi, i capelli arruffati, con Theo che gli sorrideva accanto.

«Pensavo che aveste perso interesse per il cottage», osservai perplessa.

«Se è nostro, possiamo organizzarci qualche festa». La voce di Ed suonò diversa, più contenta. «Sarebbe favoloso. Dopo gli esami dell'A-level[2]…».

«Ed, è per la famiglia, non per le feste».

«Scommetto che a nonna non dispiacerebbe».

«A me sì». Si stavano spingendo troppo oltre. «Diventerebbe un disastro».

«Non farlo», disse Ed accigliandosi.

«Cosa?»

«Fingere di dare una cosa e poi riprendertela un minuto dopo. Torno di sopra. Ho già mangiato». Uscì dalla stanza.

Theo si strinse nelle spalle. «Sì, abbiamo mangiato un po' di pizza. Vado a studiare».

«È normale che vogliano portarci gli amici», disse Ted molto più tardi, mentre cenavamo. «Lasciali andare. Non morirà nessuno se gli prestiamo il cottage».

In quel momento Naomi entrò con aria stanca, gli occhi segnati da occhiaie. Quando mi passò accanto per fermarsi vicino a Ted, sentii odore di alcol.

«Tesoro, hai bevuto?», domandai stupita. Non le era mai piaciuto il

[2] General Certificate of Education Advanced Level, o più comunemente A-level, si consegue a 18 anni. Lo studente si specializza nelle materie fondamentali del corso di laurea a cui vorrebbe accedere, e il superamento degli esami relativi diventa requisito necessario per accedere all'università (n.d.t.).

sapore quando aveva assaggiato un sorso a Natale e nelle ricorrenze familiari.

Era china sul tavolo, intenta a rubare patatine dal piatto di Ted. Mi fissò per un istante.

«È lo struccante. Puzza di alcol, vero?», disse con la bocca piena.

Aveva il viso più tondo del solito. Grazie a Dio non era a dieta come le sue amiche, ma non mi piaceva l'idea che avesse bevuto, tanto meno che mi avesse mentito. Mi stava di nuovo escludendo dalla sua vita. Non bevvi la storia dello struccante. Un bicchiere di alcol non contava; avere segreti, sì. La guardai. Si era cambiata e indossava di nuovo l'uniforme scolastica, il viso era pulito e luminoso; aveva di nuovo l'aspetto di una studentessa. Di solito, i segreti di una studentessa erano innocui. Io ne avevo avuti tanti; non ne ricordavo nemmeno uno.

«Com'è andata con l'abito che ti ha prestato Nikita?». Le sorrisi. Aveva bisogno di sapere che poteva condividere con me i suoi segreti, se lo desiderava. Ero dalla sua parte.

«La signora Mears pensa che non sia adatto al personaggio di Maria». Si strinse nelle spalle. «Così glielo ho restituito. Cos'è questa storia del cottage?».

Le spiegai la faccenda e si rianimò subito.

«Proprio quel che volevamo. Incredibile».

«*Chi* voleva?»

«Abbiamo il finesettimana libero prima che comincino le rappresentazioni. Potremmo andare al cottage. Domani. Solo per un giorno, ti prego, mamma».

«*Abbiamo*?»

«Il gruppo del teatro, James e tutti gli altri». Fece una pausa; stava osservando la mia reazione. «E Nikita, naturalmente».

«E come ci andreste?»

«James ha la patente. Se il padre gli presta la macchina, ci entriamo tutti».

«James?»

«È ripetente, ha un anno più di me. Fa la parte di Chino».

«James», ripetei. Ricordai vagamente un ragazzo con i capelli rossi che l'anno prima aveva aiutato Naomi in matematica. «Non veniva qui ad aiutarti nei compiti, un po' di tempo fa?»

«Ha aiutato anche Nikita». Aggrottò la fronte e cominciò a mordicchiarsi le unghie.

Quello era il momento: aveva abbassato la guardia e forse sarebbe stata disposta a dirmi cosa la preoccupava.

«Tutto a posto, tesoro? Qualche problema che posso aiutarti a risolvere?».

Rimani sul generale.

Notai gli occhi inquieti. «Una pausa sarebbe magnifica. Ti prego, mamma». Sembrava vicina alle lacrime.

Aveva troppi impegni. Lo sapevo. Emotiva; un po' giù di corda. Certo che avrebbe potuto usare il cottage. Le avrebbe tirato su il morale. Non avrebbero fatto grossi danni in un giorno solo.

CAPITOLO 10

Dorset 2010. Un anno dopo

I colori della stanza di Mary sono caldi: pareti in cotto, cerchi rosa sulla moquette e un plaid azzurro di mohair piegato con cura ai piedi del letto. Lo prendo e lo avvicino alla guancia. In una chiazza di sole sulla trapunta dorme un gattino soriano; i fianchi finemente striati si sollevano e si abbassano a ogni minuscolo respiro. Di là della finestra, un orticello zappato di fresco e galline rossicce che razzolano dentro un recinto di rete metallica. Mentre osservo, il sole scompare. Una nuvola grigia ha occupato il cielo e il bordo che nasconde il sole si accende come brace. Il plaid è morbido. Resto lì per un momento. La pace in questa stanza è talmente palpabile che mi viene voglia di sdraiarmi sul letto accanto al gattino e chiudere gli occhi. Da che mi ricordo, non ho più provato una pace simile. Forse l'anno scorso – un secolo fa – un sabato a Bristol. Probabilmente l'ultima volta che io e Ted siamo stati felici insieme.

Bristol 2009. Cinque giorni prima

Quel sabato aveva il sapore di un giorno di vacanza. Ted era a casa. Telefonai in ospedale al mattino. Jade aveva fatto la prima seduta di chemioterapia e le sue condizioni erano stabili. Dissi che sarei passata a farle visita dopo il finesettimana. Non sapevo cosa avrei fatto o detto, ma era comunque un inizio. Ted e io andammo al museo d'arte della città, poi pranzammo in un pub e leggemmo insieme il giornale. Era da molto tempo che non passavamo una giornata così; anche le cose più semplici venivano depennate a causa degli impegni di Ted. Spesso, e di recente ancor più spesso, passava i sabati all'ospedale per rimettersi in pari con il lavoro. Ma sembrava assorbito dai quadri della galleria e, anche se l'ospedale lo chiamò un paio di volte, anche se eravamo spintonati dalla folla, ci sentivamo in vacanza.

La casa era silenziosa quando rientrammo. Per capriccio, presi in prestito una matita 3B di Theo insieme a qualche foglio. Cominciai a tratteggiare il ritratto di Ted, seduto a rileggere dall'inizio un articolo che stava scrivendo per il «British Journal of Neurosurgery». Aveva un dito posato sul sopracciglio destro e lo strofinava avanti e indietro mentre era immerso nella lettura. Disegnai anche quello. La matita correva sul foglio bianco ruvido, lasciando una scia grigia nell'attrito con la carta. Ted mi guardava di tanto in tanto, sorridendo. Un profondo senso di pace si allargò tutto intorno a noi. Pensai che un giorno sarebbe stato così, quando avremmo chiuso con il lavoro e i ragazzi avrebbero avuto la loro vita.

Quando la porta si aprì senza far rumore pensai che fosse colpa del vento e salii senza fretta a chiuderla, restia a spezzare l'incantesimo. Rimasi sorpresa nel vedere Naomi appena oltre la soglia, immobile. Sul viso aveva un'espressione che non conoscevo. Guardava verso il basso, profondamente assorta, e muoveva le labbra. Non saprei dire se stesse sorridendo; per un momento pensai che stesse contando, o forse cercando di ricordare qualcosa.

«Naomi! Mi hai fatto prendere uno spavento, tesoro. Sei tornata presto».

«James doveva restituire la macchina».

Si tolse il cappotto e lo appese, senza guardarmi.

«Com'è andata?»

«Bene».

«Allora, come ti è sembrato?»

«Il solito cottage, come sempre».

Sembrava stanca.

«E il giardino?»

«Il giardino?»

«Sarà stato pieno di erbacce».

Detestavo pensare a come doveva apparire trascurato il giardino. Quando era piccola, Naomi amava scavare e piantare, per poi sorprendersi di quel che era successo in nostra assenza, fra una vacanza e l'altra. Ormai erano anni che non lo curavamo come si deve.

«Non ci ho fatto caso». Scrollò le spalle.

Provai un moto di disappunto. «La cucina aveva un buon odore?»

«Odore? Di cosa dovrebbe odorare?». Sembrava interdetta.

Da bambina, correva per prima cosa in cucina e inspirava profondamente. Diceva che persino la credenza odorava di cottage: un profumo d'erba e di mare, mescolato a una leggera nota di cera.

«E il piano di sopra?».

Naomi sbirciò al di sopra della mia testa, dove era comparso Ted.

«Ciao, bella fanciulla. Hai fame?». La guardò con un tenero sorriso.

Scosse la testa. «Devo vedermi con Nikita. Vado a…».

«Ma non era con voi?». Ero sconcertata.

«Sì, certo», si affrettò a confermare Naomi. «Ma non abbiamo avuto occasione di parlare…». Cominciò a mordicchiarsi le unghie.

Ted la abbracciò. «Hai passato una bella giornata e i tuoi amici si sono divertiti, giusto?».

Annuì e si tirò subito indietro. «Ho bisogno di una doccia».

Le tremava la voce. Era stanca, talmente stanca da essere sul punto di piangere. Feci per avvicinarmi, ma si girò bruscamente. Quando si chinò ad accarezzare Bertie, che si era appoggiato contro le sue gambe, notai uno scintillio d'argento sull'indice della mano destra. Feci un altro tentativo.

«Un nuovo anello?»

«Me lo ha dato James. È un anello dell'amicizia», rispose prontamente.

«Carino. Quindi significa…?». Allungai il braccio per toccarlo.

Naomi ritirò di scatto la mano. «Ne ha dato uno a tutte le ragazze dello spettacolo; li ha trovati in una scatola insieme ai costumi».

«A-ha, allora li ha rubati?».

Voleva essere una battuta scherzosa, ma Naomi alzò gli occhi al cielo spazientita. Prima che potesse rispondere, la porta principale si spalancò e i ragazzi quasi capitombolarono dentro casa. Erano senza fiato, rossi in viso e sudati. Indossavano calzoncini e scarpe da corsa infangate, di cui si liberarono con un calcio vicino alla porta.

«Dio, siete sporchi da fare schifo», osservò Ted divertito.

Theo appariva trionfante. Aveva la frangetta appiccicata alla fronte, gocce di sudore sulle guance e uno sbaffo di fango sul mento. «Ho vinto».

Ed era stremato. Poggiò le mani sulle ginocchia, cercando di riprendere fiato. «Hai barato», ansimò.

Naomi si precipitò su per le scale. «Faccio la doccia prima che consumiate tutta l'acqua calda».

«Che le prende?», domandò Theo. «Più pulita di così…».

«In confronto a voi, certo». Ted guardò le gambe di Ed, striate di fango ormai secco.

«Ehi, niente male», commentò Theo notando lo schizzo di Ted che avevo lasciato sul tavolo.

«Togliti. Lo stai riempiendo di gocce di sudore misto a fango». Lo spinsi via.

Ted passò un braccio intorno alle spalle di Ed, incurante del fango.

«Ieri le infermiere del reparto di neurochirurgia mi hanno chiesto quando tornerai a fare un altro po' di esperienza sul campo. Credo che tu abbia fatto una buona impressione. Mi domandavo…».

Ed distolse lo sguardo. «Grazie, ma ho già compilato il modulo UCAS».

I ragazzi salirono lentamente al piano di sopra, senza parlare.

«Cos'è successo a Ed? È sempre scontroso, e di solito arriva primo e con un bel distacco», disse Ted.

«Dio, Ted». Mi colpì il pensiero che gli sarebbe bastato rientrare qualche volta prima la sera per rendersi conto di quanto fossero piene di impegni le vite dei ragazzi. «A-level di scienze. Verifiche. Canottaggio. È esausto».

«Sembra che anche Naomi non ne possa più». Accennò verso le scale dove era appena scomparsa.

«Sarà stanca anche lei», replicai tranquillamente. Ted diceva sempre che ero troppo ansiosa riguardo a Naomi. «Un po' emotiva, forse. Il teatro la sta sfibrando. In più, sta crescendo, quindi è naturale che sia più», cercai il termine che meglio avrebbe incluso i piccoli cambiamenti che avevo notato, «assorta nei propri pensieri». Presi il disegno incompiuto, sorridendo per dimostrare che non ero pre-occupata. «Ormoni impazziti. Esami in vista. Ma sotto sotto, è la stessa di sempre».

Ted rise. «È una fortuna, perché per un momento ho pensato che fosse infastidita da tutte quelle domande».

Lo fissai. «Cosa vuoi dire con "tutte quelle domande"? Mi interessa sapere quel che fa. C'è forse un altro modo per scoprirlo?».

Ted mi cinse con il braccio. «Diciamoci la verità: tu devi sempre avere tutto sotto controllo, tesoro». Mi diede un bacio e continuò: «Forse se fossi più spesso nei paraggi…».

«Non farmi la paternale. Non sopporterebbe che le stessi più addosso». Mi allontanai da lui e lo guardai. «Come puoi criticarmi? Da quando in qua *tu* sei nei paraggi per vedere come sta uno qualunque di noi? Vado di sopra a finire il ritratto di Naomi. Non voglio essere disturbata».

Mentre salivo l'ultima, stretta rampa di scale, sentii Ed chiedere qualcosa a voce alta. Poteva occuparsene Ted. Con quale coraggio, lui che non era mai a casa insinuava che io avrei dovuto essere più presente? La rabbia mi faceva battere forte il cuore. Nella mansarda, il cavalletto con il ritratto incompiuto di Naomi era al centro della piccola stanza imbiancata a calce. Mentre lo esaminavo, il mio cuore rallentò, l'irritazione dell'ultima ora cominciò a svanire. Gli occhi azzurri sembravano brillare di vita; trovai il pennello e cominciai a sfumarne la tonalità di colore.

Bristol 2009. *Tre giorni prima*

Lunedì sera, la lunga corsa della giornata volse al termine. Avevamo i biglietti per vedere *West Side Story*, per la prima rappresentazione, e di nuovo per venerdì, l'ultima sera. La casa era pulita e in ordine quando tornai dal lavoro. Anya aveva apparecchiato la tavola per la cena prima di andare via, mettendo accanto a ogni piatto un tovagliolo e un piccolo fiore. Avevamo invitato Shan e Nikita, e anche mia sorella. Mi misi a cucinare un pasto da lasciare nel forno, e trovai rilassante tritare e rimescolare dopo le ore frenetiche allo studio.

Osservai le cipolle bianche dorarsi, la pasta di curry sciogliersi al calore e diventare arancione. La miscela di colori mi ricordò la pittura, i pigmenti che si mescolano sulla tavolozza, e desiderai avere il tempo di sgattaiolare in mansarda per proseguire il ritratto di Naomi.

Kate arrivò presto, con un abito di tweed dal taglio semplice e stivaletti alla caviglia. Preparò il vassoio con le flûte per lo champagne, disponendo i bicchieri dal fusto lungo con mani lisce e curate, le unghie perfettamente ovali e lucide di smalto rosso. I capelli a caschetto con mèche ondeggiavano e risplendevano alla luce.

«Come va la vita?», domandai cautamente; aveva divorziato solo pochi mesi prima.

«Vuoi dire da quando Jack se n'è andato? Magnificamente». Kate mi lanciò un'occhiata. «Mi alzo quando mi pare. Niente più calzini puzzolenti da lavare. Niente cucina. E, meglio di tutto il resto, non devo più restare sveglia la notte a chiedermi chi si sta scopando».

«Kate...».

«Non stare in pena per me. Il divorzio è una gran cosa. Dovresti provarlo, prima o poi. Sembri esausta». Sorrise con malizia. «Tuo marito continua a rientrare a ogni ora della notte?».

Le diedi un rapido sguardo. «Mi renderei la vita difficile se non mi fidassi completamente di Ted. Ha sempre avuto orari di lavoro assurdi. Quando so che è di servizio, vado semplicemente a dormire». Non accennai alla discussione che avevamo avuto di recente; dopotutto, non era colpa sua se non stava molto a casa.

«Allora perché hai un'aria così stanca? È per Naomi?», insistette. Scossi la testa, ma continuò imperterrita: «Non ricordi cosa combinavamo alla sua età? Mamma non ne aveva la più pallida idea».

«Era diverso. Noi eravamo diverse. Mamma non si sarebbe accorta di nulla in ogni caso». Adesso ero irritata. «Naomi si impegna molto; non ha tempo di combinare chissà cosa».

Kate mi guardò scettica. «Ah, la figlia perfetta. Che mi dici dei ragazzi?».

Versai del vino bianco in un bicchiere e glielo offrii. «Non si tratta dei ragazzi. Sto cercando di finire il ritratto di Naomi».

«Non ti fermi mai?». Bevve un sorso. «Mi sembra che tu stia correndo su un tapis roulant e abbia paura di quel che potrebbe succedere se ti fermassi».

Il curry borbottò sul fuoco e lo assaggiai, aggiungendo un po' di noce di cocco. Non risposi e Kate concluse la conversazione con una scrollata di spalle. Cercava sempre di provocarmi, ma quella volta lasciai correre. Pietre opalescenti risplendevano sui lobi delle sue orecchie e il make-up era perfetto. Mi ero cambiata d'abito scegliendo una gonna nera con pullover nero; avevo raccolto in fretta i capelli arruffati con un fermaglio e mi ero spalmata l'ombretto con un dito. Spesso mi tagliavo le unghie con le forbici da cucina poco prima di uscire. Non mi avrebbe creduto se le avessi detto che continuavo con quel ritmo perché ero io a volerlo. Volevo tutto, nonostante la stanchezza e i continui escamotage.

Uscendo per incamminarci verso il teatro, vidi Harold Moore guardare dalla finestra di fronte. Mi chiesi se la madre l'avesse mai portato ad assistere a uno spettacolo. Non l'avevo mai visto fuori casa; forse voleva evitare che la gente lo fissasse incuriosita.

Mentre aspettavamo Ted nel foyer, Kate mi disse: «Non far caso a me. Otteniamo quel che scegliamo, e tu hai scelto molto più di me. È solo che a volte sembra troppo».

Più tardi, in sala, ci sedemmo insieme su un'unica fila, Shan, Ted e io, Kate, Ed e Theo. Notai come le luci del palco dorassero i loro profili. Il momento sembrava perfetto. Mi tranquillizzai. Non avevo scelto troppo; funzionava. Mi sentii di nuovo fortunata.

Appena il sipario si alzò, il cuore cominciò a battermi talmente forte che pensai fosse udibile nell'intera sala. Non ero preparata a sentirmi terrorizzata per Naomi. Ma quando apparve sul palco smisi di avere paura. La riconobbi a stento. La sua Maria non era una ragazza innocente: era una giovane seduttrice. C'era in lei qualcosa di crudele e di sensuale nelle scene in cui esercitava il suo potere su Tony. Il pubblico era come ipnotizzato. Faceva sembrare tutto così naturale. Si era impegnata davvero tanto per essere quel personaggio – le prove erano state incalzanti, e una sera dopo l'altra era rientrata a casa con gli occhi sempre più appesantiti da occhiaie scure – ma ci

87

era riuscita: era Maria. Una versione ispirata e tutta sua. Non c'era da stupirsi che fosse esausta.

Durante l'intervallo fummo circondati da amici e conoscenti.

«Ma da dove è venuta fuori?»

«Una vera stella».

«Splendida voce».

I ragazzi si difesero timidamente dalle congratulazioni. Ed continuava a tranguggiare vino; Theo sembrava come stordito. Ted sorrideva, pieno di orgoglio.

Nella seconda parte dello spettacolo, la Maria di Naomi si accendeva di rabbia e determinazione. Non una Giulietta in lacrime, non una vittima che cammina a testa bassa. A me sembrò assetata di vendetta.

Tutti applaudirono quando fece il suo ingresso in cucina più tardi, e lasciò che la abbracciassi. Quando accostai la guancia alla sua, un aroma inequivocabile si levò dalla sua pelle accaldata. Alcol. Aveva bevuto ancora.

Mi sciolsi dall'abbraccio e la guardai, ma i suoi occhi stavano già scrutando la stanza e non incontrarono i miei. Proprio in quel momento, Theo si fece largo e venne ad abbracciarla, sollevandola da terra. La bocca di Naomi tremò, ma Nikita le avvolse una lunga sciarpa di seta arancione intorno al viso e le bisbigliò qualcosa che la fece ridere. Kate mi avrebbe detto che da adolescenti bevevamo come pesci. Era normale che delle adolescenti sperimentassero cose nuove, dissi a me stessa. Ma una vocina nella mia mente mi fece notare che questo si andava ad aggiungere alla stanchezza, al riserbo, ai silenzi e all'odore di tabacco. La osservai mentre abbracciava Nikita e decisi che le avrei parlato come si deve, presto, quando fosse stata meno stanca. Per il momento, questa era la *sua* serata. Dovevo rilassarmi.

A cena, feci il giro del tavolo, lasciando del pane naan vicino a ogni piatto. Naomi era seduta a un'estremità, vicino a Nikita, le loro teste si sfioravano. Una chioma dorata e una nero corvino. Indugiai per un istante, felice di vederle così affiatate.

«Quando?».

Fu la nota di timore nella voce di Nikita a catturare la mia attenzione.

«Giovedì. Ehi, cosa vuoi?». Naomí si girò di scatto e mi guardò con fare accusatorio. «Non hai il permesso di ascoltare».

«Ecco il tuo naan, tesoro». Lasciai correre. Non potevo fare altrimenti, quella sera. «E questo è il tuo, Nik. Ho solo sentito parlare di giovedì».

Naomi assunse un'espressione amabile. «Giovedì dopo lo spettacolo andiamo tutti fuori a festeggiare».

«Giovedì? Ma l'ultima rappresentazione è venerdì».

«Esatto. Venerdì ci sarà una festa, ma alcuni di noi volevano passare una serata insieme a chiacchierare, così abbiamo pensato di andare a mangiare qualcosa dopo il penultimo spettacolo». Mi fissò con aria interrogativa.

«Mi sembra una buona idea, tesoro. Cerca solo di non strafare».

Dopo quella sera, fu sempre impegnata con il teatro e raramente a casa. Alla fine non ebbi il tempo per parlarle, come mi ero ripromessa di fare. Tre giorni dopo entrò in cucina con la busta di plastica e quel nuovo sorriso. Poi scomparve.

CAPITOLO 11

Dorset 2010. Un anno dopo

La mano di Mary, una piccola tenaglia nodosa, stringe il bordo del plaid mentre glielo rimbocco tutto intorno. C'è una pausa. Arrossisce, sembra imbarazzata.

«Non si preoccupi», mi lascio sfuggire. «Ero un medico generico e sono abituata alle persone che svengono. Ho visto le pillole per la pressione. Forse... dovrebbe fare un controllo?»

«Quelle maledette pillole. Fanno più danni che benefici. È stata davvero gentile, mia cara».

Un'altra breve pausa. Intuisco le domande che si sta ponendo su di me, e che restano inespresse.

«Non c'è di che». Bertie mi segue alla porta. Torno indietro per un istante. «Mi spiace che abbia vuotato la ciotola».

«Quel gattino sta diventando troppo grasso». Gli occhi celesti si illuminano. «Torni presto. La prossima volta preparerò il tè».

La saluto e chiudo piano la porta. Senza volerlo, ho fatto amicizia con qualcuno. E mi rendo conto che, durante l'ultima ora, la paura che mi tallona da più di un anno è rimasta indietro.

Bristol 2009. La sera della scomparsa

Uscita la polizia, sentimmo la macchina avviarsi, il rumore degli pneumatici sull'asfalto bagnato allontanarsi in fretta. Fuori, la luce diafana del primo mattino si stava insinuando nel buio oltre il giardino. Aprendo la finestra, urtai con il gomito una pila di libri sul davanzale. Raccolsi un quaderno rosso e lessi "Naomi Malcolm. Chimica", scritto con cura in corsivo. Ovunque c'erano cuori rossi disegnati a biro; alcuni ripassati più volte, al punto che l'inchiostro era sbavato. Lasciai che la mia mano indugiasse sulla carta cedevole per un momento.

Ted andò di sopra a dormire per un'ora.

Rimasi sola in cucina, e si avventò su di me: una paura cruda, violenta e improvvisa. Chinai la testa per riprendere fiato, come se stessi lottando contro il vento. Sentii le mani colmarsi di terrore, il viso contrarsi, il cuoio capelluto formicolare dolorosamente; pulsazioni di sgomento mi serrarono la gola, dalla bocca fin giù allo sterno. Quando poggiai la mano su quel duro pugnale d'osso, lo sentii vibrare. Le gambe di colpo fiacche e pesanti mi impedivano di camminare.

Appena la bile mi salì in gola e nel naso, mi balenò in mente che quello poteva essere il momento in cui lei stava morendo – ecco perché mi sentivo morire anch'io.

Vomitai più volte, e ci vollero tutte le mie forze per asciugare le lacrime e il vomito dal mento con la carta igienica. Dopo di che, abbassai il coperchio della tazza, mi inginocchiai lì vicino e vi posai sopra il braccio e lo usai come cuscino per la testa. Nell'angolo, dove il linoleum incontrava la parete, notai una macchia triangolare di urina e un frammento di carta gialla dal rivestimento di un tampone.

Andai in cucina. Albeggiava. Erano le sette e mezza. Presto i ragazzi si sarebbero alzati per andare a scuola. Quel pezzo di carta gialla poteva essere lì da settimane, ma i miei pensieri precipitarono in un vortice senza senso: cosa succede al ciclo mestruale se il corpo muore? Il sangue continuerebbe a fuoriuscire per un po', raffreddandosi via via che la temperatura corporea si abbassa. Guardai di nuovo l'orologio. Erano passate otto ore da quando sarebbe dovuta rientrare. Non era morta. No. Era in un autogrill, la bocca sul bordo di una tazza di cioccolata calda, oppure sulla distesa di sabbia umida di una spiaggia al primo mattino, a giocare a frisbee. E ogni volta che allungava braccia i pantaloni le sarebbero calati di poco, lasciando scoperta una striscia di pelle nuda. Aveva deciso di non telefonare, ma non ero arrabbiata. Non mi sarei arrabbiata mai più. Avrei capito ogni cosa. Lo promisi. Promisi a Dio che sarei andata in chiesa ogni santo giorno per il resto della mia vita, purché fosse sana e salva.

Salii lentamente le scale. Sarebbe stato così da vecchi. Ogni movimento lento e difficoltoso. Ted dormiva, allungato sopra il piumone. Si era liberato delle scarpe con un calcio, e la giacca era buttata su una sedia. Dalla bocca aperta usciva un lieve russare. Quel sommesso ronfare che spesso mi teneva sveglia mi fu adesso di conforto. Sembrava così innocente. Mi sdraiai accanto a lui, senza toccarlo, ma abbastanza vicino da sentire il calore del suo corpo. Frammenti di conversazioni sbatacchiavano impazziti contro le pareti della mia testa. Vedevo rosso attraverso le palpebre.

Fuori, gli uccelli cominciarono a cinguettare.

CAPITOLO 12

Dorset 2010. Un anno dopo

Il vento si è alzato mentre ero con Mary; si sta addensando un temporale. Fra i tetti di paglia, le scogliere lontane splendono come smeraldi contro un cielo grigio carico. Ne rimango affascinata, chiedendomi come rendere una tale intensità nella pittura. Mentre osservo lo scenario, la luce cala e il cielo diventa cinereo, poi il bagliore di un lampo rischiara lo sfondo cupo. Appena raggiungo la porta echeggia lo schianto di un tuono. Bertie guaisce. La pioggia arriva improvvisa, inzuppandoci in un momento mentre armeggio con la serratura, le mani rese scivolose dall'acqua. Noto che la pioggia ha dato alla pelle una colorazione strana, sembra abbronzata. Appena metto piede in casa, sento una serie di tonfi sordi: al piano di sopra, il vento ha spalancato una finestra che sta sbattendo contro il muro esterno. Mi arriva il fragore delle onde sulla spiaggia di ciottoli. Allungo la mano verso la maniglia, ma il vento mi sferza i capelli e mi soffia pioggia gelata sulla faccia, mozzandomi il respiro. La forza pura del temporale è terrificante ed elettrizzante allo stesso tempo; una sensazione diversa dalla gelida paura che, da più di un anno, mi aspetta ogni mattina.

Bristol 2009. Un giorno dopo

Mi svegliai, e un terrore subitaneo mi avvolse in una morsa. Nella stanza accanto, sentii Theo incespicare fuori dal letto, entrare nella doccia, aprire il rubinetto e canticchiare. Sapevo che avrebbe avuto gli occhi ancora mezzi chiusi. Lo scroscio dell'acqua svegliò Ed nella stanza adiacente, sentii gli sbadigli sonori che scemarono in borbottii sommessi e sospiri. Guardai l'orologio: 8:30. Avrei voluto prolungare il tempo del loro non sapere.

Al piano di sotto le luci erano ancora accese. L'odore del caffè mi diede di nuovo la nausea.

Misi ciotole e cereali sul tavolo. Latte, succo, cucchiai. I ragazzi vennero giù. Aspettai, cercando il tono adatto.

«Naomi non è qui».

Pensai che la mia voce fosse normale, ma i ragazzi si fermarono di colpo. Theo, appoggiato contro il tavolo a bere succo d'arancia direttamente dal cartone, lo staccò subito dalla bocca. Ed, intento a versare i cereali nella tazza, raddrizzò la scatola bloccando al volo il rivolo di fiocchi d'avena. Rimasero in attesa.

«Naomi… non è tornata a casa ieri sera. Non è stata dove ha detto che sarebbe andata…».

«Allora?», dissero all'unisono.

Ed si strinse nelle spalle. «Perché tanto casino?».

Mi aggrappai alle sue parole con gratitudine; dunque, era così che appariva la questione? "Tanto casino"? Si aprì uno spiraglio di speranza.

«Ci aveva detto che sarebbe andata a mangiare fuori con il cast, ma noi pensiamo che invece abbia incontrato qualcun altro… non sappiamo ancora chi».

«Allora?», ripeté Ed.

Theo sembrava perplesso. «Come fate a saperlo?»

«Lo abbiamo chiesto a Nikita».

«Avete fatto dire a Nikita i segreti di Naomi?», disse Ed incredulo.

«Ed, abbiamo aspettato fino alle due e mezza di mattina…».

«Cristo, allora avete parlato con Nikita nel cuore della notte?». Il tono di Ed era furioso. Aprì il cassetto delle posate con tale rabbia che coltelli e forchette caddero tintinnando sul pavimento. «Cazzo». Si chinò a raccoglierli, sbattendoli poi sopra il tavolo.

«Forse oggi la polizia verrà alla vostra scuola a fare qualche domanda», dissi a entrambi. «È probabile che voglia parlare anche con voi».

«Anche la polizia, adesso? Magari starà smaltendo la sbornia da qualche amica». Mi guardò storto. «A volte non ti capisco».

«Ha accennato qualcosa a uno di voi due?».

Ed scosse appena la testa e uscì dalla cucina, senza aspettare Theo.

Ero scossa dalla sua rabbia. Non capivo da dove venisse fuori, eppure mi aveva fornito un altro punto di vista: stavamo solo facendo "tanto casino".

«Anche a me non ha detto niente». Le sopracciglia bionde di Theo si unirono a formare una "v", e la pelle delicata della fronte fu solcata da rughe sottili parallele. «Ma ultimamente non mi racconta più tutto come faceva un tempo». Le parole gli uscirono di bocca lentamente, quasi ne avesse preso coscienza solo in quel momento. «Papà dov'è? Lo sa?»

«Secondo te, Theo? Certo che lo sa». Gli passai il braccio intorno alla vita. «Siamo stati svegli quasi tutta la notte. Sta ancora dormendo».

«Cosa succederà?». Sembrava smarrito.

«La troveremo, tesoro. Con l'aiuto della polizia». Cercai di sembrare convincente, come se credessi a quel che stavo dicendo, come se la mia testa non fosse piena di dubbi laceranti.

«La polizia. Dio. Ok». Esitò. «Chiederò in giro. Suppongo che telefonerà o manderà un SMS».

«Certo. Grazie, tesoro».

Si sporse per salutarmi – la barba corta mi sfiorò brevemente una guancia – e uscì.

Non so per quanto tempo rimasi seduta a quel tavolo. La stanza cominciò a ondeggiare, i bordi arrossati delle palpebre a toccarsi. Immagino che la testa mi stesse crollando in avanti, perché quando il telefono squillò mi rialzai di scatto.

«Agente investigativo John Harrison».

«Sì?»

«Polizia Scientifica. Dunque, signora Malcolm... scusi, dottoressa Malcolm».

«Sì?»

«Per il momento nessuna notizia. Abbiamo controllato presso tutti gli ospedali. Naomi non è stata ricoverata, il che naturalmente è una buona cosa. Abbiamo telefonato alla scuola e a breve ci andrò di persona per interrogare alcuni insegnanti e le compagne». La sua

95

voce era grave. Lo spiraglio di speranza tornò a chiudersi. Lui sapeva che non stavamo facendo "tanto casino".

«Sarà meglio che li informi».

«Non c'è bisogno. Abbiamo già provveduto. Un agente della squadra verrà a trovarla verso mezzogiorno. Sarà necessario interrogare gli altri suoi figli il prima possibile».

«Theo e Ed?».

Erano sospettati? Ma perché diamine la polizia non setacciava la regione in cerca di un uomo e di una ragazza spaventata a bordo di una macchina? Un uomo, così ci aveva riferito Nikita. Particolare che non ci diceva niente. Poteva essere alto e imponente con due spalle massicce, abbastanza forte da sopraffarla. Poteva essere l'esatto contrario, più giovane, più esile, un ragazzo normale, forse con una faccia innocente, così da ingannarla più facilmente. Poteva realmente essere andata con lui di proposito, dopo aver organizzato ogni cosa in gran segreto? Era un pensiero che racchiudeva speranza, ma sapevo che era illusorio; non si sarebbe mai allontanata da casa senza dircelo. Non dopo averla messa in guardia per una vita contro macchine e sconosciuti.

«Bene, dottoressa... signora...». Forse non ero un tipo professionale dopotutto, forse ero solo una madre con una figlia scomparsa; era confuso.

«Jenny».

«Ok. Jenny. Semplice procedura di routine. Alla fine dà buoni frutti».

«Procedura di routine per una scomparsa di routine?».

Forse, da qualche parte, Naomi stava mormorando il mio nome.

«Non intendevo questo, Jenny. Sarebbe sorpresa di sapere quanti ragazzi spariscono per un po', poi si ripresentano in perfette condizioni. Nel frattempo, non lasciamo nulla di intentato. Facciamo tutto secondo le regole, per così dire».

Doveva avere liste di cliché sul suo taccuino; chissà se erano riportati in ordine alfabetico. Forse li aveva raggruppati a seconda delle occasioni... scomparsa, rapimento, stupro, omicidio.

«Il fatto è, agente...». Mi fermai e inspirai lentamente, come ti insegnano a fare nei corsi di preparazione al parto per gestire le contrazioni. Inspira e conta. Espira lentamente. «Il fatto è che non so cosa fare nell'attesa».

La voce cambiò e suonò più naturale.

«Tenga duro, Jenny, tenga duro».

Mi bruciavano gli occhi.

Tornai di sopra. Ted era esattamente nella stessa posizione; le grinze sulla camicia erano identiche. Riempii la vasca da bagno e mi immersi nell'acqua calda per qualche minuto; poi mi avvolsi in un asciugamano e, ancora bagnata, mi infilai sotto il piumone stringendo in mano il telefono. Scivolai subito nell'incoscienza, come se mi avessero colpito.

Quando suonarono alla porta mi precipitai fuori dal letto, infilai jeans e pullover di Ted e scesi le scale prima che suonassero una seconda volta.

L'uomo davanti alla porta d'ingresso rimase perfettamente immobile. Ci fu un momento di valutazione privo di sorrisi. Aveva una corporatura robusta, capelli grigi su un volto segnato dalle intemperie, un ventaglio di rughe sottili a lato degli occhi grigi. Bocca triste. Chissà quando, doveva essersi rotto il naso. La faccia non era del tutto simmetrica; forse l'occhio sinistro era più grande del destro, oppure di forma leggermente diversa. Prese atto del mio viso senza trucco, dei capelli arruffati, del maglione troppo largo sui vecchi jeans, dei piedi nudi, e riconobbe, suppongo, un'altra vittima.

«Michael Kopje. Agente di collegamento con la famiglia».

Il suo accento sudafricano mi suonò immediatamente familiare, riportandomi in un baleno al mio anno sabbatico presso un centro missionario in Sud Africa e agli agricoltori coriacei a bordo di malconci pickup, alle prese con la siccità e le malattie del bestiame. Esperti di periodi di crisi.

La stretta di mano fu breve e ferma.

«Le piace The Hill?». Davvero gli ho chiesto una cosa simile? Nonostante la situazione?

Le rughe intorno agli occhi si infittirono e per un istante le labbra si distesero in un sorriso, poi tornarono a incurvarsi verso il basso.

Non mi chiese come mai lo conoscevo e ne fui lieta. Non cercavo uno scambio di idee sull'Africa, se lui conosceva la mia o io la sua.

«Sono Jenny. Si accomodi».

Lo accompagnai in cucina, accesi il bollitore e andai di sopra a svegliare Ted. Si alzò all'istante e scese con me. Seguii il suo sguardo verso l'orologio. Mezzogiorno.

«Nostra figlia sarebbe dovuta rientrare più di dodici ore fa. L'unico sostegno di cui abbiamo bisogno è avere notizie», disse Ted. Sedette di fronte a Michael Kopje, fissandolo dall'altra parte del tavolo.

«Sono qui per questo».

«Allora, cosa può dirci?»

«Ho avuto l'opportunità di parlare con l'insegnante di teatro, una certa signora Mears, e con l'intero cast dello spettacolo. Una ragazza di nome…», tirò fuori un taccuino dalla tasca della giacca, «…Nikita ci ha dato alcune informazioni riguardo a Naomi».

Non mi piacque il modo in cui pronunciò il suo nome, con calma, come se la conoscesse. Mi sedetti accanto a Ted e gli presi la mano. Provai una rabbia improvvisa. Non avremmo mai incontrato questo Michael Kopje se Naomi fosse stata lì ma, per colpa di un destino avverso, lui, uno sconosciuto, si stava impossessando del suo nome. Lo fissai con astio negli occhi grigi e lui abbassò lo sguardo; in quel momento capii che sapeva ciò che stavo provando e la morsa di rabbia cominciò ad allentarsi. Ci concesse una piccola pausa e poi riprese a parlare, in tono pacato.

«Finito lo spettacolo, le ragazze sono rimaste a cambiarsi, ma non erano sole nell'edificio. La signora Mears ha detto che c'era un ragazzo più grande ad aspettarle nell'atrio, così è andata via, sapendo anche che il custode sarebbe arrivato più tardi a chiudere il teatro».

«Quale ragazzo?».

Ebbe un attimo di esitazione. «Edward. Vostro figlio».

«Ed?»

«Ha detto alla signora Mears che avrebbe accompagnato Naomi a casa».

Rimasi impietrita sulla sedia. Dunque Ed era stato lì e non ci aveva detto niente. E nemmeno Nikita.

«La prego, vada avanti, signor Kopje». Ted si era irrigidito, le labbra tirate.

«Mi chiami Michael. Nikita ci ha detto che Naomi doveva incontrare un uomo. Voleva aspettare insieme a lei, ma Naomi le ha detto di non preoccuparsi; c'era Ed, capite. Quando la madre di Nikita è passata a prendere la figlia, il teatro era apparentemente vuoto. A che ora è tornato a casa Ed ieri sera?»

«Non lo so. Mi sono addormentata».

A queste parole gli occhi di Michael si spalancarono. Davo l'impressione di una madre sconsiderata, che permetteva ai figli di andare in giro a ogni ora della notte, senza controllo? Non era mia intenzione addormentarmi. A volte ero talmente stanca che il sonno mi coglieva di sorpresa appena mi sedevo. Inutile spiegargli tutto questo: che importanza poteva mai avere adesso?

«Sembra che Ed sia andato via subito dopo Nikita», disse Michael.

«Sarebbe dovuto rimanere, maledizione», mormorò Ted.

Pestai il numero di Ed sulla tastiera, ma entrò subito in funzione la segreteria telefonica.

Michael continuò, come se non avesse sentito il commento di Ted. «Nikita mi ha detto che non sa quasi niente di quest'uomo. Naomi gliene ha parlato per la prima volta circa due settimane fa. Nikita pensa che una sera l'uomo sia stato presente lì a teatro, sul retro, ma lei non lo ha mai visto da vicino».

«Qualcuno avrà pur notato una persona estranea, no?». Cambiai posizione sulla sedia, sporgendomi sul tavolo. «Se chiede agli insegnanti…».

«Ci stavo arrivando. La signora Mears ci ha detto che una volta ha visto un uomo seduto in fondo alla sala durante le prove. Pensa di aver visto Naomi alzarsi dalla poltrona accanto a quella dell'uomo. A quanto pare la signora Mears ha ripreso Naomi perché ad amici e genitori non è permesso assistere alle prove. Naomi le ha risposto che non era stata lei a invitarlo, era capitato lì per caso».

Mentre Michael faceva una pausa, mi domandai se quell'uomo fosse stato lì anche la sera in cui avevamo assistito allo spettacolo. Cercai nella mia mente l'immagine di uno sconosciuto che indugiava nella sala, in disparte, durante l'intervallo. C'era stato qualcuno vicino a una colonna, una figura alta seminascosta, o una testa girata al bar, qualcuno che sbirciava di nascosto il nostro gruppo? Forse. Ma non riuscii a figurarmelo con altrettanta facilità.

«La signora Mears ha notato il suo aspetto?»

«Era buio in fondo alla sala. L'uomo era seduto. Ha pensato che fosse un genitore». Ci guardò entrambi. «Naomi vi ha accennato qualcosa riguardo a una nuova relazione sentimentale? O è successo qualcos'altro che vi ha colpito per la sua singolarità?».

Ted rispose di no nello stesso istante in cui io dicevo sì. Michael si girò verso di me.

«Non ha detto nulla, ma c'era qualcosa di diverso», dissi piano.

«In che senso *diverso*?»

«Più taciturna. Me ne sono resa conto solo dopo una prova dello spettacolo. È rientrata tardi e sembrava molto distante».

«Distante?». Rimase in attesa, la penna sospesa sopra una pagina del taccuino.

Gettai uno sguardo verso la stufa, dove Bertie stava dormendo. Naomi era lì quando mi aveva guardata di traverso.

«Di solito parlava molto con me», dissi. «Di tutto. Quella sera mi sono accorta che aveva smesso di farlo; l'ho attribuito alla stanchezza, fra le prove di teatro e lo studio, ma…». Mi fermai un momento, ricordando quell'ostilità gratuita riguardo ai compiti, il silenzio che ne era seguito. «Ripensandoci, è come se volesse deliberatamente tagliarmi fuori».

Ci fu una pausa; sentii la penna raschiare sul foglio, poi Ted alzò di colpo lo sguardo, la sua voce mise a tacere i miei ricordi.

«Il cottage», disse.

CAPITOLO 13

Dorset 2010. Un anno dopo

Fermo la finestra perché il vento non la spalanchi di nuovo. Mi libero dei vestiti zuppi ammucchiandoli sul pavimento, e infilo il pigiama, un paio di calzini pesanti e un vecchio pullover. Scendo al piano di sotto, e il cottage mi sembra freddo e spoglio dopo il calore del villino di Mary. Cammino avanti e indietro; sento il mio corpo incredibilmente vivo. Cosa è sfuggito, o cosa ho lasciato entrare? Qualcosa ha aperto uno spiraglio nella mia mente, lasciando entrare uno sfarfallio di colori là dove avevo creato uno spazio buio e silenzioso. Un'immagine si sta formando e vuole essere catturata. Dietro la scrivania c'è il vecchio portfolio di dipinti. Lo tiro fuori alla svelta e prendo una tela bianca, poi spargo i tubetti di colore sul tavolo. Voglio dipingere i colori e i rumori del temporale.

Qualcuno dei dipinti è sgusciato fuori dal portfolio; uno cade sul pavimento. Lo raccolgo prima che Bertie ci zampetti sopra. È il ritratto di Naomi che non ho mai finito. La bocca è sorridente, e nei suoi occhi c'è uno sguardo di trionfo che non avevo notato prima. Dicono che i figli più piccoli l'hanno vinta su cose che ai fratelli maggiori sono vietate. Avevo detto a Ed che non poteva organizzare feste al cottage, ma lo avevo permesso a Naomi. Faceva sempre come voleva lei, in ogni cosa; quella era stata la sua rovina.

Bristol 2009. Un giorno dopo

«È andata al cottage la settimana scorsa», disse Ted. Guardò Michael, che aveva smesso di scrivere e lo stava osservando con aria interrogativa.

«Il cottage?»

«Scusi», disse subito Ted. «I genitori di Jenny intendevano ritirarsi in un cottage per le vacanze nel Dorset. È stato loro da quando si sono sposati. Ma il padre è morto. La madre ha fatto dono del cottage a Jenny poco tempo fa». Sospirò, irrequieto. «A ogni modo, abbiamo permesso a Naomi di andare là lo scorso weekend, prima che iniziassero le rappresentazioni. Ha detto che aveva bisogno di fare una pausa: voleva andare a rilassarsi un po' insieme a qualcuno del cast. Al momento mi è sembrata una richiesta abbastanza ragionevole».

Ricordai come si era fermata appena oltre la soglia, in silenzio. «Era molto… assorta quando è tornata. Non ci ha raccontato molto di quella giornata».

Ted e io ci scambiammo un'occhiata.

«Con chi è andata?», domandò Michael.

«Amici della scuola. Del teatro», rispose Ted. «Almeno così ci ha detto. Un ragazzo che conosce da secoli. Altri membri del cast. Nikita».

«Sono passati a prenderla?». Michael stava prendendo di nuovo appunti.

«No, si sarebbero incontrati altrove», risposi con un senso di nausea. Ma era andata davvero così?

Ted e io balzammo in piedi nello stesso istante.

«Mi serve l'indirizzo». Michael alzò lo sguardo su di noi. «E la chiave».

«Non c'è bisogno», replicò Ted. «Ci vado subito».

Michael infilò il taccuino dentro la giacca e si alzò. Tirò fuori il cellulare e fece una chiamata. Lo sentimmo richiedere un autista e due agenti per accompagnare Ted al cottage.

«Posso andare benissimo da solo. Lo preferisco», obiettò Ted. «Se è là, potrebbe spaventarsi vedendo arrivare un sacco di poliziotti».

Michael interruppe brevemente la sua telefonata e disse con calma: «Se è là, e qualcuno è con lei, il suo arrivo potrebbe gettare quel *qualcuno* nel panico».

Lo fissammo ammutoliti; possibilità impensate si dilatarono nell'aria della cucina. Gettarlo nel panico e spingerlo a fare *cosa*?

Mentre Michael si avviava, sempre parlando al telefono, mi rivolsi a Ted.

«Vengo con te», gli dissi.

«Non hai dormito abbastanza». I suoi occhi scrutarono il mio viso.

«Per l'amor di Dio, sono solo un paio d'ore. Posso dormire lungo la strada».

«Rimani», disse. «Non si sa mai».

Nel caso sentissi i suoi passi correre verso la porta sul retro? La sua voce che chiamava Bertie per avvisarlo che era finalmente a casa e lui poteva smetterla di struggersi? Cose familiari che avevano già assunto la patina dorata di un lusso impossibile.

Quando suonò il campanello, Ted e Michael salirono di sopra ad aprire all'agente che avrebbe portato Ted nel Dorset. Sentii voci, la porta che sbatteva e poi i passi di Michael che scendevano di nuovo in cucina. Accesi il bollitore e guardai l'orologio: 13:30. Quattordici ore. Sarebbero state di più al loro arrivo al cottage. Mi chiesi se avrebbero seguito il nostro solito tragitto: la M5 fino a Taunton e poi lungo le strade secondarie per Chard, Axminster e Bridport. Gli ultimi cinque chilometri fino a Burton Bradstock, con il mare fra le colline sulla destra. A quel punto i ragazzi diventavano insofferenti, volevano sgranchirsi le gambe.

«Mi spiace, Jenny», disse semplicemente Michael avvicinandosi al tavolo.

«Come pensate di trovarla?». La mia voce salì di tono senza che riuscissi a controllarla. «Che ne è stato dello stupratore? Ogni secondo…».

«Niente stupratore», mi interruppe Michael. «Lo abbiamo preso dieci giorni fa; è in stato di arresto. Al momento stiamo facendo tutto il possibile. Abbiamo rilevato le impronte nel camerino, nel teatro, in sala e nello spogliatoio. I suoi amici sono stati interrogati». Mi guardò attentamente, controllando che stessi seguendo. «Stiamo domandando ai residenti e al personale della scuola se hanno visto macchine nella zona in quella fascia oraria, nonché controllando le telecamere di sorveglianza in tutti i garage locali e lungo le strade che portano fuori da Bristol». Lo osservai mentre scorreva la lista riportata sul taccuino; gli occhi grigi erano seri. «Stiamo anche mettendo insieme un fotokit in base alla descrizione della signora Mears che verrà trasmesso nel notiziario delle sei di questa sera. Stiamo prendendo la faccenda molto seriamente».

Questo migliorava le cose, ma allo stesso tempo le peggiorava. Stavo scivolando in un abisso dove non ero mai stata prima, le mani protese in cerca di un appiglio.

Michael rimase in attesa vicino al bollitore, trovò il barattolo, il latte e preparò due tazze di caffè. Me ne diede una e tornò a sedersi di fronte a me al tavolo di cucina, che era ancora ingombro di confezioni di cereali e cartone di succo, ciotole sporche e tazze di tè ormai freddo.

«Stiamo facendo delle ipotesi», disse. «Dobbiamo considerare altre possibilità, per quanto inverosimili».

«Altre possibilità?»

«Ce ne sono diverse. Prima di tutto, ci sono buone possibilità».

Alzai subito lo sguardo. «Cosa intende con "buone"?»

«È con un amico; sta dormendo o si è semplicemente ritagliata un momento tutto per sé».

«Naomi non lo farebbe mai; e poi ha ancora un'ultima rappresentazione da fare».

«Forse la pressione…?»

«No». Scossi la testa. Desiderai poterci credere, ma per quanto fosse cambiata, qualunque cosa ci fosse sfuggita, sapevo che non avrebbe mai abbandonato lo spettacolo in quel modo.

«Allora ci sono altre opzioni. Si è vista con l'uomo sconosciuto per un breve periodo di tempo, o forse non si sono incontrati affatto». Mi stava dicendo che poteva essere stata rapita a teatro da qualcuno di completamente diverso, o forse lungo la strada del ritorno, per puro caso, da un brutale aggressore.

Lo fissai in silenzio. Cosa sarebbe stato peggio? Qualcuno che si era mostrato amico con l'intento di farle del male, oppure uno sconosciuto nascosto nell'ombra fuori della porta del teatro, o più avanti lungo la strada? Mi alzai, ma le gambe non volevano saperne di reggermi e tornai a sedermi.

«Non le viene in mente altro di insolito? Qualcosa che forse non ha notato o a cui ormai ha fatto l'abitudine? Nemici?».

Mi passò un taccuino e una matita. Tenere la matita in mano mi calmò.

Lo guardai; sapeva come aiutare, ma gli angoli piegati in giù della sua bocca triste mi rivelarono che quella parte del suo lavoro non gli era particolarmente gradita.

«Per lei è normale routine», dissi. «Sa come fare».

Suonò come un'accusa. Vidi che stava considerando attentamente come rispondere.

«Sì. Ma ogni volta è diverso. Come il suo lavoro. Lei vedrà molti pazienti con lo stesso tipo di malattia, ma nessun caso è identico all'altro, non esiste una procedura prestabilita». Aveva ragione, naturalmente. Annuii, e lui aprì il taccuino. «Chi abita nella casa accanto?»

«Ci sono vari appartamenti. Gente che va e viene. Coppie giovani, più che altro. In realtà non conosciamo nessuno».

«E di fronte?»

«La signora Moore e suo figlio. Ha la sindrome di Down».

Michael prese nota.

«Nessun altro?».

Nemici, aveva detto. Pensai al marito di Anya che mi guardava in cagnesco quando accompagnava la moglie da noi. Agli occhi del signor Price l'ultima volta che l'avevo visto. Era più facile pensare agli amici. Nikita. Aveva un sacco di altri amici a scuola, ma l'unico a cui pensai in quel momento fu il ragazzo che l'aveva aiutata in matematica, James. Quello con cui era andata al cottage, e che le aveva dato l'anello.

Cominciai a scrivere piano la mia lista; ci volle parecchio tempo per riordinare le idee. Quando il telefono squillò, sobbalzai sulla sedia, ma Michael fu svelto a rispondere.

«No comment», disse concisamente dopo una breve pausa, poi ripeté: «No comment». Riagganciò e si girò verso di me.

«I media saranno invadenti». Era pratico anche di questo. «Preparerò una dichiarazione per voi, chiedendo di rispettare la vostra privacy».

Lo guardai stupita. Non mi importava di niente altro che non fosse

Naomi – vederla, sentirla, toccarla, stringerla. La privacy mi sembrava un elemento del tutto irrilevante.

Terminai la lista e gliela consegnai, e lui si alzò per andare via. Non volevo che se ne andasse; la situazione sembrava meno disperata in sua presenza. Disse che sarebbe tornato nel giro di due o tre ore.

Dopo che se ne fu andato rimasi seduta a lungo, la mente agitata da pensieri incoerenti. Alla fine mi alzai, le gambe indolenzite, lanciando un'occhiata all'orologio. Sedici ore da quando sarebbe dovuta rientrare, ventidue da quando era uscita da quella porta. Proprio in quel momento risentii la sua voce che diceva "ciao" ma, stranamente, non riuscii a ricordare se avevo risposto al suo saluto.

CAPITOLO 14

Dorset 2010. Un anno dopo

Stendo uno sfondo verde sulla carta, poi mischio verde linfa e rosso cremisi per ottenere un verde grigiastro, ma il colore è troppo freddo, deve essere più intenso, più scuro, più denso. Aggiungo uno strato di verde Veronese e terra d'ombra naturale. Il porpora e marrone scuro della distesa d'acqua si innalza fino al bordo del cielo come se lo volesse ingoiare. Punteggio di bianco la cresta di un'onda, ma quel che voglio rendere più di ogni altra cosa è il respiro cupo e ansante del mare. Mentre il dipinto prende forma, sento che mi sta offrendo un'ancora di salvezza. La sento ruvida di sale e bagnata sotto le mie dita. Di tanto in tanto faccio una pausa per aggiungere legna al fuoco, mandare giù un sorso di vino, camminare su e giù mangiando un sandwich.

Poco dopo mezzanotte la tela mi lascia andare. Il fuoco si è appena sopito e la stanza mi avvolge calda e sicura, anche se fuori infuria ancora il temporale. L'anno scorso le nostre vite sono state distrutte da una tempesta violenta e impietosa. Allora mi ero aggrappata con tutte le forze alla speranza che l'avremmo ritrovata e alla presenza dei ragazzi. Theo e Ed mi hanno aiutata ad andare avanti.

Bristol 2009. Un giorno dopo

Theo rientrò da scuola nel tardo pomeriggio. Aveva comprato pesce fritto e patatine; la busta di carta bianca era diventata lucida d'olio e l'odore di aceto mi diede di nuovo la nausea. Quando squillò il telefono, usai la nausea come scusa per salire al piano di sopra, così Theo non avrebbe ascoltato la conversazione.

La voce di Ted era tesa. «Il cottage è vuoto. Non c'è nessuno qui. Non c'è stato nessuno nelle ultime ventiquattro ore».

Quindi non l'avevano portata lì. Rimasi in attesa.

«Però *è stata* qui. La settimana scorsa, come ci ha detto. Solo che…».

«Sì?»

«Lei… loro…».

«Cosa?». La testa mi formicolava per l'ansia di sapere.

«Il letto è sfatto. Ci ha dormito qualcuno. C'è una macchia che attraversa il materasso da parte a parte».

«Dormito? Ma non si è fermata per la notte». Poi afferrai anche le altre parole. «Cosa vuoi dire con "macchia"?», domandai con voce tremante. «Macchia di che tipo?»

«Sangue».

«Gesù». Per un istante non riuscii a parlare.

«Dicono che risale a diversi giorni fa. E ha sporcato anche il pavimento». Parlava in tono pacato. Doveva esserci qualcuno vicino a lui, forse ad ascoltare quel che mi stava riferendo. «Si può stabilire a quando risale dal colore – così mi ha detto l'agente. È della Scientifica. E il vino nei bicchieri si è seccato. Certamente era qui da più di un giorno e una notte».

«Vino? Quale vino?». Non capivo cosa stesse dicendo.

«C'è una bottiglia accanto al letto, con due bicchieri».

Bicchieri di vino accanto al letto? Non beveva mai alcolici. Odorava di vino dopo le prove e dopo la cena successiva alla prima rappresentazione, ma pensavo che avessero brindato tutti insieme per festeggiare. Credevo che detestasse l'alcol.

«Saranno stati i suoi amici; alcuni dei ragazzi che frequenta sono un po' più… grandi…». Persino mentre lo dicevo, pensai alle ragazzine che si presentavano in ambulatorio, incinte a dodici anni. Ma Naomi non era così. Non aveva mai avuto un ragazzo, lo avevo detto alla polizia. Non era possibile che fosse andata a letto con qualcuno.

«Non è andata insieme agli amici». La voce di Ted risuonò aspra. «Un'altra bugia. Ci sono solo due serie di impronte. Era sola con quel bastardo. Pensavi che fosse preoccupata quando è rientrata a casa l'altro giorno? Non c'è da stupirsi: era traumatizzata». Ci fu un respiro stridulo e sibilante. «Prima l'ha fatta ubriacare…».

Proprio mentre arretravo di fronte alle sue parole, cercai di pensare al di là di esse. «Se è vero, meglio così», mi sentii dire. «Bere insieme è un buon segno».

«Cosa? Un buon segno che lei fosse ubriaca quando l'ha violentata?».

Sussultai alla sua raggelante incredulità. «No». Era così silenziosa e assorta sulla soglia di casa. «L'abbiamo vista quando è rientrata dal cottage. Avrei capito se le fosse capitato qualcosa di spiacevole. Era così calma». Lo dissi più in fretta, con maggior convinzione. «Pensaci un momento. Se bevi vino con qualcuno a letto significa che sei rilassato, in vena di chiacchiere. Ti stai godendo…».

Ted mi interruppe. «Circa un'ora fa è arrivata una squadra locale. Stanno prendendo campioni – impronte digitali, foto, DNA».

Mi focalizzai sui bicchieri di vino. Le aveva versato da bere, l'aveva cinta con un braccio; lei l'aveva sorseggiato, sorridendogli, fingendo che le piacesse.

«Il vino significa che ci teneva a lei». Lo dissi con circospezione. «Il sangue è perché… era la sua prima volta. Quindi se adesso è insieme alla stessa persona, non le farà del male. Non se… hanno fatto l'amore». Le parole suonarono ridicolmente fuori posto. Ma l'amore era meglio dello stupro, meglio dell'omicidio.

«Apri gli occhi. È naturale che debba trattarsi della stessa persona, ma questo non rende la cosa meno pericolosa. Sarà parte di un piano. Questo era solo l'inizio». La voce gli tremò.

Ci fu un silenzio e poi mi disse che avevano messo al lavoro un'altra squadra. Avrebbero avviato un interrogatorio porta a porta nel paese. Ci sarebbe voluto più tempo di quanto avesse immaginato. In quel momento avrei voluto conoscere più abitanti del posto, ma non ci eravamo mai fermati abbastanza a lungo da fare amicizia con qualcuno; eravamo sempre stati assorbiti nella famiglia, sfruttando al massimo il tempo che Ted poteva trascorrere con noi. In quel momento rimpiansi di non essere stata più socievole. Avrei avuto qualcuno a cui domandare se avesse notato qualcosa di insolito, o visto sconosciuti aggirarsi nell'abitato.

Tornai in cucina. Quando il telefono squillò di nuovo sollevai il ricevitore, ma appena sentii la voce acuta di una giornalista che si presentava alla svelta chiusi subito la comunicazione. Il telefono suonò ancora dopo un istante, ma lo ignorai.

Entrò Ed. Si fermò appena mi vide e per un momento sembrò spaventato. Lo presi fra le braccia. Aveva gli occhi arrossati. Aveva pianto? Rimase immobile, i muscoli tesi.

«È tutto a posto, Ed. Andrà tutto bene».

«Niente è a posto».

Si liberò dal mio abbraccio e si allontanò. Quando si lasciò cadere sul divano andai a sedermi accanto a lui. A quel punto si alzò e andò a sedersi su una sedia. Sentii Theo aprire lo sportello del frigorifero.

«Qualunque cosa sia successa, starò dalla tua parte», dissi con calma.

«Che vuoi dire?»

«Michael Kopje del corpo di polizia è venuto da noi. A quanto pare hai detto alla signora Mears…».

«Cazzo».

«Non sei tenuto a dirmelo adesso».

«Ah sì?»

«È probabile che vogliano parlare con te. Comunque, è ovvio che io voglio sapere di Naomi…».

«Lo vedi? Non sai mai quello che dici. Mai».

Aspettai, osservando il suo viso avvampare di rabbia.

Abbassò lo sguardo. «Ho detto alla signora Mears che avrei accompagnato a casa Nik e Naomi, a piedi. Mentre ero nel bagno, è arrivata Shan e ha portato via Nik».

«Sì, lo so».

«Dopo di che, mentre Naomi si stava cambiando, mi ha urlato attraverso la porta di andare. Mi ha detto che aspettava un amico e che l'avrebbe accompagnata lui. Mi ha mandato via».

Mi inginocchiai davanti a lui e gli presi le mani. «Non è colpa tua, Ed… o di qualcun altro, nemmeno mia e di papà. Naomi fa sempre fare alla gente quello che vuole lei». Mentre lo dicevo sentii che era la verità, e mi diede una nuova speranza. Significava che avrebbe convinto chiunque l'avesse portata via a lasciarla andare. Ed girò la faccia dall'altra parte.

Theo si appoggiò alla parete con aria stanca. «La signora Mears si è dimessa», disse.

Mi tirai su e mi voltai verso di lui. «Perché?».

Alle mie spalle, Ed si alzò e uscì dalla stanza.

«Un membro del corpo insegnanti è tenuto a essere sempre presente nel teatro insieme ai ragazzi. Starà da schifo…». La voce di Theo si spense.

Di nuovo quel senso di nausea. Quindi la signora Mears sapeva che se avesse agito in modo diverso Naomi avrebbe potuto essere ancora qui, ma qualunque senso di colpa provasse la professoressa non poteva paragonarsi all'enorme spavento che magari stava provando Naomi. All'angoscia che stavamo vivendo. Sentii montare dentro di me una rabbia bruciante, ma sapevo che non mi sarebbe stata d'aiuto, perché a quel punto avrei dovuto arrabbiarmi anche con Ed, e un sentimento così inutile si sarebbe gonfiato e avrebbe bloccato ogni altra cosa. Dovevo mantenere il controllo.

«Nessuno mi dice niente». Theo sembrava sconcertato. «Nessuno vuole minimamente parlare con me. È strano».

Cercai di spiegare: «Pensano di dover dire qualcosa, ma non sanno come, e questo li fa sentire a disagio. Non significa che non gli importi. Forse dovresti fare tu il primo passo».

«Ci ho provato con due ragazzi, ma se ne sono andati. È come se avessi una malattia contagiosa da evitare».

Lo cinsi in un rapido abbraccio; un gesto affettuoso era meglio di tante parole. Parole che in quel momento non avevo. Non potevo ancora dirgli cosa avevano trovato nel cottage. Perché angustiarlo se non c'era una spiegazione logica? Alle sei seguimmo il notiziario. Anche se guardai e ascoltai lo speaker, registrai soltanto frasi frammentarie. «Naomi Malcolm… vista l'ultima volta ieri sera mentre recitava in uno spettacolo della scuola… La polizia sta cercando un uomo dai capelli neri intorno ai trenta anni per escluderlo dalle indagini…».

Poi la sua immagine, un'altra foto scolastica che non avevo mai visto. Sembrava persino più giovane. Aveva un sorriso aperto e spontaneo, non quel suo nuovo mezzo sorriso. Gli occhi sinceri e fiduciosi. Ora non lo sarebbero stati più. Spensi il televisore. Per chiunque altro al mondo, era la figlia di qualcun altro.

Non era rimasto molto nella credenza, ma nessuno aveva fame. Preparai un sandwich a Ed, che mangiò in silenzio. Dopo che i ragazzi furono saliti al piano di sopra cominciai a girare nella cucina in cerchi sempre più stretti e frenetici, finché sentii che stavo per spezzarmi, come una lenza gravata da un peso che sia stata riavvolta fino al punto di rottura.

«Aiutami… aiutami…», mormorai più e più volte, serrando e disserrando i pugni, madida di sudore disperato.

Ero ancora in cucina quando Ted rientrò molto più tardi. Andò dritto al mobile bar e trovò una vecchia bottiglia di whisky in fondo. Lo ingollò d'un fiato, sollevando di colpo il bicchiere.

«Hanno preso i campioni necessari; li stanno analizzando. Quell'uomo deve essere stupido, ha lasciato impronte dappertutto. Erano visibili anche sulla bottiglia di vino». Bevve ancora, posò il bicchiere e mi guardò per la prima volta. Socchiuse gli occhi. «Lo prenderemo. Ovunque l'abbia portata, ora saremo in grado di acciuffarlo».

«E quel sangue?»

«Non ce n'era molto. Erano più che altro sbavature».

Non molto sangue. Non era ferita. Avrei dovuto capirlo. Quel suo silenzio così intenso, solo una settimana prima. Stava difendendo un segreto, non un maltrattamento. Cosa stava pensando? Ricordai il movimento delle sue labbra – stava ripetendo il nome di lui?

La voce di Ted era rabbiosa. «Stavo pensando a chi potrebbe fare una cosa simile. Un debole, senza dubbio, per dimostrare al mondo che è riuscito a prendersi ciò che voleva: fare sesso con un'adolescente nel territorio dei suoi genitori. Deve essersi sentita lusingata, non rendendosi conto che per tutto il tempo lui ripeteva a se stesso: niente di più facile. La prima parte del piano».

«Calmati». Gli presi la mano; stava tremando, come la mia. «Quale piano?»

«Come lo chiamano, adescamento di minore? Ovviamente aveva calcolato tutto nei minimi dettagli». Adesso la voce era un sussurro, il respiro corto e affrettato. «Dormire con lei nel cottage rientrava nella prima parte. Deve averlo fatto per guadagnare potere su di lei, così dopo lo spettacolo lo avrebbe seguito senza sospettare nulla».

Ted doveva aver rimuginato questi pensieri per tutto il lungo viaggio; ora le parole gli ruzzolavano dalla bocca come se non riuscisse più a contenerle.

«Quando si è resa conto dello sbaglio commesso, era troppo tardi. Può averla portata a chilometri di distanza. Potrebbe essere prigioniera ovunque. E lui, libero di farle male come vuole. Violentarla. Ucciderla».

Almeno le ultime parole le disse a bassa voce. Andai in fondo alle scale e mi misi in ascolto. Nessun rumore. I ragazzi dormivano. Pensai all'odore che doveva ristagnare nel cottage vuoto. Forse le tende erano chiuse, e la scena si era rivelata a Ted solo quando le aveva tirate da parte; forse c'erano mosche a ronzare intorno ai davanzali, o morte nel deposito in fondo a un bicchiere. Il viaggio di ritorno doveva essergli sembrato interminabile; doveva essere stata dura l'attesa in fila nei pressi del ponte sospeso sull'Avon. I suoi occhi apparivano tormentati; lo strinsi fra le braccia.

«Forse la situazione era diversa», gli sussurrai. «Forse non è andata affatto così. E se lui la ama? Se la ama, non le farà del male».

Ted non rispose, e le parole di speranza si persero nel silenzio, come se non le avessi mai pronunciate.

CAPITOLO 15

Dorset 2010. Un anno dopo

Più tardi il vento rinforza. Sbatacchia la finestra e mi sveglia all'improvviso, ancora aggrappata ai margini di un sogno. Una bussata energica. Rumore d'acqua. Sto sognando il ricordo di un altro sogno. Poi un'esplosione squassa la notte. Uno schianto che fa tremare ogni cosa. Mi metto in ascolto, raggelata. Qualcosa si è spezzato là fuori. Nonostante il rumore e la mia paura, galleggio e mi lascio trasportare sulla superficie del sonno, consapevole che le mie mani sono aperte e si muovono sul lenzuolo, in cerca.

C'è qualcosa di diverso rispetto a ogni altra mattina: l'assenza di rumore, la luce insolitamente vivida. Guardo fuori dalla finestra e il giardino è scomparso. Un sole stranamente caldo per la stagione splende sui rottami. Ci sono frammenti di corteccia e pezzi di tronco ovunque. Il melo è andato, tranciato e disperso dalla tempesta. Grandi schegge di legno sono cadute sui muretti del giardino e sui cespugli di ribes nero. Il cancello è stato divelto dai cardini.

Nel garage c'è una vecchia sega. Lubrificata e ancora affilata, impeccabile come ogni cosa che conservava mio padre, è appesa a un chiodo accanto all'ascia. Un pettirosso sta becchettando la zolla d'erba strappata alla base dell'albero, le cui radici ruvide e contorte sono ora rivolte verso il cielo. Bertie annusa i rami lucidi di pioggia, solleva la zampa vicino al muretto e si accuccia accanto al cancello abbattuto. Mentre taglio a pezzi il tronco, mi sbarazzo della giacca, poi del pullover. Il sudore rende scivolose le mani mentre aziono la sega avanti e indietro. L'odore torboso di legna bagnata mi ricorda falò non ancora accesi e il mio nascondermi fra i cespugli da bambina, prima di andare a letto. I neri rami ricurvi della chioma risvegliano

114

un altro ricordo che non riesco a focalizzare del tutto. Lavoro nella luce mutevole del mattino. Ai miei piedi il piccolo volatile saltella, frulla le ali, guarda, becchetta. A mezzogiorno bevo un po' d'acqua e vado avanti finché non riesco più a piegare le dita intorno al manico e la pelle dei palmi mi sanguina.

Fuori della porta sul retro, mi libero con un calcio degli stivali infangati ed entro nel cottage. Nelle stanze si avverte l'aria fresca e rinnovata dopo la tempesta. C'è una macchia di giallo oltre il vetro della porta principale: sui gradini trovo un piccolo mazzo di crisantemi gialli, insieme a quattro uova in un contenitore da gelato. Deve averli lasciati Mary. Sistemo i fiori in una bottiglia del latte, le mani talmente stanche che tremano. Prendo una delle uova; la forma mi comunica un senso di bontà. Non ricordo quando è stata l'ultima volta che ho mangiato un uovo – un anno fa? Il guscio è punteggiato, c'è una piumetta soffice attaccata alla superficie levigata, e una leggera pennellata di terra. Lo metto subito a bollire e lo mangio, poi un altro, e un altro ancora. Non ho burro né portauovo, così le sbuccio e le avvolgo tra due fette di pane, sulle quali ho tentato di spalmare della Marmite induritasi col tempo; ho trovato il barattolo in fondo alla credenza. Getto i frammenti di guscio e le molliche nella pattumiera e un'immagine viva e improvvisa mi affiora nella mente: il visetto lentigginoso di Naomi a due anni, crostini spalmati di Marmite.

Mary sta meglio, altrimenti non sarebbe passata a lasciarmi dei regali davanti alla porta. Esco in fretta, prima di avere il tempo per cambiare idea. La porta del suo cottage è aperta e arrivano voci dall'interno. Mi faccio indietro, ma Mary mi ha sentita.

«Non vada via», mi invita.

Sul tavolo ci sono mazzi di fiori colorati avvolti nel cellophane e confezioni di dolciumi. Gli abitanti del paese hanno saputo del suo malore. Mary è seduta vicino al tavolo, in grembiule; le guance sono di un rosa carico, ben diverso dal bianco cartaceo di ieri. Un uomo magro come un chiodo è in piedi al centro della stanza, intento a mangiare un dolce e a seminare briciole sul pavimento. Un ragazzo dai capelli neri è al tavolo, una sigaretta arrotolata a mano fra le labbra e i due pollici che digitano rapidamente un SMS. Mi viene

115

presentato come il nipote di Mary, Dan. Mi saluta con un cenno del capo, alzando su di me gli occhi socchiusi per via del fumo. L'uomo magro si fa avanti con solerzia e mi porge la mano.

«Derek Woolley. Vicino di casa. Avvocato in pensione e primo campanaro». Ride timidamente.

«Jenny».

La stretta di mano è moscia; gli occhi puntati nei miei si muovono rapidamente da un lato all'altro, come se volessero catturare al volo segreti sfuggenti. So che le sue domande saranno importune. Sono stanca della bruttura insita nella curiosità.

«Allora, Jenny, da quanto tempo abita qui? Naturalmente, l'ho vista insieme alla sua famiglia in passato, quando venivate per il finesettimana, per così dire…».

Non ricordo la presenza di quest'uomo all'epoca; da quando sono qui, giro sempre la testa dall'altra parte quando incrocio qualcuno per strada.

«Qualche mese», rispondo, gettando uno sguardo alla porta; quando potrò scappare?

«È stata Jenny a soccorrermi ieri, Derek. Mi ha raccolta da terra». Mary parla in fretta nel silenzio.

«Ah, allora è la nostra buona samaritana. Ho sempre desiderato chiederle…».

«Questa è la campana. Hanno già cominciato. Devi affrettarti». Mary gli tiene aperta la porta. «Magari puoi dire loro che sarò lì per l'esercitazione di lunedì. Per allora starò sicuramente meglio».

Derek Woolley scrolla le spalle, vuota la tazza e prende un'altra fetta di dolce prima di andarsene, salutandomi con un breve cenno del capo.

«Si sieda, cara», mi dice Mary chiudendo la porta.

Dan ha fatto una sosta qui mentre tornava a casa dalla scuola di Bridport per aiutare la nonna in giardino. Mary mi domanda se anche io ho bisogno di aiuto; ha sentito l'albero cadere ieri notte. Quando mi alzo per andarmene, Dan, sempre intento a scrivere SMS, mi tiene aperta la porta. Qualcosa nel suo viso, acerbo e irrequieto, mi ricorda Ed.

Rientrata nel mio cottage, mi accorgo che il gioco di luci e ombre è cambiato: guardando di nuovo fuori, noto che le linee curve della chioma creano un disegno. Poi vedo, per un secondo, il viso di Naomi scorrere fra i rami. Naturalmente, questo è ciò che le forme curve e cadute mi hanno ricordato. Naomi nel groviglio di rami, il corpo nudo. Le foto di Theo.

Bristol 2009. *Due giorni dopo*

Sabato 21 novembre, di primo mattino, Michael Kopje e due colleghi erano già nella nostra cucina. Ted era seduto, ancora stanco dopo il viaggio al cottage del giorno precedente. Era pallido e aveva gli occhi arrossati. Nessuno di noi due aveva dormito per più di un'ora. Avevo preparato la colazione, messo in ordine, mi ero spazzolata i capelli. La mia mente era vuota, ed era un bene; mi serviva una lavagna vuota dove scrivere un piano non contaminato dalla paura. C'era una procedura per le emergenze mediche, semplici lettere da ricordare. Non perdere tempo con le emozioni, ci era stato detto da studenti, limitati a seguire la procedura: A per arterie, B per bronchi, C per circolazione. Pensa, non sentire. Presi le tazze e preparai il tè. Pensa seguendo una lista.

Michael ci osservava con grande attenzione. Parlava lentamente; forse temeva che non capissimo. Stavano seguendo tutte le tracce presenti nel cottage e raccogliendo informazioni dai vicini. La signora anziana che abitava di fronte pensava di aver visto una macchina parcheggiata fuori dal cottage per qualche tempo, ma non ne era sicura; finora nessuno aveva visto Naomi o chiunque altro. Erano stati raccolti campioni di DNA dalle lenzuola e dagli asciugamani, nonché registrazioni delle telecamere di sorveglianza nei garage locali. Michael era lì perché dovevano ispezionare la camera di Naomi, e poi tutte le stanze della casa una seconda volta. Voleva parlare con Theo e Ed separatamente, presso la stazione di polizia, alla presenza di un operatore di sostegno. Normale routine. Ci presentò i due colleghi, Ian, un uomo dalla corporatura robusta sui trentacinque anni, e Pete, un giovane giamaicano. Avrebbero contribuito al lavoro di ispezione, che poteva richiedere anche l'intera giornata.

117

Ted disse che doveva andare in ospedale. Ci fu un breve silenzio dopo le sue parole. A me suonarono normali, le aveva pronunciate talmente spesso, ma Michael annuì rispettosamente. Pete sembrava impressionato.

Seguii Ted fuori casa e richiusi la porta alle nostre spalle.

«Devi andare adesso?».

Abbassò lo sguardo su di me, ma con la mente era già in ospedale. Mi resi conto che quello era il suo modo per fronteggiare la situazione.

«Certo che devo andare», replicò. «Sono di servizio».

«Cristo, Ted. Fatti sostituire». Serrai le dita intorno alla maniglia.

Non batté ciglio. «Se vado adesso ci vorrà solo un'ora. Non voglio chiedere troppi favori ai miei colleghi in questa fase».

Capii cosa intendeva. D'altra parte, avevo sempre capito. Ma questo non lo rendeva opportuno.

Svegliai Theo e Ed e spiegai loro cosa stava succedendo. Ed sprofondò di nuovo nel sonno; Theo si drizzò a sedere sul letto, la fronte aggrottata per la preoccupazione.

Accompagnai Michael nella camera di Naomi. Non avevo toccato niente, proprio come mi aveva chiesto, ma non avrei messo in ordine in ogni caso. Non sopportavo l'idea di modificare la posizione delle cose che lei aveva lasciato in un certo modo. Adesso, vedendole attraverso gli occhi di Michael, avrei voluto nascondere la baraonda di biancheria intima sconosciuta e mettere a posto i cosmetici sparsi in giro. Sentii il suo sguardo registrare ogni dettaglio, uno stick di rossetto rosso con la punta arrotondata riverso nella piccola pozza di fondotinta, il reggiseno di pizzo, il perizoma, il letto non rifatto. Ma quella non era la vera Naomi. Naomi era lì, avrei voluto dire, nel violoncello appoggiato alla parete, nelle foto di Natale e di Corfù incorniciate da conchiglie, nei braccialetti dell'amicizia dentro la ciotola. Nelle foglie secche d'autunno dietro lo specchio. Lei ama l'autunno, avrei voluto dirgli. Colleziona foglie, come una bambina. È solo una bambina. Quel reggiseno apparterrà a un'amica, e anche il perizoma. Non possono essere suoi. Non li ho mai visti prima d'ora.

In realtà, non avevo visto nemmeno le scarpe prima d'allora, quelle con i tacchi alti e i lunghi cinturini. C'era quell'odore di alcol e di sigarette, il modo in cui si era girata dall'altra parte mentre le parlavo. Cosa mi era sfuggito? Di quali segni avevo bisogno per capire prima che fosse troppo tardi?

Michael allungò la mano e passò in rassegna i libri, lanciandomi un'occhiata. Gli feci cenno che poteva procedere. Prese ogni singolo libro e scosse le pagine. Sulla seconda mensola partendo dall'alto, a un terzo della fila, tirò fuori un volume sottile che non avevo notato. La copertina lucida era decorata con dei fiori. All'interno, mentre sfogliava le pagine, riconobbi la grafia tondeggiante di Naomi. Aveva l'aria di un diario. Mi venne voglia di strapparglielo di mano. I pensieri di Naomi, se questo era il contenuto di quelle pagine, non appartenevano a Michael. Erano suoi, e spettava a me custodirli per lei. Tesi la mano.

«Devo esaminarlo minuziosamente», disse con calma.

«Anche io».

«Mi spiace, ma…».

«Può darmelo, per favore?». La mia mano era protesa, le dita tremanti.

«So cosa prova…», disse.

«No, non lo sa». Non dica così, continuai in silenzio. Lei non ha mai perso un figlio. Lo guardai. Forse non aveva figli; il suo era lo sguardo illeso di un uomo senza figli.

«Ha ragione». Sembrava mortificato. «È ovvio che non so esattamente cosa sta provando. Ma qui dentro potrebbero esserci indizi di vitale importanza».

Forse le cose di Naomi non le appartenevano più; forse era giusto lasciare che degli estranei trafugassero i suoi segreti, se questo avrebbe aiutato a trovarla. Con la sua assenza, aveva rinunciato al diritto alla privacy. Pensa. Non sentire. ABC.

«Comunque sia, lo esamini prima lei». Mi consegnò il libretto. «Ma dopo dovrò portarlo via. È una prova. Mi spiace».

Pensava che avrei alterato le frasi o strappato qualche foglio? L'avrei fatto?

Mi sedetti sul letto a leggere le parole di Naomi. Sfogliai le pagine.

119

La grafia era più piccola e serrata di quanto ricordassi. I miei occhi sfiorarono le righe. La prima annotazione risaliva a circa due anni prima. Gennaio 2008. Qualcosa sui regali di Natale. Aprii il volume in un altro punto. Agosto 2009. Tre mesi prima. Lessi le parole "papà" e "ospedale". Saltai all'ultima pagina in cerca di un nome, un luogo, un indizio qualsiasi da cui partire. Le ultime parole:

Domani cottage. J. 10 settimane.

Doveva averlo scritto solo una settimana prima. J? Dieci settimane *di cosa?*

Tornai indietro di una pagina. Una manciata di cuori disegnati a matita sopra tre lettere. xyz. La x e la z erano scritte in nero, la lettera al centro in rosso, con un piccolo cuore che toccava appena le due punte della y. Niente nomi. Niente date.

Prima partita di hockey in trasferta. Assente a lezione di scienze, portate sigarette fatte a mano.

Naomi che saltava la lezione di scienze? Amava quella materia. Fumo? Misi giù il diario per un istante, colta da un capogiro. Quelle note avrebbe potuto scriverle un'estranea. Mi guardai rapidamente intorno nella stanza e posai gli occhi sul piccolo specchio. Aveva osservato il suo viso riflesso solo due giorni prima. Chi stava diventando mentre si truccava?

Tornai ancora indietro:

Theo ha avuto un encomio. Grazie a me.

Le foto che le aveva scattato fra i rami. Questo almeno aveva senso.

xyz. Dopo scuola. Dire a N.

Ancora quelle lettere. Dopo scuola… la recita? Forse parole o scene da imparare per lo spettacolo? N stava per Nikita? Nikita era stata così laconica, così in imbarazzo quando le avevamo parlato quella notte. Cos'altro sapeva?

Ora Michael stava guardando dentro l'armadio, spingeva da parte le grucce con i vestiti e prendeva le scarpe, ne esaminava le suole. Attraversò la stanza fino al comò, aprì un cassetto dopo l'altro, tastò sotto i vestiti. Dovevo sbrigarmi. Sfogliai ancora il diario, ma vidi solo una lista di date e orari che partivano da agosto, dalle vacanze scolastiche. Le stesse iniziali. E una nuova, k.

XYZ. K quasi finito.

Se era agosto, non poteva riferirsi allo spettacolo. Aveva svolto un compito per qualche corso durante le vacanze, era a questo che si riferiva?

Michael si sedette vicino a me sul letto.

«Non ho trovato niente che riesca a capire, anche se N potrebbe significare Nikita», gli dissi. «L'unica cosa chiara è che aveva preso a fumare e ha saltato scienze». Michael mi scrutò, poi distolse lo sguardo. Era dispiaciuto per me, ma non voleva darlo a vedere. Indicai la pagina. «C'è un gruppo di lettere che compare più volte, XYZ. Una specie di codice? Le lettere alla fine dell'alfabeto potrebbero avere un significato particolare. K quasi finito – compito quasi finito?».

Michael osservò attentamente le parole. «Iniziali di amici o di un posto?».

Scossi la testa. Non lo sapevo. Mi sfilò delicatamente il diario dalle mani e lo mise in una busta di plastica.

«Il tempo di fotocopiarlo e glielo restituisco. Nel frattempo, veda se le viene in mente qualcosa».

In quel momento bussarono alla porta; entrò Ian. Sembrava agitato.

«C'è una cosa che dovete vedere», disse con l'affanno. Lo seguimmo al piano di sotto.

Ian aveva trovato le foto di Theo con il corpo nudo di Naomi nascosto fra i rami. Michael le osservò, aggrottando leggermente la fronte.

Proprio allora Theo uscì dal bagno. Il volto, bagnato dalla doccia e disarmato dal sonno, si oscurò incredulo appena si rese conto che le sue foto lo avevano trascinato in un incubo. Spiegò il tema del suo progetto e di come Naomi avesse voluto prendervi parte. Ian, occhi sospettosi, chiese a Theo di ripetere quel che aveva appena detto. Era evidente che non gli credeva.

«Può chiedere a Nikita», mi affrettai a dire, spostandomi vicino a Theo. «Era lì; potrà confermarlo».

Michael andò a telefonare a Shan. Diede istruzioni perché ci incontrassimo tutti alla stazione di polizia. Disse che era il posto utile per trovare risposta ad alcune domande. Ma servì solo ad alimentare la mia ansia che questo avrebbe ritardato le ricerche.

Nella mia testa c'era l'immagine in movimento di una macchina con Naomi a bordo. Il suo viso premuto contro il finestrino, mentre la vettura mi passava accanto. Avrei potuto fermarla in quel momento, ma mi aveva già superato ed era troppo tardi. No, se acceleravo avrei ancora potuto raggiungerla, ma avevo perso anche quel momento utile. Divenne un infinito "troppo tardi, troppo tardi, troppo tardi...". Una sensazione disperata che si ripeté in un ciclo continuo mentre guidavo verso la stazione di polizia, e la piccola macchina nella mia testa che stava portando via Naomi proseguì la sua corsa, sempre più lontana, finché divenne un puntino e svanì.

Alla stazione di polizia, io e Shan sedemmo insieme fuori delle stanze dove i ragazzi venivano interrogati separatamente alla presenza obbligatoria di un operatore volontario di sostegno.

Con lo sguardo fisso sulla porta chiusa davanti a sé, Shan mi disse con voce pacata: «So che stai passando un inferno, Jenny, ma non trascinarci dentro Nikita. Vi ha già detto tutto quel che sa».

«Io non la sto trascinando dentro». Ero senza fiato per la sorpresa... e la rabbia. «È un'indagine di polizia».

Shan non rispose.

«Naomi teneva un diario». Mi tremava la voce. «C'è riportata l'iniziale di Nikita; Naomi potrebbe averle detto qualcosa di segreto e Nik ha paura di dircelo nel caso...».

«Quali segreti?». Adesso parlò con toni più duri. «Naomi non si è fatta vedere molto in giro, ultimamente. Non hanno segreti. Non sono due bimbette».

«Non puoi saperlo con certezza...».

«Conosco mia figlia, Jen. Lasciala stare. È già abbastanza turbata».

Conosco mia figlia. Le parole parvero echeggiare lungo lo stretto corridoio con il pavimento verde lucido, rimbalzare contro le alte pareti segnate da sbavature nere. In fondo c'era una donna poliziotto seduta alla scrivania, con un'espressione di composta severità sul viso. Probabilmente aveva deciso di darsi un'aria professionale, e questo nel suo mondo significava essere "dura".

Dopo molto tempo si aprì una delle porte. Ne uscì Nikita, seguita da Michael. Sembrava sconvolta e si avvicinò in fretta a Shan, che la cinse con un braccio. Nikita posò la testa sulla spalla della madre; io distolsi lo sguardo. Michael aprì le porte adiacenti e uscirono i ragazzi. Theo si accovacciò a terra, le mani penzoloni fra le ginocchia; Ed si appoggiò al muro, gli occhi chiusi. Sembrava esausto.

«Grazie», disse Michael, includendo tutti noi nel suo sguardo. «Siete stati di grande aiuto. Mi spiace avervi trascinato tutti qui. Nessuno è nei guai. Adesso mi è chiara la faccenda delle foto e chiedo scusa per avervi dovuto fare tante domande». Si rivolse a me. «Scusi», disse.

Portai a casa i ragazzi. Erano silenziosi. Non c'era nulla da dire.

CAPITOLO 16

Dorset 2010. Un anno dopo

Il clima fuori stagione di questo novembre perdura dopo la tempesta: una tardiva estate di San Martino profumata di falò, il fumo che si intreccia ai rami illuminati dal sole e ancora ornati di foglie avvizzite. Tegole rotte sull'asfalto della strada, il telaio di una finestra abbandonato su schegge scintillanti di vetro. Il proprietario del negozio si piega goffamente sul suo pancione, le gambe robuste allargate, e raccoglie le casse per il latte sparse in giro e un bidone di metallo capovolto. Ciuffi di capelli rossi gli cadono sulla fronte; li rimette ordinatamente a posto con le dita tozze, parlando di gusto per tutto il tempo dei danni che la tempesta ha causato al paese.

Poi dice: «Mary ha detto che oggi il giovane Dan farà a pezzi quel che è rimasto del suo melo. Prenderò qualsiasi cosa che non le serva più. In contanti».

Entro nel negozio e mi giro verso gli scaffali, sentendomi mancare il respiro. È questo che succede quando esci dal tuo spazio? La gente comincia ad accalcarsi intorno a te. Avrei dovuto immaginarlo. Metto delle mele nel cestino, insieme al caffè e a un barattolo piccolo di Marmite. Con le mani ancora indolenzite per aver segato i rami, rischio di far cadere a terra il barattolo del caffè. Dan turberà la mia quiete senza avvedersene. Devo prendergli qualcosa da mangiare. Biscotti, fagioli stufati. Non bastano. Nel piccolo congelatore trovo degli hamburger. Prendo anche latte, succo di frutta, birra. Nell'angolo polveroso di uno scatolone c'è una retina di cipolle, prendo anche quelle. Posso farcela; è solo un ragazzo. Mi ricordo che dovrò pagarlo e chiedo uno sconto alla cassa, evitando lo sguardo indiscreto dell'uomo.

Mentre mi avvicino al cottage sento il motore della sega. Oltre il mu-

124

retto basso del giardino vedo la schiena curva di Dan, le braccia sottili messe alla prova dal peso del macchinario, una pila di pezzi di legno ai suoi piedi. Bertie mi strappa il guinzaglio di mano e gli salta addosso non appena apro il cancello. Mi blocco, temendo che il ragazzo possa spaventarsi e mollare la sega, o girarsi di scatto e farsi male, ma non c'è di che preoccuparsi. Dan drizza la schiena e spegne il motore, poi si china ad accarezzare Bertie. Si toglie la sciarpa che si era legato davanti al naso e alla bocca per proteggersi dalla polvere di legno. Da vicino, il viso è rosso e sudato. Ciocche di capelli neri incollate alla fronte, occhi incerti, sorriso sghembo. Ancora una volta mi ricorda il volto di Ed, che possedeva quella stessa timidezza prima che si indurisse in un'espressione distante. Dan abbassa la testa e guarda altrove: lo stavo fissando, cercando Ed. Indica un punto vicino al muro, dove ha adagiato la chioma su un fianco. I rami più grandi, ancora attaccati, conservano la loro forma ad artiglio.

«Posso prenderli?», mi chiede.

Le foto di Theo che ritraggono Naomi nascosta fra i rami.

Devo aver cambiato espressione perché la voce di Dan sta balbettando qualcosa nel silenzio.

«È che faccio sculture con il legno. Diciamo che uso forme già esistenti. Come quelle». Poi aggiunge: «Sembrano delle mani».

Mani fatte di rami incurvati. Le vedo come mani gentili, che la sostengono con sollecitudine.

«Ma certo, Dan. Scusa. Serviti pure». Mi ricompongo e gli sorrido.

Le foto di Theo svaniscono e torno indietro per entrare in casa, nel caso fosse arrivata posta. Sullo zerbino trovo tre cartoline. Mi risollevano il cuore.

Una è un'immagine color seppia del porto di Bristol come era un tempo. Sul retro, la grafia ordinata di Anya. È la terza cartolina che mi spedisce:

Va tutto bene.
Anya

È rimasta, come aveva promesso, anche dopo che io sono andata via, e per un istante la vedo raccogliere i calzini sparsi di Ted, lavare

125

via i resti incrostati di cibo dai piatti della sera prima, spolverare delicatamente le foto accanto al nostro letto. Di solito le rispondo con una cartolina della spiaggia, sebbene ormai non ci sia molto da dirle, tranne che mi manca.

C'è un'altra cartolina di Ted, questa volta una vista del fiume. Come al solito, non ha scritto nulla. Forse non è nemmeno a Bristol; probabilmente va più spesso ai convegni, ora che non c'è niente che lo tenga a casa.

Una spessa striscia blu e vernice spray bianca. Hockney. È una cartolina di Theo, e per un secondo penso che siano stati i miei ricordi a farla apparire come d'incanto:

Weekend in California a "fare notizia"! Le mie foto alla galleria d'arte di San Francisco! Viaggio pagato con il premio annuale (legno/serie natura). Torno a casa per Natale (con Sam?).
Baci, Theo

Natale con Theo. Gli ultimi quattro mesi a New York gli saranno volati via, pieni delle nuove esperienze che gli ha procurato la borsa di studio. Ma muoio dalla voglia di vederlo; le sopracciglia chiare, la sua semplice presenza, l'infarinatura di efelidi. La sua risata. Il momento, breve e improvviso, in cui poserà ancora la testa sulla mia spalla come faceva quando era piccolo; il modo in cui si attarda in cucina, poggiato contro la parete a mangiare cereali, desideroso di parlare. I suoi abbracci, forti e imprevisti.

Non so ancora molto riguardo a Sam, a parte il fatto che è un dottorando in architettura. Una volta Theo mi ha spedito una foto, dove ha un braccio intorno alle spalle di quest'uomo – viso lungo da studioso, lenti spesse, sorridente. Qualcosa che non avevo previsto. O forse sì? Ed non aveva mai preso in giro il fratello per le ragazze; era sempre stato il contrario. Avevo pensato che l'arte fosse il suo interesse principale e per questo non avesse mai avuto una ragazza. Non sono mai andata oltre questa ipotesi; ero stata cieca al significato sottinteso, non disposta a includervi complicazioni. Cieca ai segreti di Naomi, anche se i suoi avevano portato al disastro, non all'amore. Metto giù la cartolina mentre quel pensiero mi brucia dentro. Fuori della finestra, vedo Dan muoversi intorno all'albero, e da qui sembra un lavoro facile, i pezzi di legno cadono senza alcuno sforzo apparente, il rombo stridente del motore attutito dal vetro. Chiudo gli occhi, e nella mente si presenta l'immagine dell'albero che si schianta nella notte, cambiando per sempre lo scenario del giardino.

Forse Ted non accoglierà con piacere Sam. Io voglio che sia il benvenuto. Theo ha trovato qualcuno da amare; ha così tanto amore da dare. Allo stesso tempo ho paura. Territorio sconosciuto. Cosa penserà Ed? E io cosa penso? Faccio scorrere l'acqua nel bollitore, metto a posto la spesa. So che mi dispiace che non avrà mai figli. Mi dispiace che il mondo potrà rendergli le cose difficili. L'uomo del negozio spettegolerebbe con i suoi clienti, se lo sapesse; nel minuscolo mondo del paese potrebbe suscitare curiosità, chiacchiere.

Preparo una tazza di tè a Dan e la porto nel giardino insieme a un pacco di biscotti; mentre li poso sul gradino, mi vede e alza il pollice in segno di approvazione. Fuori c'è un piacevole tepore; vado a prendere l'album per gli schizzi e provo a catturare le linee dei rami, le curve che brillano nell'aria tersa di novembre, simili a braccia scure che nuotano, fendendo lo spazio invece dell'acqua. Il sole risplende sulla carta, evidenziando la grana fulligginosa delle linee dure tracciate dal carboncino. Per tutto il tempo il pettirosso continua a svolazzare intorno ai ciocchi di legna, becchetta tra la polvere, va a posarsi sui rami caduti. Gironzolando intorno ai resti dell'albero in cerca di altre angolazioni, avverto appena la presenza di Dan alle mie spalle. Mi sdraio sull'erba, l'umidità del terreno filtra attraverso il pullover, e ho la prospettiva che stavo cercando. Le linee si incurvano verso l'alto e lontano da me, congiungendosi alle estremità a racchiudere un globo d'aria. Perfetto.

Quando le campane della chiesa battono due rintocchi dalla torre dell'orologio, rientro in casa per cuocere gli hamburger; mentre sfrigolano nella padella, l'odore inconsueto e gustoso mi fa venire l'acquolina in bocca. Da che mi ricordo, non ho fatto che cibarmi di mele, toast e caffè. Cedendo a una voglia improvvisa di carne, li cuocio tutti, aggiungo una cipolla affettata alla svelta, li impilo tra le fette di pane e porto il tutto fuori con due lattine di birra. Ci sediamo insieme sul gradino di pietra della porta sul retro, al sole. Dan divora un panino caldo dopo l'altro. Io mangio più lentamente, assaporando il gusto del cibo, la luce calda sul viso. Un momento che sa di buono.

«Grazie». Mi sorride, ha i denti radi.

Scuoto la testa. «Grazie a *te*. Hai già fatto molto, qui».

«Be', sì. Mi tira fuori».

«Da cosa?». Sbirciandolo con la coda dell'occhio, mi accorgo che non gli danno fastidio le domande buttate lì per caso.

«Da scuola, da casa. Non saprei».

«Ti piace creare oggetti?»

«Già».

«Con il legno?».

Fa cenno di sì. «Mi piace trovare forme nei pezzi, comporli insieme come in un puzzle».

Lo sguardo incerto e indolente è scomparso. Sta osservando i rami, gesticola, parla a voce più alta.

«Sei fortunato a sapere cosa vuoi fare», gli dico.

«Sì?»

«Molta gente non lo sa».

Mi guarda.

«Mio padre non vuole che mi guadagni da vivere facendo cose pseudoartistiche. Per lui sono uno spreco di spazio. Vuole che entri in polizia, come lui».

«E lo farai?»

«Non lo so. Suppongo di sì».

Gli occhi si velano di nuovo, inquieti.

Mi alzo e prendo i piatti. «Non è facile scegliere».

«Proprio così, dannazione», risponde alzandosi. Si tira su la sciarpa davanti a naso e bocca.

Quando esco per finire il disegno a carboncino, l'aria si è raffreddata, lo splendore del sole è svanito e i rami sono smorti. È cambiato tutto in un tempo così breve. Dan comincia a radunare i ciocchi e ad accatastarli contro il muro. Bertie lo segue nel suo andirivieni, accucciandosi contro le sue gambe ogni volta che si ferma. Forse Dan gli ricorda i ragazzi; ormai non appartengono più al suo mondo.

Dan fa una pausa per il tè, si accovaccia sui talloni. Ed ecco Bertie che lo spinge con il muso e lo fa cadere indietro strappandogli una risata. Più tardi portiamo insieme altri ciocchi e li sistemiamo al riparo del tetto. Dan dice che tornerà poi a spaccarli.

Mentre si mette lo zaino in spalla, nota il cancello sfasciato. Raccoglie i pezzi di legno con delicatezza e li dispone ordinatamente a terra, come se fossero ossa. Osserva il varco nel muro. «Potrei farne uno nuovo, usando questi pezzi e aggiungendone altri. Se vuole».

«Davvero potresti?».

Prendo tutti i contanti che avevo in casa e glieli metto in mano. Cento sterline. Mi ero sentita una sconsiderata quando li avevo prelevati. Di solito non spendo quasi nulla. Il nutrito mazzetto ha un'aria allettante, irreale, così tante banconote tutte insieme. Lo fissiamo entrambi.

«Non voglio tutti questi soldi».

«Be', così potrò chiederti di tornare».

«Ok».

Lo osservo scendere lungo la strada, verso il cottage di Mary, curvo nello sforzo di spingere la carriola piena di legna per la nonna. Dan è in quel momento della vita in cui il futuro non ha ancora preso forma. Un giorno se lo troverà di fronte e, preso dalla noia o dal panico, forse perché qualcosa lo tira per la manica, distraendolo, farà la sua scelta.

La sera non dipingo né disegno nulla sul mio album. Penso alla scelta di Dan, che lo condurrà verso ogni altra cosa lo attende nel futuro. Le scelte che ho fatto mi hanno condotta da Ted, da Naomi, qui. Come potevo saperlo? Se torno abbastanza indietro nel tempo, ho la sensazione che stessi non tanto scegliendo ma "cogliendo" le opportunità. Durante il mio anno sabbatico trascorso a insegnare in Africa, una bambina mi era passata accanto prima di entrare in aula. Zoppicava. Quando mi aveva fatto vedere il piede, avevo notato una ulcerazione sotto la pianta, grande quanto una clementina, piena di sabbia e pietrisco. In fondo si vedeva il rosa delle fibre muscolari. Dopo quell'incontro tutto era divenuto chiaro. Sapevo cosa volevo. Allora ne ero totalmente sicura.

Quando sei giovane pensi di sapere tutto. Quando guardo il ritratto di Naomi, vedo determinazione, vedo certezza. A volte, specialmente a notte inoltrata, penso al momento terribile in cui quella certezza deve averla abbandonata e lei si è resa conto di aver commesso un errore.

CAPITOLO 17

Dorset 2010. Un anno dopo

«Ciao, tesoro».

«Ciao, mamma».

La voce di Ed è fievole; mi sforzo di capire come sta attraverso il crepitio della linea. A volte mi domando se la gente stia lì ad ascoltare le telefonate.

«Come stai?»

«Bene».

Ha perso il cellulare una settimana fa, così lo immagino nel corridoio, appoggiato contro il muro accanto al telefono. L'intonaco bianco sarà macchiato da piccoli sbaffi neri là dove le dita sono state premute con forza contro la parete. Di certo starà guardando fuori, oltre le lastre di vetro della finestra. La gente passa e guarda – è alto e di bell'aspetto, la gente si è sempre girata a guardare – ma il volto sarà circospetto quanto la sua voce. La mano pallida che tiene la cornetta è più esile di un anno fa, quando era robusta e abbronzata a furia di vogare. L'ultima volta che gli ho fatto visita ho notato che aveva le unghie sporche di terra.

«Scusa, tesoro. So di averti chiamato con notevole anticipo, ma non potevo aspettare. Stavo pensando al Natale».

«Già?».

Una replica alquanto brusca. Non proprio una domanda. Proseguo senza fermarmi, con la voce che suona allegra in modo irritante, persino per me.

«Be', siamo già a dicembre. So che l'anno scorso non abbiamo festeggiato il Natale, ma penso…».

Che sia ora che tu torni a casa. Sei stato via per troppo tempo e mi manchi.

«...ti farebbe piacere un po' di cucina casalinga?»

«Potrebbero aver bisogno di un aiuto in più, sono a corto di personale».

Poteva anche essere vero. Ed si era offerto di restare alla fine del suo programma, dando un aiuto in cucina in cambio di un letto per dormire. La signora Chibanda diceva che restituire il favore era parte del processo. Ero stata contenta quando mi aveva detto che Ed sarebbe potuto rimanere presso l'unità; cosa avrebbe fatto qui, con me?

«Verrà anche papà. Presto sarà a Johannesburg per un convegno, ma rientrerà per il giorno di Natale. Gli ho chiesto di fermarsi a pranzo con noi». Faccio una pausa, ricordando le poche parole concise di Ted nella telefonata della settimana scorsa. «Ha detto di salutarti».

Silenzio. Probabilmente non mi crede. Non mi chiede mai di Ted o della separazione. So che a volte si vede con lui, ma lo tiene per sé.

«Che cos'hai, tesoro?». Getto lo sguardo fuori della finestra in attesa della risposta.

Il cielo è grigio pallido; dietro la chiesa c'è un banco di nuvole più cupe. Un baluginio bianco di gabbiani che volteggiano alti, prima di planare in cerca di cibo. Dan ha fatto piazza pulita in giardino, ha portato via tutti i rami. Dove prima c'era il melo è rimasta una chiazza di terra smossa. Tronconi bruni di qualche vegetale dimenticato e cespugli di ribes senza foglie si stagliano nell'orticello che mio padre era solito curare. Il nuovo cancello è già montato, con i suoi due colori di legno: le sbarre vecchie unite alle nuove più grezze. Un passerotto si tiene in equilibrio sulla sbarra superiore; poi, appena una gazza scende a capofitto per appropriarsi del suo spazio, si sposta sul muretto in un frullo d'ali.

Le parole di Ed scivolano più veloci mentre mi racconta che adesso va a correre con Jake.

Ricordai il ragazzo che ci aveva accolto al centro e il suo sorriso dolce. «Jake è ancora là?»

«Pensavo di avertelo detto. Dividiamo la stanza. Sua sorella ci porta dolci e altra roba».

«È magnifico, Ed».

«Suona la fisarmonica e vive su questa barca».

Amici. Una ragazza. Non intendo fare domande, ma mi risolleva il cuore.

«Ti porto qualcosa la prossima settimana?»

«Penne, magari un taccuino». Fa una pausa, poi continua, parlando lentamente: «Ho preso a scrivere questo... diario. Il dottor Hagan me lo ha consigliato mesi fa. Ne ho letto un po' a Jake e Soph».

«Fai attenzione. Racconta solo le cose che ti va di condividere».

«Be', è ovvio. Ma deve essere autentico. Naomi teneva un diario, vero?».

Gesù. «Sì».

«Penso che potrebbe averla aiutata. Ha aiutato te, no?».

Dopo che ci siamo salutati mi siedo sul pavimento accanto a Bertie. Mi preme il naso umido sul viso e io gli accarezzo le orecchie calde. Non so se scrivere quel diario l'abbia aiutata in qualche modo. Non erano realmente i suoi pensieri. Quelli autentici li teneva per sé. Suppongo che abbia aiutato noi; ci ha portati da James. Mi alzo per prendere l'album e la matita dalla credenza e mi ritrovo a esaminare i dipinti come se fossero opera di qualcun altro e potessero contenere qualcosa in grado di stupirmi.

Mi sento a casa nel tepore di questa cucina, con il tavolo di formica scheggiato, il pavimento in mattoni sbiaditi e il piccolo frigo che ronza nell'angolo. Mi sento al sicuro. La cucina a Bristol mi è diventata estranea già dal terzo giorno; stavo girando per la stanza quando Michael telefonò per dirmi cosa aveva scoperto rileggendo il diario di Naomi. Sento ancora le sue parole mentre porto l'album al davanzale e comincio a tratteggiare la gazza che zampetta impettita sul cancello: una, un dispiacere[3].

Bristol 2009. Quattro giorni dopo

«...così ho avuto la fortunata intuizione che J potrebbe indicare il suo amico James».

---

[3] *One for sorrow*: è il primo verso di una filastrocca per bambini, *The Magpie Rhyme*, ispirata alle gazze. A seconda del numero di gazze avvistate in un sol colpo, ci saranno conseguenze diverse, piacevoli o meno (*n.d.t.*).

«Come? Scusi, Michael. Potrebbe ripetere tutto dall'inizio, lentamente?».

Stavo premendo il telefono contro l'orecchio con tale forza da farmi male. Ogni giorno diventava più difficile. Vedevo ogni cosa attraverso un caleidoscopio mutevole: prima una Naomi sorridente e allegra, poi l'immagine cambiava, e Naomi apriva le labbra per gridare il mio nome. Mi aggiravo per casa come un'ossessa, tappandomi la bocca per non urlare. In nessuna stanza o angolo familiare mi sentivo a casa.

Ted e io avevamo passato la domenica con le orecchie tese, ad aspettare guardando l'orologio, camminando su e giù in silenzio, pregando che arrivassero notizie. Le ore erano trascorse inutilmente, vuote e inesorabili; nessuno sembrava darsi da fare per trovare Naomi e riportarla a casa. Negli intervalli di esausta calma avevamo discusso di cosa dovessero fare i ragazzi. Avevamo convenuto che per loro sarebbe stato più facile far fronte alla situazione seguendo la normale routine di ogni giorno. Avrei voluto sottrarmi alla tortura dell'attesa e tornare al lavoro, ma Ted aveva detto che non avevo la lucidità per farlo e sarei crollata. Frank si era mostrato d'accordo. Quando era passato da noi, la sera, mi aveva detto che aveva trovato un sostituto per il tempo necessario.

Almeno i ragazzi dormivano. Andavano a scuola come al solito. Ted era andato al lavoro, aveva detto che non aveva scelta. Osservandolo dalla finestra del piano di sopra, lo avevo visto raddrizzare la schiena appena uscito di casa e diventare il suo "io lavorativo", cambiando espressione mentre pensava alla giornata che lo attendeva. Sarebbe stato difficile per la gente sapere che c'era qualcosa che non andava; si era avviato verso la macchina con il suo solito passo, il completo nero che gli calzava a pennello, i capelli biondi ben spazzolati. Lo avevo osservato attraverso il vetro, consapevole delle mie ciocche che pendevano inerti, dei piedi nudi e del viso sbattuto. C'erano due furgoni bianchi con le antenne paraboliche sul tetto parcheggiati oltre la macchina di Ted. Vedendo due uomini appoggiati contro il fianco di uno di essi, tazzine di plastica in mano, macchine fotografiche appese al collo, mi ero allontanata subito dalla finestra.

Michael parlò a voce più alta, riportandomi al momento presente.

«Quella J nel diario di Naomi stava per James. Ho interrogato lui e di nuovo Nikita. Sto venendo da lei».

Sentii il clic del telefono, e dopo qualche istante suonò il campanello.

Il mio senso del tempo si era allungato o ristretto, e non mi sarei meravigliata se ci fosse stato Michael davanti alla porta; invece, trovai un ragazzo alto con i capelli rossi, in uniforme scolastica. Aveva la cravatta allentata, la camicia fuori dai pantaloni e tracce di lacrime sulle guance lentigginose. Gli occhi erano talmente gonfi che mi ci volle qualche secondo per riconoscerlo.

«James».

«Salve, dottoressa Malcolm».

Lo fissai per un momento. «Non è qui, James. Non l'abbiamo più vista da giovedì sera».

Quattro giorni. Per quanto avessi sofferto ogni minuto di quel tempo, i fatti mi colpirono come una novità mentre li riferivo.

«Lo so. Certo che lo so». Sembrava irritato. «Sono stato alla stazione di polizia dalle quattro di questa mattina».

Notai gli occhi arrossati, le occhiaie scure e la barba ispida.

«Perché?»

«Non riuscivo a dormire. Avevo bisogno di dirlo a qualcuno. È colpa mia».

Colpa sua? Cosa era colpa sua? Cosa aveva fatto? Lesse lo sconcerto sul mio viso.

«No, io… Senta, non so dove sia, cioè, vorrei… Volevo solo vederla, spiegarle…».

Dondolò sui piedi, incerto. L'afferrai per un braccio e lo tirai dentro. Per metà sedette e per metà crollò su una sedia della cucina, si prese la testa fra le mani. Preparai una tazza di tè zuccherato e gliela misi davanti. Il campanello suonò ancora. Stavolta era Michael. Aveva un'aria grave, ma la sua bocca si rilassò in un sorriso appena mi vide. Mentre mi facevo da parte per lasciarlo entrare, mi resi conto che conoscevo già il suo odore, un pacato aroma maschile di camicie appena stirate e dentifricio. Si sentiva vicino a me, ma era un'illusione: era in un posto completamente diverso dal mio. Per lui, come per tutti, la vita normale continuava il suo corso. Io potevo vederla, sentirne l'odore, ma non ne facevo più parte. Il velo trasparente del disastro mi separava dal suo mondo. Non riuscivo a toccare quel mondo; non riuscivo nemmeno a ricordarne la sensazione.

James alzò uno sguardo sorpreso su Michael, che gli sorrise e gli diede un buffetto sulla spalla.

«James è venuto a dirmi... qualcosa», dissi sedendomi, così da non incombere su di lui.

«Bene. Abbiamo parlato a lungo questa notte».

Michael tirò fuori una sedia e si accomodò accanto a James. I suoi movimenti erano lenti; probabilmente anche lui aveva dormito poco. Il volto del ragazzo era estremamente pallido.

«La amo». Le parole di James vennero fuori all'improvviso. «Lei mi ama. Credo, almeno... Lei... Noi... Stiamo insieme da mesi».

Insieme? Recitavano entrambi nello spettacolo. Si riferiva a questo? Gettai un'occhiata interrogativa a Michael.

Rispose tranquillamente: «Sono sei mesi che vanno a letto insieme».

La stanza divenne fredda. Dovevo alzare il riscaldamento. Le economie di Ted erano ridicole a novembre. Non era possibile, avrei saputo se Naomi andava a letto con questo ragazzo. Lei me lo avrebbe detto. E anche se me lo avesse taciuto, l'avrei capito. Ero sua madre.

Forse James lesse nei miei pensieri e continuò: «Voleva dirglielo. Be', sapeva che l'avrebbe scoperto comunque».

«Com'è stato possibile? Naomi era qui, o a scuola. Sapevo cosa faceva...».

«Dopo la scuola. Nei finesettimana».

Parlava quasi sottovoce; mi sporsi verso di lui per afferrare le parole. Proseguì in tono sommesso: «Le diceva che si vedeva con Nikita, ma in realtà andavamo a casa. A casa mia».

«I tuoi genitori lo sanno?».

Pensai a sua madre. La incontravo sempre agli eventi medici, un'infermiera dai capelli rossi incredibilmente graziosa. Suo padre era un pediatra, un po' più avanti negli anni.

«Papà lavora fino a tardi. Mamma se n'è andata un anno fa. A ogni modo, il problema è...».

Quindi non mi aveva ancora detto qual era il vero problema.

«Ha cominciato a soffrire di nausee».

Davvero? Non me ne ero accorta.

«Al mattino».

Non l'avrei sentita vomitare nel suo bagno, non dalla cucina, ma ricordai che aveva smesso di fare colazione. Mi era parsa disgustata quando glielo avevo proposto, ma cenava sempre, perciò non mi ero preoccupata.

«Si addormentava in classe».

Le prove di teatro erano estenuanti. In effetti aveva smesso di correre da tutte le parti.

«Così ha fatto un test...».

Calò il silenzio. Perché non avevo unito i pezzi? Niente colazione, la stanchezza, gli sbalzi d'umore. Era talmente ovvio. Michael mi stava osservando con aria preoccupata; mi alzai e andai alla finestra. Naomi, incinta. Un'eventualità per me nemmeno vagamente ipotizzabile. Mi rivolsi a James.

«Ne hai la certezza?». La mia voce suonò dura.

«Ha fatto tre test in tutto».

«Di quante settimane?»

«Non lo sapevamo». Girò il volto pallido dall'altra parte, per evitare il mio sguardo. «Pensava di aver saltato due cicli, ma non ne era sicura. Dieci, forse?».

Domani cottage. J. 10 settimane.

«Aspetta. E quel sangue sul materasso?». Guardai Michael, poi James. «Nel cottage, il finesettimana prima che iniziassero le rappresentazioni. Quando è andata là con quell'uomo. Pensavamo che avesse perso sangue perché era la sua prima volta, ma non può essere stata la sua prima volta... era già incinta».

«Quale uomo?». James sembrava confuso. «Ero io. Noi. Pensavo che Naomi le avesse detto che saremmo andati al cottage. Dopo che noi... subito dopo... ha perso sangue, ma ha fatto un altro test di gravidanza tre giorni dopo, praticamente martedì scorso, ed era ancora incinta. Con qualche perdita di sangue, ma incinta».

Quindi non era quell'uomo che l'aveva fatta sanguinare, dopotutto, l'uomo del teatro, il bastardo che l'aveva portata via. Questo peggiorava le cose. L'uomo che l'aveva portata via non era lo stesso che aveva comprato il vino; non avevano condiviso nulla. Di certo non l'amore. Lui non le voleva bene. E se avesse avuto altre perdite, se avesse abortito spontaneamente e avesse avuto perdite, o... una gravidanza extrauterina.

Guardai il volto rigato di lacrime del ragazzo seduto al tavolo e mi sentii pervadere da una rabbia ardente.

«E tu, James? Che intenzioni avevi riguardo a questa gravidanza? Qual era esattamente il tuo piano?»

«Qualsiasi cosa avesse voluto lei. La amo. In realtà non sapevo cosa fare riguardo alla gravidanza».

Volevo colpirlo; volevo ucciderlo per aver reso la situazione di Naomi ancora più rischiosa.

«Se non sapevi cosa fare riguardo a una gravidanza, perché accidenti non hai usato il preservativo?».

James trasalì. Intervenne Michael.

«Prendeva la pillola», mi informò tranquillamente. «Ma a volte se ne dimenticava».

Altri segreti. Come diamine faceva a prendere la pillola? Gliela aveva prescritta uno dei miei amici?

«Avresti dovuto usare comunque il preservativo, maledizione», sbottai. «Avresti dovuto renderti conto di quel che stavi facendo. Hai peggiorato le cose». Feci un lungo respiro tremante. «Allora chi era l'uomo con cui si vedeva? Ne eri al corrente?».

Chinò il capo. Parlò con voce tremante di pianto. «Sapevo che qualcosa era cambiato. È stato subito dopo l'inizio delle prove. Io l'accompagnavo sempre a casa a piedi, ma a volte mi mandava via; diceva che voleva provare da sola a teatro. Roba del genere. Non era più la stessa. Ha smesso di raccontarmi tutto».

«Vai avanti». Riconobbi a stento la mia voce, tanto era priva di espressione. Immaginai che l'impassibile donna poliziotto seduta in quel corridoio avrebbe usato lo stesso tono rivolgendosi a un criminale.

«Ho visto un uomo, una volta. Stavo passeggiando davanti allo spogliatoio e l'ho vista parlare con qualcuno. L'ho visto solo da dietro. Era appoggiato contro il muro, chino su di lei; aveva capelli lunghi, neri e

137

arruffati. Ci ho fatto caso perché Naomi sembrava totalmente presa da lui. Lei non mi ha visto, anche se le ho detto che avrei aspettato fuori. Ho aspettato secoli. Se ne erano andati tutti e lei ancora non usciva. Alla fine ho rinunciato».

Cominciò a piangere, scosso da singhiozzi profondi. «Sarei dovuto rientrare. Avrei dovuto guardarlo in faccia».

Michael si alzò. «Va bene così, James. Devi essere esausto. Ti accompagno a casa».

«Aspetta». Provai una fitta di rimorso e gli posai una mano sul braccio per impedirgli di alzarsi. «Anche con me non si confidava più. Ascolta, James: hai agito in modo avventato, stupidamente avventato, ma l'amavi. Lo capisco. Ho visto l'anello che le hai dato e…».

«Ma è stata lei a darle quell'anello». Mi guardò sconcertato. «Mi ha detto che era di sua nonna. Un cimelio di famiglia».

Lo fissai con eguale sconcerto. Quindi aveva mentito a entrambi. Doveva averglielo dato quell'uomo; forse quella volta che era appoggiato contro il muro. Forse aveva scelto proprio quel momento per infilarle l'anello al dito, ecco perché lei era così presa; doveva aver pensato che significava qualcosa per lui, e invece era stata ingannata sin dall'inizio.

James si alzò in tutta fretta. Stava per dire che gli dispiaceva. Non volevo ascoltare; non volevo provare compassione per quel ragazzo, quel bambinone, che forse aveva alterato l'equilibrio della vita di Naomi. Ovunque fosse, incinta, forse con perdite di sangue, era ancora più in pericolo di quanto pensassi.

«Dimmi…». Fu dura domandare cosa pensasse Naomi di quella gravidanza, quando avrei dovuto saperlo. È il genere di cose che una figlia confida sottovoce a sua madre, tenendolo segreto a chiunque altro. «Che intenzioni aveva riguardo al bambino?».

Lui mi guardò. Nonostante gli occhi gonfi, fu ovvio che la domanda lo aveva stupito. «Non lo voleva, naturalmente». Fece una risata forzata. «Voleva abortire spontaneamente e aveva letto da qualche parte che se… se facevamo l'amore, poteva succedere. Per questo voleva andare al cottage. Ed è stata davvero contenta quando ha iniziato a perdere sangue».

Quando se ne fu andato con Michael, tornai a sedermi con le gambe tremanti. Strano che avesse usato quelle parole: fare l'amore. Non avevano fatto niente del genere; anzi, l'esatto opposto. E quel frammento di carta gialla di un tampone che avevo visto sul pavimento la sera della sua scomparsa? Aveva ancora perdite per la minaccia di aborto, non per il ciclo. Stava soffrendo?

Quando Michael tornò, una miriade di possibilità mi turbinava nella mente. Si sedette vicino a me. Riversai i miei pensieri in parole: «Come facciamo a sapere se James ha detto la verità? Forse le ha dato lui l'anello, come mi aveva detto Naomi. Come facciamo a sapere se lei era incinta, o se è andata a letto con lui? Magari lui non è mai andato al cottage. Potrebbe essersi inventato l'intera storia». Tenevo le mani serrate sul tavolo davanti a noi. Non riuscii a fermarmi: «Forse è stato l'altro tipo a portarla al cottage, e James potrebbe essere quello che ha preso Naomi. Ci pensi. Era geloso perché Naomi stava parlando con quell'uomo, così le ha fatto del male o l'ha nascosta da qualche parte…».

Michael posò brevemente una mano sulle mie; aveva dita calde, con le punte squadrate. «È stato ore e ore alla stazione di polizia, Jenny. Sta dicendo la verità». La sua voce era molto sicura. «Sono andati davvero al cottage quel sabato. Un uomo che passeggiava con il suo cane ha visto una Volvo rossa parcheggiata fuori. Hanno preso in prestito la macchina del padre di James».

Chiusi gli occhi. La voce di Michael continuò, elencando tutte le prove. Mi costrinsi ad ascoltare.

«James ha detto che si sono fermati alla stazione di servizio sull'autostrada fuori Taunton, quindi esamineremo le registrazioni delle telecamere di sorveglianza. Questa notte abbiamo preso le impronte digitali di James, così possiamo vedere se corrispondono a quelle rilevate sulla bottiglia e sui bicchieri». Fece una pausa; aprii gli occhi e lo guardai mentre riprendeva con tutta calma: «Ho parlato anche con Nikita. Sapeva che Naomi era incinta».

«Non hanno segreti. Non sono due bimbette…». Nella voce di Shan c'era stata una nota di irritata certezza, ma credeva veramente a quel che mi aveva detto?

«Cos'altro?». Mi alzai e cominciai di nuovo a girare per la cucina. «Cos'altro sa Nikita? Ha detto se Naomi aveva intenzione di partire?». Le domande mi rotolavano fuori dalla bocca. «Cosa pensava di fare riguardo alla gravidanza?»

«Sapeva che Naomi aveva conosciuto qualcun altro che le piaceva, e che doveva incontrarlo la notte in cui è scomparsa, ma Naomi non le ha raccontato niente di lui. Nikita non crede che avesse intenzione di andarsene sul serio. Pensa che le avrebbe detto qualcosa, una sorta di addio». Michael mi guardò brevemente. «Sapeva che Naomi voleva interrompere la gravidanza, che era preoccupata. Naturalmente c'era il diario, l'accenno alle dieci settimane nelle ultime pagine...».

Aveva deciso che una gravidanza di dieci settimane non era così avanzata da creare un problema. Non sapeva che minuscole unghie si stavano già formando sulle dita delle manine e dei piedini; questo è il genere di informazioni che nessuno vuole sapere se deve fare quel che Naomi aveva in mente.

«Va bene». Mi presi la testa fra le mani, come se volessi fermare il turbinio dei pensieri. «Diciamo che è andata esattamente come ha detto James e che sono andati al cottage. Chi ci dice che non sia stato lui a portarla via quella sera? Forse ha aspettato che il teatro si svuotasse dopo lo spettacolo e poi l'ha portata da qualche parte».

«Suo padre era lì quella sera a vedere lo spettacolo. James interpretava Chino, ricorda? Subito dopo sono andati a cenare all'Hotel du Vin. Abbiamo controllato e il personale ricorda di averli visti. Ci hanno mostrato una copia del conto».

Michael era stato meticoloso e convincente. Niente da dire. Avevo sperato che fosse stato James a nascondere Naomi perché era geloso, perché la amava e la voleva tutta per sé.

«Cambierà qualcosa nel modo di trattarla, chiunque sia quest'uomo? La tratterà con più riguardi, sapendo che è incinta?».

Michael non disse nulla, ma conoscevo già la risposta. Sarebbe stata una seccatura, tra la nausea e le perdite di sangue. Col tempo, se lui glielo avesse concesso e se lei non avesse abortito, si sarebbe notato il pancione...

«Consideriamo ciò che abbiamo». La voce calma di Michael spezzò il filo dei miei pensieri. «Disponiamo di un fotokit migliore del principale sospettato in base alle informazioni fornite dalla signora Mears, da Nikita e da James, e sarà affisso su tutti i lampioni della zona insieme a una foto di Naomi. Continueremo a sorvegliare porti e aeroporti, e oggi avvieremo un'inchiesta porta a porta».

«Perché? Probabilmente non abitava nelle vicinanze».

Mi sembrava talmente aleatorio, talmente inutile. Naomi poteva essere a chilometri di distanza. Un piccolo rifugio in Scozia, un garage nel Galles. Non sapevamo nemmeno che aspetto aveva quell'uomo, anche se la mia mente stava già elaborando le ultime informazioni. Era più grande di età, capelli lunghi, arruffati. Era diverso dai ragazzi che frequentava Naomi – forse era affascinante proprio perché era così diverso?

«Si ricordi che dobbiamo considerare tutte le possibilità». Lo aveva detto prima.

«Che genere di possibilità?».

Si alzò e affondò le mani nelle tasche. Doveva essere difficile darmi una risposta. Notai tensione nei suoi occhi grigi. Nei secondi che impiegò per mettere insieme le parole, una parte distaccata della mia mente si chiese che aspetto avrebbe avuto se avesse sorriso, sorriso davvero. Cosa provava sua moglie tutte le volte che il lavoro le portava via il marito? Le dispiaceva? Si preoccupava? Probabilmente ci aveva fatto l'abitudine, come io con Ted, ripetendosi che era un uomo profondamente dedito alla sua professione.

«Be', sembra probabile che abbia combinato un incontro con quest'uomo, ma è possibile che lui non si sia presentato; in quel caso, sua figlia si sarà incamminata verso casa…».

Un'eventualità che avevo già preso in considerazione. Il teatro era a pochi minuti da casa, e sebbene le avessimo sempre detto di chiamare se era già buio, probabilmente non aveva voluto disturbarci. Il ticchettio dei tacchi sul marciapiede doveva aver risuonato nel silenzio della strada, così poteva non aver sentito i passi felpati che la seguivano finché non erano stati molto vicini…

«Interrogheremo il padre della ragazzina di cui ci ha parlato. Forse ha voluto vendicarsi, come aveva pensato…».

«Non può trattarsi di lui. È un padre». Per qualche motivo gli occhi mi si riempirono di lacrime. «Ama troppo sua figlia per far del male alla figlia di qualcun altro». Ma forse non funzionava così. Forse non c'erano regole. Andai alla finestra e guardai fuori. Adesso i furgoni bianchi erano chiusi; gli uomini con le macchine fotografiche dovevano essere all'interno, a osservare la casa non visti. Sui marciapiedi un andirivieni di pedoni, di macchine sulla strada.

L'uomo che aveva preso nostra figlia poteva essere qualcuno che conoscevo o un uomo ai margini delle nostre vite che non avevo mai notato. Poteva essere chiunque, chiunque al mondo. Forse quell'uomo laggiù, pensai, quello che sorride fra sé mentre attraversa la strada. Forse tiene Naomi da qualche parte, sottochiave e indifesa. Perché sta sorridendo? Avrei voluto correre fuori, gridargli la domanda in faccia, vedere se assumeva un'aria colpevole. Guardai Michael.

«Come dovrei affrontare tutto questo?».

Lui allungò la mano e mi strinse forte il polso.

«Mi dica cosa fare, Michael». Non mi mossi. Avevo bisogno di sentire la forza della sua stretta.

«Un passo alla volta, così si fa». I suoi occhi scrutarono il mio viso. «Deve avere cura di sé, questo è il primo passo. Mangi qualcosa. Si lavi i capelli». Mi sorrise. «Non glielo ho detto prima perché non volevo che si preoccupasse, ma l'appello in televisione è programmato per domani mattina. Dovremo preparare una dichiarazione. Può dirlo a Ted?».

Quando Ted rientrò a casa, avevo fatto il bagno. Persino provato un completo per l'appello dell'indomani, anche se avevo dovuto arrotolare il bordo della gonna in vita perché non mi calasse. Con i capelli avvolti in un asciugamano, stavo provando a mangiare un sandwich. Lo informai della visita di James e Michael, poi mi sedetti accanto a lui, gli presi la mano e gli dissi che Naomi era incinta. Si liberò della mia stretta e balzò in piedi, scandalizzato e incredulo. Pensò subito che James stesse mentendo. Gli raccontai tutto quel che James aveva detto, e anche quel che aveva detto Michael, e di come le annotazioni sul diario adesso avessero un senso. Ted cominciò a camminare nervosamente per la cucina; pensai che avrebbe spaccato qualcosa. Sotto la sua furia indignata percepii un'ondata di amarezza nei miei confronti. Di certo pensava che, essendo sua madre, avrei dovuto capire che era incinta, anche se me l'avesse tenuto nascosto. Forse aveva ragione. Quando tornò a sedersi, il volto pallido e distante, posai la mano sul suo pugno chiuso.

«Non permettere che questo ci distrugga, Ted».

Mi guardò con espressione assente. Non credo che abbia sentito quel che avevo detto.

CAPITOLO 18

Dorset 2010. Dodici mesi dopo

Metà dicembre. Il periodo più cupo dell'anno; ogni giorno la luce diventa più tenue. Dall'alto di Eggardon Hill i piccoli campi sotto di noi si inclinano verso la costa, le scaglie di mare in lontananza sono bianche come brina. Gli unici rumori nel silenzio della campagna sono i miei passi e quelli di Bertie, che fanno scricchiolare il manto erboso ghiacciato.

Bridport si trova in una valle vicino al mare; le sue strade larghe sono trafficate in questo periodo dell'anno. Gli antichi edifici in pietra si affacciano austeri sulla strada e, nonostante le luci brillanti appese fra loro, mantengono immutato l'aspetto di duecento anni fa.

La porta della libreria si apre tintinnando, ma invece della solita quiete profumata di libri, gli spazi stretti fra gli scaffali sono stipati di gente; c'è odore di capelli umidi e gomma da masticare alla banana. Una donna ben piantata con la faccia scontenta mi pesta i piedi e mi lancia un'occhiata irritata, mentre un bambino nelle vicinanze tira giù libri da una mensola e li getta sul pavimento. Era facile scegliere i libri per Naomi; amava tanti autori diversi fra loro: Lawrence, Kerouac, Mark Haddon, Stieg Larsson. Affronto la calca nella libreria, mi riempio le braccia di romanzi per i ragazzi e li metto in un cesto. Le mie dita indugiano sulle coste di altri libri mentre cerco di ricordare cosa c'era sul comodino di Ted un anno fa. I romanzi che avevo scelto per lui erano sempre rimasti intonsi sotto un sottile strato di polvere; forse non ho mai individuato i suoi gusti letterari. Pago i libri che ho preso ed esco, attraversando la strada sotto la torre dell'orologio mentre batte le undici.

Da Boots scelgo una trousse in pelle per Ted e la fornisco di spaz-

144

zolino, dentifricio, asciugamano da viso e sapone, poi mi accodo alla calca in fila per pagare. Con la coda dell'occhio colgo uno scintillio rosato; giro la testa e vedo quei piccoli vasetti e tubetti di cosmetici e lo shampoo che le mettevo nella calza, insieme a mutandine a pois, braccialetti, mandarini e biscotti finti di plastica. Era divertente. Me ne ero dimenticata. Quel mondo in cui il divertimento era fine a se stesso era svanito insieme a lei. I giochi e gli scherzi stupidi che faceva ai ragazzi, il trambusto ai compleanni e a Natale, che loro disdegnavano ma al quale partecipavano – tutto era sparito insieme a lei. No, in realtà anche prima della sua scomparsa. Mi fermo, colpita da questo pensiero, e due ragazze in fila dietro di me mi finiscono addosso, ridendo e borbottando. Il divertimento era finito molto tempo prima. Non avevo notato quando, esattamente; era stata una scomparsa graduale. E io ero stata molto presa dal lavoro. Persino durante le vacanze estive, prima che cominciasse il trimestre autunnale, Naomi era stata più taciturna.

Arrivata alla cassa, ritorno in me, pago e raccolgo goffamente le buste poggiate intorno ai miei piedi. Almeno quest'anno ho comprato dei regali. L'anno scorso ci avevo provato, senza riuscirci. Naomi era sparita da poco più di un mese. Ovunque girassi lo sguardo c'erano adolescenti con le loro madri, intente a scegliere decorazioni, piccoli doni, a chiamarsi l'una con l'altra in cerca di conferme. Ricordo che lasciai il mio cesto pieno sul pavimento del negozio e uscii in lacrime in mezzo alla calca. Oggi, andando verso il parcheggio, riesco quasi a sopportare la vista delle famiglie mescolate alla folla. Vedo una madre, un bambino. Adesso riesco a guardarli, ma prima mi era impossibile.

Caricate le buste in macchina, guido fino a casa lungo le stradine strette, oltre il campo da golf che si intravede attraverso i varchi nella siepe e il recinto deserto dove gli asini passavano l'inverno. Nel campo al di là di esso, file di roulotte vuote e un negozio sbarrato con assi di legno, una vista deprimente nella luce fredda, poi i primi villini di mattoni del paese. Li conosco talmente bene che quasi non li vedo. È successo anche con Naomi. Ho smesso di vederla perché la conoscevo a memoria. Passo lentamente davanti alla chiesa e imbocco la mia stradina.

Mentre scarico la macchina e deposito tutto sul pavimento, Bertie annusa il mucchio di buste a lui sconosciute. La luce nella cucina si oscura all'improvviso: qualcuno mi ha seguita fino alla soglia. Mi giro di colpo e batto la testa contro l'angolo della credenza aperta, proprio dove c'era ancora il segno della lacerazione precedente. Comincia a pulsare dolorosamente, e il sangue affiora.

Riconosco la sagoma delle spalle in controluce ancor prima di vederlo in faccia.

«Michael!».

Mi sorprende quanto sia contenta di vederlo, ma andandogli incontro sento le mani svuotarsi di energia per un terrore subitaneo. Cosa è venuto a dirmi? I pomodori mi cadono a terra e il pudding di Natale avvolto nel foglio d'alluminio rotola sotto il tavolo. Bertie corre a indagare e lo fa rotolare ulteriormente con un colpo di zampa.

«Cos'è successo, Michael? Dimmelo, su».

«Niente. Non è successo niente». Allarga le braccia, i palmi aperti per mostrare che è a mani vuote, niente segreti. «Passavo da queste parti...».

«Passavi?». Nessuno passa mai per Burton Bradstock.

«Sto andando nel Devon a trovare i miei parenti. È Natale, ricordi?». Poi cambia espressione, aggrotta la fronte. «Stai sanguinando. Il taglio alla testa».

Tira fuori dalla tasca un fazzoletto bianco; le sue mani sono gentili mentre mi tampona la ferita con il tessuto morbido. Da vicino, colgo quell'odore familiare di biancheria appena stirata e dentifricio. La bocca, a pochi centimetri dai miei occhi, è indifesa. La pelle mi formicola per questo contatto inaspettato e resto completamente immobile. Sento che lui se ne è accorto. Lascia scivolare le mani sulle mie spalle e abbassa lo sguardo su di me.

«Ora non sanguina più». Pausa. «Ti trovo bene», aggiunge, scrutando il mio viso con occhi premurosi. «Mi chiedevo...». Cerca le parole giuste.

Mi tiro indietro. «È bello rivederti. Mi spiace di averti accolto come un fantasma».

Ci guardiamo; è sconcertato dalle mie parole. Abbassa lo sguardo e mi accorgo di quanto sia irritante il mio tono scherzoso. Cosa pensava che sarebbe accaduto al nostro prossimo incontro? Quel breve bacio mesi fa, nella cucina di Bristol, era il risultato di un profondo sfinimento. Avevo abbassato la guardia; un errore, niente di più.

«Caffè?». Mi volto, le mani che indugiano sulle tazzine, in attesa che passi il momento.

«Sì. No. Pensavo di fare due passi... Ti offro il pranzo. Entrando in paese ho visto le indicazioni per un ristorante sulla spiaggia».

Raccolgo il cibo caduto sul pavimento e lo infilo nel frigo, poi metto il guinzaglio a Bertie. Mi do un rapido sguardo nello specchio. Ha detto che mi trova bene. Com'è possibile? I capelli sono una massa arruffata e ora non mi trucco mai, ma l'azzurro degli occhi risalta sulla pelle abbronzata dalle lunghe passeggiate lungo il mare. L'aria pulita e il cibo semplice hanno giovato al mio colorito. Lo specchio restituisce il mio sguardo curioso, come se stessi fissando qualcuno di vagamente familiare ma che non riesco a collocare con precisione.

Usciamo insieme dal cancello del giardino.

«Ho pensato spesso a te in questo posto», dice, con un accenno di sorriso. «È completamente diverso da come l'avevo immaginato».

Pensava che ci sarebbe stato ancora sangue sul pavimento e bicchieri sporchi di vino? Mosche essiccate sui davanzali?

«Stai bene, soprattutto?». Il tono è cauto; vuole sapere, ma non sa come chiedere.

Sto bene? Mentre attraversiamo il campo, poi la strada fino al sentiero per la spiaggia, penso alle sere passate davanti al fuoco a disegnare i miei pensieri. La pila di dipinti dietro la sedia non fa che aumentare. A volte Dan passa qui dopo la scuola per aiutarmi nei lavori più disparati. Ha tinteggiato una stanza per me. Siamo diventati amici, anche se non parliamo molto. Aspetto con impazienza di stare in sua compagnia: mi ricorda i miei ragazzi. Poi c'è il tè insieme a Mary, e a oggi sono già andata due volte in biblioteca con lei. Theo mi telefona di tanto in tanto e vado a trovare Ed. Ted mi invia l'occasionale cartolina o un SMS quando lascia il Paese per qualche convegno. Ma non c'è mai un momento senza un fondo di dolore: il suo volto è ovunque. A volte il bisogno di sapere cos'è accaduto è più forte di quanto possa sopportare. Appena arrivata qui al cottage mi sono ritrovata sulla spiaggia di ciottoli, l'acqua gelida che spumava intorno ai miei piedi, stringendo Bertie a me perché mi impedisse di entrare in mare.

«Non proprio "bene"… qualcosa di meno, ma…».

«Racconta».

Ed ecco che stiamo parlando – io, almeno. Lui ascolta. Parlo e piango. Sento che è pericoloso lasciar scorrere le parole senza controllo, ma non riesco a fermarmi. La disperazione e la solitudine di questi ultimi quattro mesi tracimano oltre le mie barriere. Lui mi cinge le spalle con un braccio e lascia che gli racconti tutto, finché mi sento svuotata e ho dato fondo alle lacrime. Passeggiamo lungo la spiaggia mentre il vento si impiglia nelle creste delle onde, strappa schizzi di spuma e ce la soffia addosso.

Il Beach Hut café è aperto. Sono anni che non ci metto piede, da quando i bambini erano piccoli e venivamo a prendere pesce fritto e patatine. In estate ci sono folle chiassose che mangiano all'aperto sotto il nuovo tendone, ma oggi è tutto tranquillo. Alcuni tavoli sono occupati da uomini anziani intenti a leggere il «Dorchester Chronicle», con i cani accucciati ai loro piedi. Il posto odora di tè e di pelo di cane bagnato. Michael ordina pesce fritto e patatine per due, e nel giro di pochi minuti ci scodellano filetti di eglefino panati e un mucchio di patatine calde e salate su spessi piatti bianchi. Li portiamo a un tavolo accanto alla finestra. Mi apro un varco nel vapore che appanna il vetro e osservo le onde frangersi sulla spiaggia deserta.

Mi bruciano gli occhi per aver pianto, ma mi sono liberata di un peso e mi sento meglio. È bello stare qui con Michael. Con il mare fuori mi sembra di essere su una nave. Nessuno può raggiungerci, potrebbero valere regole diverse.

Con estrema calma, Michael mi informa che ha avuto una promozione e poi, guardando fuori, dice che sua moglie l'ha lasciato sei mesi fa.

Mi sento in colpa; è stato ad ascoltarmi fino a ora. «Non me l'hai mai detto. Mi spiace».

«Avrei dovuto? Avrei dovuto dirtelo?». Mi fissa, io distolgo in fretta lo sguardo.

148

Un anno fa ci eravamo cercati, una sera, nella cucina di Bristol. Ted era andato a letto senza dire una parola; Michael era passato da noi mentre tornava a casa; ero stanca e in lacrime, arrabbiata con Ted perché riusciva a rifugiarsi nel sonno. La gentilezza di Michael era stata per me un valido appiglio.

Michael guarda di nuovo fuori dalla finestra; le nuvole si riflettono nel grigio dei suoi occhi. Le parole arrivano lente.

«Ci siamo sposati giovani». Si ferma, alza le spalle. «Non voglio annoiarti con i miei guai».

«Dimmi cos'è successo».

«Non ne parlo molto. Ormai è acqua passata».

«Dimmelo».

Esita per un lungo momento. «Ci siamo sposati a diciotto anni, a Città del Capo; era incinta. Ha abortito spontaneamente dopo alcune settimane...».

Ormai dovrei essere in grado di ascoltare queste parole, "incinta" e "aborto spontaneo", senza provare una fitta di dolore. Il bambino di Naomi dovrebbe avere quasi sei mesi. Ho tenuto il conto dei mesi. Se la gravidanza è andata avanti e il piccolo è sopravvissuto... se lei ha avuto... stringo i denti mentre un'ondata di angoscia mi sommerge, poi si ritira di poco. Michael non se n'è accorto; ha continuato a parlare.

«...così ho pensato che in Inghilterra sarebbe stato diverso, meno pressioni dalle nostre famiglie, migliore consulenza medica – ma non è rimasta di nuovo incinta». Si guarda le mani, poi si rivolge a me. «Dovevo farmi una carriera, ma le ore erano lunghe. È stata dura per lei. Era così sola».

So come è andata. Alle dieci di sera buttava nella pattumiera la cena del marito ormai fredda. Un'altra sera organizzava qualcosa, cinema o teatro, e si sedeva ad aspettare, il cappotto pronto, fino all'inizio dello spettacolo; dopo di che, rimaneva seduta, stringendo fra le dita la busta bianca con dentro i biglietti. Giorni di solitudine, anche se le notti erano ancora peggio. Ogni mese piangeva quando arrivava il ciclo.

Michael continua: «Ha cominciato a fare volontariato per il Citizens

Advice Bureau, poi è rimasta incinta e questa volta non ha perso il bambino».

«Quindi tu hai un figlio…». I suoi occhi sono talmente seri che esito. «Un maschio o…».

«Un maschio. Non mio. Il padre è un avvocato che ha conosciuto al Bureau. Sposato, ma ha lasciato la moglie». Pausa. «Non avremmo mai dovuto sposarci».

Come poteva saperlo? E io, come potevo? Quando sei giovane non hai idea di ciò di cui avrai bisogno col passare del tempo o di quanto forte dovrai essere.

«Non essere così preoccupata». Sorride. «Ormai è storia. Mi spiace di aver approfittato…».

Gli dispiace di essersi confidato? Oppure sta ripensando a quella sera di un anno fa, in cucina; anch'io ci penso. Avevo sentito il calore della sua mano sulla schiena, la bocca sulla mia. Dopo tutto, aveva avuto un vago sapore di reale, quando tutto il resto lo aveva perso.

Fuori l'aria si è oscurata. La spuma delle onde biancheggia attraverso la pioggia; verso l'orizzonte, il colore del mare si è perso nel cielo color malva della sera. Fa più freddo di prima, ma il cibo e la conversazione mi hanno scaldato. Torniamo sui nostri passi verso casa, le mani che si sfiorano. Nel cottage, do da mangiare a Bertie mentre Michael prepara il fuoco. Mi commuovo a vederlo qui adesso a preparare il fuoco per me, in silenzio, concentrato sul suo compito. La legna prende, il bagliore della fiamma. Si gira verso di me.

Finisco fra le sue braccia e cominciamo a baciarci come se non ci fossimo mai fermati. Mi fa pensare al calore del sole dopo un lungo periodo di buio e gelo. Mi porta vicino al fuoco e mi toglie il cappotto, si toglie il suo. Ci spogliamo nella penombra. Tira giù la coperta pesante dal divano e la stende su di noi. Rimaniamo distesi, insieme; la sua pelle contro la mia è familiare e sconosciuta allo stesso tempo. Sicura e pericolosa. Avverte il mio disagio e si scosta leggermente, mi accarezza il viso alla luce del fuoco.

«Cosa c'è?», mi chiede dolcemente. «Dimmi».

«Come funziona? Ti è permesso fare una cosa del genere? Voglio dire…».

«Tranquilla». Sento il sorriso nella sua voce. «Sarà il nostro segreto».

Il nostro segreto? Dovremmo averne uno? Mi prende fra le braccia, e nel conforto di quel gesto il mio disagio si dissolve. Le sue mani percorrono lentamente il mio corpo e mentre la pelle comincia a infiammarsi mi volto verso di lui, attirata da quel calore, infine dal desiderio. Nella mia mente affiora il pensiero che è stato così anche per Naomi: attirata in qualcosa di intimo e segreto prima che diventasse qualcosa di pericoloso. Poi la sua bocca copre la mia e cominciamo a muoverci insieme, come se non aspettassimo altro da lungo tempo.

Bristol 2009. Cinque giorni dopo

«Scusa».

Michael aveva un'aria afflitta. Lasciò cadere la mano lungo il fianco.

«È tutto a posto». Ero troppo stanca per quello; sentii la nota di impazienza nella mia voce. «Non fare quella faccia colpevole. Non importa». Non volevo che quello cambiasse le cose, perché dovevamo lavorare ancora insieme.

Eravamo in cucina, Ted era di sopra.

Dopo l'appello televisivo del mattino era andato dritto al lavoro. Ci era rimasto tutto il giorno; aveva detto che gli dava un motivo per andare avanti. Per lui funzionava, ma per me non c'era alcun motivo, ogni motivo aveva cessato di esistere. Vivevo in uno spazio buio e senza prospettive dal quale vedevo Ted, lontano e distante. Dal mio luogo isolato, provavo rabbia e dolore. Non riuscivo a capire come facesse a uscire, a incontrare pazienti e colleghi. Quando rientrava, consumava in fretta la cena, si alzava e andava a letto, pallido di stanchezza.

Michael era passato in tarda serata. I ragazzi erano già andati a dormire.

Gli stavo dicendo quanto fossi preoccupata per i ragazzi ed ero scoppiata in lacrime. Lui mi aveva cinta con un braccio, ci eravamo avvicinati l'uno all'altra, aveva chinato il viso sul mio e, per un istante, le nostre bocche si erano toccate. Mi ero tirata indietro; mi era parso subito un errore. Ero esausta, e doveva esserlo anche lui.

151

Un riflesso momentaneo, tutto qui, provocato dalla disperazione e dalla solitudine. Nessuno da biasimare.

«Oggi sono andata di nuovo a trovare Jade», mi affrettai a dire, sperando che quello ci avrebbe aiutati a tornare da dove eravamo partiti. Sembrò funzionare: mentre parlavamo, lo vidi tranquillizzarsi, riprendere il controllo. «Glielo avevo promesso. Pensavo che la gente mi avrebbe fissata per via delle palpebre così gonfie, ma nessuno ci ha fatto caso».

Mentre lo dicevo, mi resi conto che quando lavoravo in ospedale li avevo ignorati anche io: la schiera anonima degli insonni colpiti dal dolore, seduti nelle corsie, a vegliare nell'attesa.

«C'era suo padre con lei. Si è alzato in piedi quando mi sono avvicinata. È un uomo grande e grosso. Me ne ero dimenticata».

«Perché non mi hai chiamato?», domandò Michael. C'era irritazione nella sua voce. «Potevo accompagnarti. La mia presenza ti avrebbe aiutata. È mio dovere sostenerti; è il mio lavoro, ricordi?»

«Non avrei mai preteso che venissi anche tu; è stato un mio errore», gli dissi. «Ho fatto la diagnosi sbagliata. Dovevo rimediare».

«Com'è andata?»

«Le ho portato dei vecchi libri di Naomi, mi ha ringraziata. Sembrava contenta di vedermi. È ingrassata. La chemioterapia contiene steroidi, quindi è una sorta di grassezza artificiale, ma aveva comunque un aspetto migliore». Sentii gli occhi riempirsi di nuovo di lacrime. «Ma la parte più difficile è stata quel che è successo con Jeff Price».

«Cosa ha fatto?», domandò Michael irritato.

«Niente. Ha detto che gli dispiaceva».

«Cosa?».

Riandai col pensiero al momento in cui Jade aveva preso i libri e ne aveva aperto uno.

«Chi l'ha scritto?». Si era rivolta al padre, mostrandogli i segni a matita scarabocchiati sul cielo raffigurato sulla prima pagina.

«"Naomi Malcolm"», lesse il padre. «"Letto mio. Camera mia. Clifton Road n.1, Bristol. Inghilterra. Mondo. Universo. Spazio esterno". Aveva fatto una pausa, poi aveva aggiunto: «È la figlia della dottoressa, Jadie».

«Non le dispiacerà?», aveva chiesto Jade rivolgendosi a me.

«No», avevo risposto. Mi ero dimenticata di quella scritta. «Lei è... cresciuta, adesso». Avevo cercato di sorridere.

Forse Jade aveva letto la mia espressione. «Glielo restituirò appena finito», aveva detto.

Avevo annuito, incapace di parlare. Jeff Price mi aveva accompagnata lungo la corsia. I bambini giacevano raggomitolati nei loro letti, i visetti arrossati e istupiditi dalla noia. Erano silenziosi come animali feriti, schiacciati fra strati di parenti seduti intorno a loro a guardare la televisione.

Si era fermato nel corridoio fuori delle porte di plastica della corsia.

«Prima l'ho vista in televisione. Mi spiace per quello che le è successo. Non è giusto. So che avevamo litigato, ma non è giusto».

«Grazie», avevo risposto esitante. «La polizia sta interrogando tutti. Persino i miei pazienti...».

«Per me non c'è problema. Fate pure. Qualsiasi cosa, se posso essere d'aiuto. Sono stato qui ventiquattr'ore al giorno, sette giorni su sette, le infermiere lo confermeranno».

Mi aveva toccato la spalla in un gesto di conforto ed era tornato indietro. Sembrava riempire il corridoio con la sua mole, ondeggiando leggermente a ogni passo, con le grosse scarpe bianche da ginnastica che cigolavano sul linoleum blu.

Le porte di plastica si erano richiuse alle sue spalle.

Michael stava aspettando pazientemente la mia risposta.

«Jeff Price era dispiaciuto per Naomi», ripetei. «Forse non c'è bisogno di interrogarlo, dopotutto».

«Be', non ci vorrà molto».

Non sembrava che potessi fermare il meccanismo che avevo avviato, anche se ero sicura che Jeff Price non fosse coinvolto.

«Sei stata grande in televisione». Michael sorrise, cambiando argomento.

Le luci erano calde e accecanti. Mi avevano fatto lacrimare gli occhi, ma non volevo che la gente pensasse che stessi piangendo. Non volevo che il rapitore di Naomi sapesse cosa ci stava facendo passare. Ci avevano avvertito che mostrare la propria angoscia può

153

essere controproducente. I genitori diventano vittime da manipolare. Eppure dovevamo farlo. Dovevamo raggiungere la donna che forse aveva intravisto il viso confuso di Naomi dietro il finestrino di una macchina in una città sconosciuta, e la sua bocca aprirsi per chiedere aiuto. Dovevamo attirare l'attenzione dell'uomo che serviva nel negozio all'angolo, che forse aveva notato qualcosa di diverso nel tipo tranquillo che di solito si limitava a comprare le sigarette; ora acquistava altre cose: cibo, nastro adesivo, assorbenti per le perdite. Dovevamo dire al bambino che girava in bicicletta di raccogliere la felpa grigia con cappuccio rimasta impigliata in fondo alla siepe lungo una stradina di campagna, la felpa che Naomi aveva gettato perché qualcuno la trovasse. Avrei voluto quella donna con me sotto i riflettori, il negoziante e il bambino in bicicletta al mio fianco.

«Sei stata davvero grande», disse ancora Michael quando io non risposi. «E anche Ted. A proposito, sarà necessario vederlo di nuovo».

«Credo che ora stia dormendo. È strano, sembra che riesca a malapena a mantenersi sveglio, mentre io non riesco a chiudere occhio».

«Solo alcune domande; domani sarebbe meglio».

«Forse posso rispondere adesso».

«No. Dobbiamo farle a Ted».

Lo disse con aria grave, quasi dolente. Non capivo.

«Quali domande?»

«Non tutto quadra. Dobbiamo chiarire alcune cose».

Mi venne la nausea. Dovevamo ripetere l'intera trafila, separatamente? Significava che la polizia aveva deciso di non credere a quel che stavamo dicendo?

«Michael, ti prego. Il tempo passa e ogni secondo…».

«Ecco perché dobbiamo farlo subito. Potresti dirgli di presentarsi alla stazione di polizia in mattinata? Verrà una macchina a prenderlo».

Suonava talmente ridicolo, come un film poliziesco dove il marito deve essere interrogato e la moglie diventa isterica.

«Se posso rispondere per lui, risparmieremo un sacco di tempo».

Michael sospirò. «E va bene. Per caso sai dove si trovava Ted la notte in cui Naomi è scomparsa?».

Mi alzai e cominciai a girare per la cucina, raccogliendo tazze e bicchieri che sembravano disseminati su ogni superficie. Conoscevano già la risposta. Ero stanca; volevo andare a letto.

«So esattamente dove si trovava. In ospedale. L'intervento chirurgico si è protratto più del previsto. Un caso difficile – succede sempre così. Se qualcuno non ci crede, può chiedere conferma al personale di sala presso l'ospedale».

Si alzò anche Michael, il viso impassibile come se non avesse sentito.

«Tolgo il disturbo», disse, e la sua voce suonò stranamente formale. «Ti prego, digli che domattina passeremo a prenderlo».

Dopo che fu andato via, sedetti al tavolo e chiusi gli occhi. Le parole di Michael sembravano echeggiare nel silenzio. Dopo un po' andai al telefono e chiamai l'ospedale. Chiesi di essere messa in comunicazione con la sala di neurochirurgia. Nonostante fosse tardi, un giovane assistente rispose immediatamente. Sembrava molto giovane. Gli dissi chi ero e che Ted mi aveva chiesto di controllare l'orario in cui era entrato in sala operatoria la sera di giovedì. Si era dimenticato di registrare la durata dell'intervento e doveva inserirla nella lettera al medico curante. Le parole mi uscirono così spedite che sembrava mi fossi preparata un discorso invece di coglierle qui e là nel tumulto della mia mente. L'assistente si allontanò per qualche istante e poi tornò al telefono.

«Scusi se l'ho fatta attendere, dottoressa Malcolm. Ho dovuto controllare due volte. È sicura che non fosse lunedì?»

«Sono certa che abbia detto giovedì…», replicai, con il cuore che mi batteva forte.

«Il fatto è che giovedì c'era solo il dottor Patel in sala di neurochirurgia. Il caso del dottor Malcolm è stato cancellato. Se può richiamarmi fra qualche minuto, posso controllare la durata dell'intervento di lunedì».

«La contatterà lui, se ha bisogno».

Attaccai il telefono e salii al piano di sopra, dove mi sedetti su una sedia accanto a mio marito addormentato. Lo fissai talmente a lungo che il suo viso parve trasformarsi e dissolversi, come succede alla tua identità quando ripeti più e più volte il tuo nome a te stessa. Alla fine lo vidi come un uomo qualsiasi disteso sul letto, un estraneo nel quale mi ero imbattuta per caso.

155

CAPITOLO 19

Dorset 2010. Tredici mesi dopo

All'entrata della stazione di Dorchester, un gruppetto di bambini stretti intorno a una donna con i capelli grigi intona un canto di Natale. I cantori sono irrequieti sotto i cappelli da Babbo Natale troppo larghi: due continuano a pestarsi i piedi, e la bambina più piccola si asciuga il naso gocciolante con la manica. La donna dirige il coro con fare deciso, ma i movimenti bruschi delle mani danno l'idea che stia tracciando punizioni nell'aria. Le note di *Away in a Manger* si rincorrono fuori della stazione mentre mi sposto verso le transenne del binario 1. C'è qualcosa di familiare nel modo in cui questa donna si sta sforzando di interpretare la sua parte: sta in piedi, dritta come un fuso, e la voce è troppo briosa. Appartiene a un mondo di cui ho fatto parte e, guardandola, ne ricordo il peso. Adesso non ci sono doveri che mi incalzano durante la giornata. La vita ne è ormai spoglia e i miei ruoli sono più semplici: madre, non moglie. Se dovessi riempire un modulo, alla voce "occupazione" scriverei "pittrice".

Il treno di Ed è in arrivo. Lo accompagna Sophie. Dopotutto, non avevano bisogno che Ed rimanesse anche a Natale. Solo ora – troppo tardi – mi viene in mente che un viaggio in treno potrebbe risultare pesante per lui, con tutto il rumore e la confusione, dopo l'ordinata ripetitività dei giorni presso l'unità.

Dopo pochi minuti il treno mi sfila accanto, le porte scorrevoli si aprono e poi c'è una marea di teste in movimento da passare in rassegna, così sussulto quando le braccia di mio figlio arrivano da dietro per cingermi saldamente la vita.

«Ed!».

Sta ridendo. Ridendo! Sono mesi che non vedevo Ed nemmeno sorridere. Non avrei dovuto preoccuparmi. Ha il viso non rasato, gli occhi castani pieni di vita, i lunghi capelli neri lucenti. Porta sulle spalle uno zaino e la sua chitarra. Si gira, passa il braccio intorno a una ragazza quasi nascosta dietro di lui.

«Mamma, questa è Sophie. Soph, mamma».

I colori di Sophie rischiarano il grigio della stazione. Capelli corti di un rosso acceso, occhi verdi truccati con kajal grigio, una giacca verde fatta a maglia, guanti blu a righe, cappello arancione, scarponi gialli. Ha anche un cerchietto d'argento infilato nella narice. Porta una fisarmonica sulla schiena, assicurata con delle cinghie. Ha un viso attento, calmo e molto grazioso. Prendo una mano guantata fra le mie.

«Ciao, Sophie».

Mi sorride. «Salve».

«È una fortuna che sia potuta venire», dice Ed, guardandola. «C'è mancato poco. Jake voleva che fosse presente al pranzo di Natale sulla barca, ma alla fine ci è andata bene».

Sorrido a Sophie.

«Grazie per l'invito». Solleva un po' il mento nel dirlo. La sua voce ha una piacevole inflessione irlandese.

Sulla via del ritorno in macchina, Sophie siede vicino a Ed mentre lui le fa notare le spiagge e le scogliere che superiamo. Gli dico che Theo arriverà più tardi con Sam, il compagno che non abbiamo ancora conosciuto. Poi vuole sapere a che ora è previsto l'arrivo di Ted.

«Domani o dopodomani. Rientra oggi in aereo da Johannesburg».

«Immagino sia andato in vacanza», dice Ed scrollando le spalle.

Pensavo che si tenesse in contatto con Ed. Quindi non è cambiato nulla. Per tutta la vita hanno avuto un padre sempre impegnato – non c'erano compleanni, serate con i genitori, a volte nemmeno il Natale e le vacanze. Il carico di responsabilità ricade di nuovo su di me, pesante come lo è stato in tutti gli anni in cui pensavo che lo condividessimo. Ironicamente, è diventato più leggero da quando se n'è andato, o forse ho solo imparato a contare solo sulle mie forze. Allora perché la delusione brucia ancora?

«Non in vacanza. Te l'ho detto, è stato a un convegno».

«Tipico».

Guardo nello specchietto retrovisore, ma Ed sta sorridendo di nuovo; noto anche una punta di orgoglio mentre cinge Sophie con un braccio. Mio padre, un uomo impegnato e importante.

«Buon per tuo padre. Ho sempre desiderato lavorare in Africa», dice Sophie.

«È solo un convegno», le dico. «Per un paio di settimane. Il suo lavoro vero e proprio è a Bristol».

«Sophie lavora per Amnesty International», dice Ed.

«Interessante». Cerco il suo viso nello specchietto; mi sorride e scrolla le spalle.

«Traduco del materiale. Francese e tedesco».

«Lei e Jake parlano fra loro in qualsiasi lingua, soprattutto quando vogliono dire qualcosa su di me e sanno che non capirò», dice Ed con cognizione di causa.

«Non capiresti qualcosa su di te anche se parlassimo nella tua lingua. Gli aspiranti medici non si capiscono. Troppo occupati a essere gli eroi del proprio dramma». C'è una nota divertita nella sua voce.

Scoppiano a ridere, come se fosse una vecchia battuta.

Nelle settimane successive alla sua ammissione all'unità avevamo glissato su quello che avrebbe potuto fare una volta uscito. Non aveva mai accennato a voler riprendere medicina dopo che aveva dovuto lasciare la scuola. Aveva preso il suo A-level nell'unità, e sapere dei risultati eccezionali che aveva ottenuto era servito solo ad accrescere il nostro dolore, la sensazione di quel che avrebbe potuto essere. Mi aveva detto che per il momento era felice di restare a dare una mano. Questo non è il momento di parlare di progetti: sembra fresco di vacanze.

Bertie è già nell'ingresso quando apro la porta. Il viso di Ed si accartoccia nel pianto; si inginocchia ad abbracciare il cane e si abbandona ai singhiozzi. Bertie resta immobile, sbatte le palpebre perplesso. Fa uno starnuto e poi annusa i capelli di Ed, agitando la coda. Sophie si inginocchia accanto a Ed e lo abbraccia, premendo la guancia contro la sua. Preparo il tè. Avrei dovuto aspettarmi questa reazione e prepararlo in qualche modo a questa mescolanza tra passato e presente.

Dopo qualche minuto, Ed si rialza, si soffia il naso e azzarda una risata tremante.

«Scusa, Bert». Si china ad accarezzarlo.

«Che ne dici di andare al mare e portare Bertie?», propone Sophie. Ed fa cenno di sì. Bevono il loro tè e poi si avviano verso i campi, oltre il giardino. Lo guardo fermarsi al cancello, toccare il pilastro. Per la centesima volta mi chiedo se ha trovato un posto dove accantonare tutto quel che è successo, conservarlo lì finché sarà in grado di rifletterci e cercare di dargli un senso.

Li seguo con lo sguardo lungo il campo, poi è ora di tirare fuori il pollo dal frigo, infilare burro ed erbe aromatiche sotto la pelle e farcirlo con aglio e limone. Quando è nel forno, mi verso un bicchiere di vino e lo porto fuori, nel capanno di legno che ho messo in ordine una settimana fa per adibirlo a studio, sapendo che in casa non ci sarebbe stato spazio. I vetri puliti delle finestre lasciano filtrare la luce; le foglie secche, la polvere e gli escrementi di topo sono stati spazzati via. All'interno c'era già un tavolo poggiato su cavalletti. Ho comprato una stufa nuova e ho appeso qualcuno dei miei disegni ai chiodi sulle pareti.

Il mio dipinto a olio delle mani di Mary è sul tavolo. Sembrano artigli, le dita deformate dall'artrite, la pelle traslucida e gonfia. Le chiama le "mie mani da strega", ma sono in grado di preparare il tè, prendere le uova e gli attrezzi da giardino, infornare il pane. Le ho dipinte aperte e rilassate per ricordare la sua gentilezza. Se Mary è una strega, è una strega buona. Le mani di Dan tengono un pezzo di legno. Appaiono attente e incuranti allo stesso tempo – il legno sporge dalle dita ma è tenuto fermo dal pollice, in una sorta di equilibrio fra trattenere e lasciare andare. E c'è un nuovo schizzo a matita della mano di Michael. Lo scorso finesettimana era seduto qui, su una vecchia sdraio vicino alla finestra. Leggeva, una mano posata sul ginocchio. Il disegno ha colto efficacemente la forza delle sue dita e la larghezza della mano. Devo completarlo. Mentre traccio le prime linee a matita, qualche fiocco di neve sfarfalla oltre il vetro della finestra. Ombreggio la curva marcata dei muscoli alla base del pollice, ed è come se mi stesse toccando. Chiudo gli occhi, ricordando la sensazione delle sue mani sul mio corpo. Gli occhi di Naomi, quelli nel ritratto, ammiccano dietro le mie palpebre. I segreti sono pericolosi; avrebbe dovuto usare prudenza. Dovrei farlo anch'io, con Michael?

Tornano Ed e Sophie. I vestiti chiazzati di neve.

«Non ho mai visto la spiaggia in inverno», dice Ed togliendosi la giacca bagnata. «Era così desolata».

Sophie sta battendo i denti. «Le scogliere sono sbalorditive, tutti quegli strati di roccia».

Vanno a farsi il bagno e la doccia; poi, dopo il pollo, dopo il vino e il caffè e i piatti da lavare, si siedono accanto al fuoco e Sophie suona la fisarmonica. Ed la accompagna con la chitarra. Sono a proprio agio; deve essere una cosa che fanno spesso. Mi unisco a loro ma a una certa distanza, nella penombra, seduta sulla poltrona blu di mio padre vicino alla porta.

«A chi dedichiamo questo pezzo?», domanda Sophie.

«A papà».

«Parlami di lui», dice Sophie con voce assonnata. Rilassa le braccia e le dita non premono più i tasti della fisarmonica.

«Te l'ho detto. È un neurochirurgo», risponde Ed. «Opera la gente alla testa. Rimette a posto i cervelli, sai?».

La nota di orgoglio nella sua voce mi intristisce. Ted ha idea di quanto il figlio sia fiero di lui? Gli importerebbe qualcosa? Due anni fa avrei pensato di conoscere la risposta. No, adesso non avrei nemmeno posto la domanda.

«Deve essere stato difficile crescere, per te. Voglio dire, non avrai passato molto tempo con lui».

«Non è stata poi così dura», replica allegramente Ed. «Era sempre nei paraggi. Veniva qui durante le vacanze e così via. Tornava sempre a casa la sera».

No, non era così. Ed si sbaglia. Non tornava sempre a casa la sera.

Bristol 2009. Sei giorni dopo

Mi svegliai al suono del telefono. Era dal lato del letto di Ted. Mi girai per allungarmi oltre il suo corpo, ma la mano trovò il muro. Ma certo: stanza degli ospiti, letto degli ospiti. Sentii Ted rispondere al piano di sotto; dai toni compassati capii che era una chiamata dall'ospedale. Lo sentii alzarsi e scendere in cucina a preparare il caffè. Aveva mantenuto la solita routine anche se tutto intorno a lui non era più come prima. Forse si stava chiedendo come mai non avessi dormito con lui; forse pensava che fossi andata a letto troppo tardi e non avessi voluto disturbarlo.

Non sapeva che avevo a stento chiuso occhio e che, quando mi ero assopita, incubi inenarrabili mi avevano riempito la mente, incubi ancora presenti al mio risveglio, pensieri talmente spaventosi che sentivo la testa sul punto di scoppiare. Ted aveva mentito. Non era in ospedale la notte in cui Naomi era scomparsa. Era stato Ted a portarla via. Quella sera era andato a prenderla a teatro e l'aveva portata via di nascosto. Perché avrebbe dovuto fare una cosa del genere? La risposta era lì, pronta. Quando l'aveva vista nella parte di Maria, si era reso conto che non era più la sua piccola Naomi ma una ragazza completamente diversa, adulta, sexy, provocante. Forse non lo aveva accettato e l'aveva – cosa? Stuprata? Uccisa? Sapeva come fare; sapeva con precisione come bloccare la carotide o spezzarle la trachea. Lasciai che quei macabri pensieri continuassero a torturarmi finché provai un senso di nausea e vertigine. Sapevo che non c'era nulla di vero, ma non era questo che la gente diceva sempre quando si scopriva che l'assassino era qualcuno che amava?

Scesi la rampa di scale dalla camera degli ospiti e sedetti sul bordo del letto matrimoniale nella nostra stanza. I passi di Ted risalirono lentamente i gradini. Poi entrò e posò il mio caffè sul comodino.

«Ho russato di nuovo?». Si chinò a darmi un bacio sui capelli e andò in bagno senza aspettare una risposta. Un compromesso fra marito e moglie che non era quel che sembrava.

Probabilmente c'erano modi astuti per arrivare alla verità, qualche espediente per coglierlo in fallo, tasche in cui frugare o un diario nascosto da qualche parte; ma ero troppo stanca, troppo scoraggiata. Dovevo sapere in fretta.

«È passato Michael ieri sera».

«Ah sì?». La voce impastata di dentifricio.

«Vuole che tu vada alla stazione di polizia questa mattina».

«Temo che non sarà possibile. Perché, comunque?». Chiuse la porta della doccia, senza aspettare la risposta. Mi infilai i primi indumenti che mi capitarono sotto mano.

Sembrò stupito di vedermi già vestita quando uscì dalla doccia. Si avvolse l'asciugamano intorno ai fianchi. Aveva un fisico notevole per un uomo sui quarantacinque anni: solido, slanciato, muscoloso. Osservai il suo viso, ancora rilassato dal sonno. Un viso che avevo guardato per anni, che pensavo di conoscere meglio del mio.

«Devono interrogarti».

«Mi spiace, Jen. Dovrai andarci tu», concluse con una scrollata di spalle mentre cercava una camicia nell'armadio.

«No».

«Oggi ho la giornata piena. Una clinica dopo l'altra». Scelse una cravatta rossa da abbinare alla camicia blu a righe. «So che è una dannata seccatura, ma potresti rispondere tu al posto mio?».

Per un istante mi chiesi se aspettare, ma non riuscivo a sopportare l'idea di rivivere quegli incubi.

«Vogliono sapere dove eri la notte in cui Naomi è scomparsa». Non so se fu per rabbia o per paura, ma sembrò che gli stessi sputando addosso le parole.

Il volto rimase impassibile. Se mai, apparve un po' più rilassato. Forse le labbra si piegarono leggermente in giù, come se avesse un piccolo tic.

«Sai già la risposta».

Non volevo ascoltare altre bugie, né guardarlo mentre le confezionava. Mi alzai e andai alla finestra, guardando i due tigli attorcigliati insieme a formare un unico, grande tronco.

«Dov'eri?»

«Te l'ho detto. Un intervento a tarda ora…».

Mi girai per guardarlo in faccia. «La tua operazione è stata cancellata. Ho controllato».

Silenzio. Continuò a vestirsi, tirò fuori il completo dall'armadio, cercò i calzini. Attraversai la stanza e gli strappai l'abito dalle mani.

«Dove accidenti eri quella notte?». Respiravo a fatica. «Tua figlia è scomparsa e tu non eri dove hai detto che eri. Cosa significa? Cosa penserà la polizia?».

All'improvviso il volto si soffuse di rabbia appena colse l'eco della mia minaccia. «Cosa stai insinuando?», sbraitò.

Sentii i ragazzi alzarsi dal letto. Pensare a loro, assonnati e privi di sospetti, peggiorò la cosa. Aveva mentito a tutti noi.

«Sta' zitto», sussurrai. «Aspetta che i ragazzi vadano a scuola. Devi andare alla stazione di polizia; passeranno a prenderti».

Mi fissò stizzito, la bocca tirata in una linea dura.

«Possono arrestarti se ti rifiuti di andare con loro per l'interrogatorio».

Non sapevo se fosse vero, ma era probabile.

Ebbe un attimo di esitazione, poi prese il telefono e lo portò fuori dalla camera. Lo sentii cancellare i suoi appuntamenti. Aveva scelto di tornare al lavoro due giorni dopo la scomparsa di Naomi, ma adesso non aveva possibilità di scelta.

Ed uscì dopo una colazione taciturna, Theo si attardò a mettere insieme il suo portfolio di arte. Non voleva andarsene; forse aveva subodorato qualcosa. Rimasti soli, affrontai Ted davanti ai piatti della colazione.

«Ok», borbottò, come se stesse parlando fra sé. «Ok». Alzò lo sguardo. «Avevo intenzione di dirtelo il giorno dopo che è successo, ma era la notte in cui è scomparsa Naomi e non ho potuto».

In quell'istante il terribile incubo svanì. Sapevo cosa stava per dire e non mi importava affatto. In confronto al pensiero torturante che le avesse fatto del male, l'idea che stesse per confessarmi la sua infedeltà mi sembrò del tutto insignificante.

«Dimmelo adesso».

Si guardò rapidamente intorno nella cucina, quasi la vedesse per la prima volta.

«È successo una volta sola, quella sera. Ho commesso uno stupido errore. È giovane. Non è sposata».

Non mi importava. Non mi importava affatto. Mentre aspettavo che continuasse a parlare, capii in un lampo perché era rimasto interdetto pensando di dover andare a prendere Naomi; quella sera aveva cancellato dalla mente tutto quel che riguardava la famiglia.

163

«Ero stanco. Avevo saltato il pranzo. La mia operazione era stata cancellata e Nitin ha utilizzato la sala per un'emergenza. Avevo appena finito un ultimo giro di visite e Beth stava uscendo dal reparto nello stesso momento…».

«Beth?». In *Piccole donne*, Beth era la più dolce, generosa, femminile. La amavano tutti.

«L'infermiera del reparto di neurochirurgia. Ha visto che ero esausto. Ha detto che vicino all'ospedale c'era un ristorante migliore della mensa, ma quando siamo arrivati lì era chiuso, così l'ho accompagnata a casa».

Pensai che Beth dovesse abitare in una casa tranquilla. Niente scarpe da rugby infangate vicino alla porta, nessun cane che ti salta addosso. Insieme, dovevano aver commentato il dramma della giornata di lavoro appena condivisa. Nessuna questione familiare da discutere, di quelle che non hanno facile risposta, come "quanto dovrebbero studiare i ragazzi a casa" o "fino a che ora possono stare fuori con gli amici". Beth doveva avergli offerto un bicchiere di vino, aveva messo su un po' di musica e abbassato le luci. Doveva essersi seduta vicino a lui, ascoltando con attenzione tutto quel che diceva. Non era troppo stanca per fare sesso.

«Perché?». Non riconobbi la mia voce.

Ci fu una lunga pausa, poi Ted si strinse nelle spalle. «Non so se migliora o peggiora la cosa, ma non c'è alcuna ragione. Era lì, e basta». Si fermò, evidentemente domandandosi se continuare nonostante il mio silenzio. Infine, evitando il mio sguardo, riprese senza fretta: «Tu e io, non c'è mai tempo…».

«Dillo. Mai tempo per il sesso?»

«Siamo stanchi. Andiamo a dormire…».

«Perché non dici quello che pensi davvero?». Ma lo sapevo già. Pensava che fosse colpa mia.

Squillò il telefono e Ted si affrettò a rispondere.

«Salve. Sì, mia moglie me lo ha detto. Sono pronto. Suoni e vengo». Mise a posto il ricevitore e si girò verso di me. «Michael sta parcheggiando; è venuto a prendermi». Raddrizzò le spalle. «Mi spiace, Jenny. Era mia intenzione parlartene». Mi guardò e capii che stava pensando di aggiungere qualcos'altro di necessario. «Ti amo, lo sai».

Suonò il campanello. Sentii tutto il peso della rabbia e dell'offesa risparmiarmi per quel momento. Presente, ma non ancora reale, come le prime avvisaglie di un'emicrania prima che esploda in tutta la sua forza. Ted si alzò e mi fissò per qualche istante. Aveva la pelle ancora abbronzata dall'ultimo viaggio in California. Quando incontravamo vecchi amici della facoltà di medicina, dicevano sempre che Ted non era cambiato affatto. A volte pensavo di essere invecchiata io per tutti e due; avevo visto piccole rughe formarsi intorno agli occhi e poi infittirsi, le vene ingrossarsi intorno alle caviglie, ma pensavo che fosse un prezzo equo per quel che avevo. Pensavo che quel genere di cambiamenti non avessero importanza.

«Mi spiace», ripeté, come se dirlo due volte potesse migliorare la situazione. «Ne riparliamo quando torno».

Già da allora decisi che sarebbe stato inutile parlarne. Le scuse non cambiavano la realtà. Non volevo ascoltarne altre. Gli permisi anche di salutarmi con un bacio. Appena se ne fu andato, il viso di Naomi riempì di nuovo la mia mente; non c'era spazio per altro.

CAPITOLO 20

Dorset 2010. Tredici mesi dopo

Vigilia di Natale. Al mattino c'è un rumore di passi, risate soffocate, poi di nuovo silenzio. Quando io e Ted eravamo giovani e da poco insieme, l'amore al mattino era spontaneo e appassionato, senza disaccordi o patteggiamenti. Quanto tempo fa? Corro al piano di sotto, non volendo ascoltare o ricordare. Bertie è raggomitolato nella sua cesta, immobile. Allarmata, avvicino le mani al suo corpo per controllare se è caldo, attenta però a non svegliarlo di soprassalto, altrimenti si alzerà in tutta fretta, barcollante e confuso. A Bristol gli agganciavo il guinzaglio mentre dormiva, lo svegliavo e lo portavo fuori. Seguiva fedelmente il mio passo mentre facevo jogging lungo le strade. Ora non potrebbe farlo. Lo lascio dormire.

Ha nevicato ancora durante la notte; i rami sono decorati da candidi nastri. Poggio i gomiti sul davanzale e osservo il giardino in questa nuova veste. Naomi anelava sempre a un bianco Natale, ma devo allontanare in fretta questo pensiero prima che mi monopolizzi la giornata. Ho una famiglia a cui pensare. C'è un pacchettino sul tavolo, avvolto in una carta decorata con alberi e stelle, con un'etichetta marrone. La giro e leggo: «A Jenny, da Sophie». Le mie dita esitano…

«*No, Naomi, aspetta fino al giorno di Natale, da brava. Vai a letto*».

Strappo il nastro e lo scarto. Dentro c'è un fascio di carboncini, spessi e leggermente nodosi, avvolti in carta velina e legati con un filo di lana rossa. Sophie ci ha messo impegno e creatività. I disegni incorniciati delle mani di Dan e di Mary sono appoggiati contro la parete. Li prendo ed esco dal cottage senza far rumore.

C'è una ghirlanda nuova di agrifoglio sulla porta di Mary. Risponde subito al mio bussare e sembra sollevata nel vedermi.

«Credevo che fossero già tutti qui».

Mette su il bollitore. La sua famiglia arriverà più tardi e lei cucinerà per tutti. Prende i regali che le ho portato in modo quasi brusco e li ficca sotto l'albero. I regali la imbarazzano; non sa cosa dire. A lei piace dare. Prendiamo il tè al tavolo della cucina. Mary tiene le mani sul pelo del gattino soriano che ha in grembo.

«Non ho visto lampadine colorate nella tua finestra. Dov'è il tuo albero?»

«Non mi sono preoccupata di prenderne uno», rispondo. «Ho pensato solo ai regali e al cibo. È sufficiente».

Mary scuote la testa. «I tuoi bambini vorranno un albero».

«Bambini! Mary, sono adulti».

«Dan passerà più tardi. Ti troverà un albero e farà un salto da te».

Non mi dispiace darla vinta a Mary. Non la penso come lei, ma non importa. La saluto con un bacio e mi guarda con cipiglio.

Ed e Sophie sono in cucina a fare colazione.

«Bellissimi quei carboncini, Sophie! Grazie».

Sembra soddisfatta. «Il mio amico sulla barca a fianco usa un fusto per petrolio per fare il carbone. Lo fa andare a fuoco lento e ci vogliono due giorni. C'è un legno di salice speciale che si può trovare nel Somerset».

«È proprio del tipo che preferisco, molto scuro e morbido sulla carta».

Riempio il lavandino di acqua calda, ci spruzzo dentro un po' di detersivo liquido e comincio a raccogliere i piatti dalla tavola. Ed mi passa la sua tazza da caffè vuota; ha uno sguardo accigliato.

«Così l'arte è ancora la cosa più importante della tua vita, mamma?»

«Come?». Mi giro verso di lui mentre faccio scivolare i piatti sporchi nell'acqua saponata, chiedendomi se stia scherzando.

Ed guarda Sophie mentre parla; sul suo volto non c'è traccia di sorriso. «Quando mamma saliva su a dipingere, sapevamo che non dovevamo disturbarla per nessun motivo. Vero, mamma?».

Resto stupita, senza fiato. «Sai che non è vero».

«Andiamo». Si appoggia al tavolo, le braccia conserte. La voce è ostile, sembra molto sicuro del fatto suo. «Ed era lo stesso quando andavi al lavoro. Non rispondevi mai quando ti chiamavo al cellulare. Non c'eri mai quando tornavamo da scuola. Ci faceva ammattire». Si rivolge ancora a Sophie, gesticolando, fingendo di essere divertito. «Mai cibo decente, ovvio».

Perché mi sta facendo questo? «So che dipingevo, ma lo facevo più che altro quando eravate a scuola...».

«Cristo», mi interrompe Ed. «Non riesci nemmeno a ricordare che non c'eri mai? Ogni volta che mi ammalavo mi lasciavi una scatola di pillole vicino al letto e te ne andavi al lavoro».

«Ti lasciavo dormire...».

«Fantastico. E quel giorno che ci hai parlato del cottage? Hai detto che potevamo usarlo, poi hai cambiato idea».

«È solo che non volevo che lo usaste per fare feste...».

«Sparivi sempre nel tuo "studio" senza preavviso», continua. «Non c'è da stupirsi se ci sentivamo rifiutati».

Quando salivo in mansarda a dipingere era per avere uno spazio tutto mio, non per rifiutare i miei figli. Come poteva anche solo pensarlo?

«Ed, l'arte non è stata mai e poi mai la cosa più importante».

Lo sguardo di Sophie corre da Ed a me, da me a Ed. Si sistema una ciocca di capelli rossi dietro l'orecchio, si guarda le mani, comincia a torcere il bigliettino di Natale che le ho dato.

«Certo che lo era», ribatte Ed, gli occhi fissi su di me. «Lo era perché potevi trasformare i tuoi quadri in quello che volevi».

Cosa gli è preso? Non era così ieri sera. «In che senso?»

«Tu dipingevi i quadri, tu avevi il controllo. Bella, l'arte bidimensionale. Non come noi, anche se facevi del tuo meglio; pensavi di avere il controllo anche su di noi. Ci hai dato regole, a milioni». Ha il respiro affrettato, gli occhi accesi di rabbia.

«Non so da dove venga fuori tutto questo, Ed. È la vigilia di Natale...».

«Non è "venuto fuori" da nessuna parte. È quello che ho sempre pensato; trovarmi di nuovo qui ha riportato tutto a galla».

«Io non sapevo...».

Allungo una mano a sfiorargli la manica, ma lui si sottrae al contatto.

«E come facevi a saperlo? Non me lo hai mai chiesto. Non eri mai lì. Probabilmente credevi che fossi uguale a Theo». Ride. «Be', forse non perfetto come era perfetto Theo, ma sostanzialmente i gemelli la pensano allo stesso modo, no?»

«No, affatto. So che siete totalmente diversi».

«Tu non sai niente di me, come non sapevi niente di Naomi». Le parole corrono veloci. «Non c'è da meravigliarsi che non sia qui adesso».

Ed si ferma bruscamente, come se sapesse di essersi spinto troppo oltre. Accenna una mossa verso di me, poi ci ripensa e si rivolge a Sophie. «Dai, Soph. Andiamo a fare una passeggiata». Le prende la mano e la fa alzare. Sophie si lascia trascinare fuori della cucina ma, arrivata sulla soglia, si gira per lanciarmi uno sguardo mesto.

Il detersivo liquido ormai asciutto mi pizzica sulla pelle. Immergo di nuovo le mani nell'acqua calda della vaschetta e osservo le bollicine ammassarsi sulle dita, in corrispondenza degli anelli; forse è il caso che non li porti più. Il silenzio si richiude su di me, custodendo le parole di Ed. Ho le dita ormai avvizzite quando mi ricordo che devo comprare qualcosa alla rivendita di prodotti agricoli di Modbury, il paese vicino. Mi asciugo le mani e provo a sfilarmi gli anelli, ma le dita si sono gonfiate nell'acqua calda e devo tenerli.

Faccio salire Bertie in macchina e guido piano, tenendo la mente sgombra. Il vento ha soffiato la neve dentro le siepi e le colline sono spolverate di bianco. Non ci sono molte persone nel negozio. I mucchi di frutta e verdura nel vecchio edificio di pietra fanno pensare a un quadro olandese del XVI secolo. Una coppia di fagiani appesi gocciola sangue dai becchi; hanno il collo torto, e i colori vividi della testa del maschio risplendono contro lo sfondo bruno del piumaggio della femmina. Cavoletti di Bruxelles verde scuro, piccole patate bionde e clementine lucide traboccano dalle cassette di legno, e vicino al muro c'è un sacco pieno di datteri. Compro un po' di ogni cosa, aggiungo uova, pancetta e un dolce di Natale glassato e carico tutto in macchina. Sulla via del ritorno mi fermo lungo il mare, scendo dall'auto e inspiro profondamente l'aria fredda e salmastra.

All'aperto, le parole che Ed mi ha lanciato addosso cominciano

169

a pulsare nel silenzio della mia testa. Milioni di regole, ha detto. È questa la sensazione che ha avuto? Ma di certo sa che le regole ti proteggono. Bertie e io camminiamo sul terreno innevato dietro alla spiaggia di ciottoli, lasciando impronte traslucide nel sottile strato di neve ghiacciata; l'erba sotto le mie è piegata e ingiallita.

In lontananza, vicino al bordo di spuma delle onde, una ragazzina gioca con un cane. Da qui vedo i suoi capelli biondi. Vicino a lei c'è un uomo, le spalle curve dentro un cappotto nero. Prima di proseguire, aspetto di vederla muoversi. Corre scalciando leggermente in fuori. Naomi correva come una freccia.

Se ci fossero state più regole, o meno regole, Naomi sarebbe ancora qui? Se fossero state di più, forse sarebbe stata più protetta. Se fossero state di meno, non avrebbe dovuto infrangerle. Ma non era solo una questione di regole. Ed aveva ragione: io non ero stata abbastanza presente. Naomi non parlava con me nelle settimane precedenti alla sua scomparsa, ma se io fossi stata lì, disponibile al momento giusto, forse lo avrebbe fatto. Se mi fossi concentrata su tutti quei piccoli cambiamenti invece di relegarli in un angolo della mente, avrei potuto aiutarla. Dicevo a Ted che i ragazzi non mi volevano intorno; avevo mentito a me stessa per costruirmi la vita che volevo?

Ricomincia a nevicare, fiocchi gelidi e impalpabili che si posano isolati sul terreno. L'alcol non si conciliava con l'idea della studentessa che si impegna duramente, così lo avevo relegato in un angolo della mente e avevo creduto alle sue giustificazioni. Le avevo persino create io per lei, così da non vedere la vera Naomi, la ragazza che usava un trucco pesante e il perizoma, beveva, fumava e faceva sesso. Mi stringo addosso la giacca mentre il vento mi soffia in faccia la neve. Non avevo visto nemmeno Ed. Ero stata troppo impegnata per rispondere alle sue chiamate in ambulatorio. Mi ero detta che stava lavorando duro, così il vero Ed era stato lasciato in balia delle correnti, a scivolare verso il pericolo, non visto. Kate diceva che nostra madre non aveva la più pallida idea di quel che combinavamo, ma io ero peggio di lei. Io avevo notato i segnali e li avevo ignorati.

Il pallore del cielo si è incupito. Ci sono chiazze di neve sul pelo di Bertie, ma lui le trasporta imperterrito, senza scrollarle di dosso.

Non c'è nessuno nei paraggi; l'uomo e la ragazzina sono andati via. È ora di tornare a casa.

Quando entro carica di buste, trovo un albero di Natale nell'ingresso, i rami intessuti di tralci argentati di edera. La base poggia in un secchio, puntellata con ciottoli della spiaggia. Sul davanzale vicino, candele accese in piccoli supporti di vetro. Sophie deve aver comprato la vernice spray color argento, le candele e i contenitori.

Ed ha lasciato un biglietto sul tavolo della cucina:

Un tipo di nome Dan ha lasciato l'albero. Soph l'ha decorato. Siamo andati al pub.
E e S

Il tremolio delle candele ruba tenui bagliori all'argento dell'edera. Sono ancora qui, a respirare il profumo dell'abete di Natale, quando una macchina sportiva sfila silenziosamente davanti alla finestra lungo la strada innevata e gira nel piccolo cortile davanti al cottage. Lo sportello anteriore si apre e Theo è lì, più alto, più robusto, abbronzato. Vorrei piangere di sollievo. Quando si china ad abbracciarmi, ha un odore diverso, qualcosa di aspro e costoso. Il suo calore scioglie un po' della pena del mattino. Si fa da parte.

«Mamma, lui è Sam».

Sam sembra più grande di Theo di diversi anni, più alto, più asciutto. Ha un'aria diversa dalla foto; forse è la barba. Gli occhi castani dietro le lenti sono attenti.

«Salve, Sam».

Ci scambiamo un abbraccio imbarazzato. Due baci, uno per ogni guancia, mi colgono impreparata. Mi porge un mazzo di fiori con un impeccabile inchino. Theo chiacchiera del viaggio, della sua recente mostra, dell'impressione di essere qui al cottage. Mi tengo vicina a lui, ascoltando più la sua voce che le sue parole, poi riprendo il controllo di me.

«Sarete affamati».

Un momento di esitazione.

«Non proprio», dice Theo dandomi una rapida stretta. «Non ti arrabbiare. Ci siamo fermati a pranzare al Beach Hut».

«Ma eravate talmente vicini a casa».

«Non volevamo incomodarla», risponde prontamente Sam.

Ha dovuto farsi coraggio prima di incontrarmi? Vuole dare prova del suo potere, del fatto che può tenere Theo lontano da noi per tutto il tempo che vuole? La mia mente passa in fugace rassegna queste eventualità.

«Bene, ora siete qui ed è magnifico. Dovete essere stanchi».

«Voglio far vedere la casa a Sam. Quale stanza?»

«Ed e Sophie sono nella sua vecchia camera, ma la tua è piccola; prendete quella mia e di papà».

«Non dire sciocchezze. La mia andrà benissimo. Non occupo molto spazio».

Sento lo sguardo di Sam su di me, pronto a valutare la mia reazione.

«Per me va bene».

«Grazie, mamma. Dov'è Ed?»

«È andato al pub con Sophie».

«Sophie. Accidenti, quanti cambiamenti».

«In meglio», commenta Sam.

Appare Bertie, svegliato dalle voci, e corre da Theo, scodinzolando a più non posso.

«Questo è Bertie?». Sam sembra sorpreso. «È più vecchio di quanto pensassi».

«Bertie!». Theo si inginocchia ad abbracciare il cane. Poi alza lo sguardo su Sam. «Non è vecchio, come osi?».

Eccome, se è vecchio. Anche Theo se n'è accorto.

«Quando arriva papà?».

Tiro fuori il cellulare dalla tasca, controllo il display. Ancora nessun SMS da Ted.

«Domani».

Vanno a disfare i bagagli e dopo prendono Bertie e partono in cerca di Ed e Sophie. Mi metto il grembiule blu; c'è il pesce da affettare e cuocere al vapore, in attesa nel frigo insieme ai lucidi gusci grigi dei gamberi. Comincio a tritare sedano, aglio e cipolle, poi accendo la radio per ascoltare i canti di Natale. La musica familiare mi riempie la mente e il senso di colpa e di rimpianto si attenuano un poco.

Qualcuno bussa alla porta. Mi sciacquo in fretta le mani e vado ad aprire, gli occhi lacrimosi per via delle cipolle. Deve essere Ted, avrà perso la chiave. Mi sento lo stomaco in subbuglio all'idea di rivederlo, e allo stesso tempo mi secca presentarmi con gli occhi rossi e le mani che puzzano di cipolla. Me le asciugo sul grembiule e giro la maniglia.

Per un momento non vedo nulla nel buio, poi Dan avanza nel semicerchio di luce. Il viso sembra più scarno del solito, scultoreo all'ombra del cappuccio. Gli occhi appaiono infossati in due cavità oscure. Senza riflettere, lo accolgo con un bacio. Noto un vago rossore sulle sue guance.

«Grazie per l'albero. È incantevole». Cerco di coprire il suo imbarazzo con le mie parole. «L'ha decorato Sophie… È l'amica di Ed. Sono arrivati ieri».

«Perché piange?», mi chiede di colpo.

«Non sto piangendo. Sono le cipolle. Sto preparando la cena. Entra. Fermati con noi».

«No, io… grazie per il disegno».

Mi guarda attentamente, poi si gira e se ne va. Spalle curve, triste e arrabbiato allo stesso tempo. Sta fuggendo dal Natale in famiglia ed è venuto in cerca di qualcosa. Sento di averlo deluso.

Rimescolo le cipolle, aggiungo il pesce e un dado da brodo, zafferano, vino. Il cellulare vibra nella tasca: un SMS. Mi lavo le mani e lo tiro fuori.

Impossibilitato a venire per Natale. Spero per Capodanno. T

Nessuna parola di rammarico o di affetto. Nessun messaggio per Ed o Theo. Avevo promesso a me stessa che non gli avrei più permesso di cogliermi impreparata a un nuovo dolore. Impossibilitato a venire per Natale. Perché non dare spiegazioni? Il volo è stato cancellato?

Poso il cellulare senza rispondere. Ho passato l'ultimo anno a convincermi che quel che fa Ted non ha importanza e ormai pensavo che fosse vero.

Bristol 2009. Sei giorni dopo

Il problema non era l'infedeltà di Ted. L'avremmo affrontata in seguito, quando avremmo avuto il tempo. Allora non mi avrebbe più ferita. Mi dissi che ero brava in questo, a stabilire sempre un ordine di priorità.

Ted chiamò dalla stazione di polizia in tarda mattinata.

«Glielo ho detto», disse concisamente. «Non è stato così complicato, dopotutto».

Forse aveva trovato dei complici alla stazione di polizia. L'infedeltà è una faccenda da uomini, si saranno detti; probabilmente l'avranno considerata del tutto irrilevante.

Quando Ted ricomparve in cucina aveva un aspetto migliore. Notai anche un barlume di autocompiacimento, come un ragazzino che ha compiuto una marachella e scopre che potrebbe passarla liscia. In un'altra vita avrei potuto fargli pesare la scusa da lui usata, e più volte ripetuta, di essere stato in ospedale la sera in cui Naomi era scomparsa, ma sentivo che eravamo già più distanti di quanto pensavo che fossimo, e sarebbe stato inutile. Tuttavia, ero curiosa.

«Come mai ti hanno creduto?»

«Hanno chiesto a Beth di venire e…».

«E?»

«Hanno chiamato il ristorante dove volevamo cenare. Si sono ricordati di averci detto che erano chiusi».

Noi. Averci. Rimasi lì ad ascoltare l'eco delle parole di Ted, davanti al suo sguardo silenzioso. Non potevo permettere che questa faccenda avesse importanza. Non avrei permesso che fosse d'intralcio.

«Ho fatto una lista delle cose da fare», tagliai corto.

Ted distolse lo sguardo. «È stato irrilevante, Jenny. Ero stanco e avevo bevuto. Una stupida distrazione. Non potrebbe avere meno importanza di così».

Una distrazione. Non un tradimento o una bugia. Dopo venti anni insieme poteva avere importanza a più livelli, ma se avessi abbandonato la mia posizione in quel momento sarei stata risucchiata in un abisso di recriminazioni.

174

«Non voglio parlarne adesso», dissi.

«Non possiamo fingere semplicemente che non sia successo». Era sconcertato.

«È esattamente ciò che intendo fare per il momento. Quando troveremo Naomi, affronteremo il discorso».

«Non ti importa che ti sia stato infedele?». Sembrava incredulo.

«Che cosa vuoi, Ted? Una scenata?»

«Be', sarebbe un modo naturale di...». Non sapeva come finire la frase.

«Non ci penso proprio. Non c'è tempo».

Qualcosa gli balenò negli occhi. Delusione? Trionfo? Si strinse nelle spalle e aggiunse in fretta: «Hai ragione. Stiamo perdendo tempo. Cosa c'è all'ordine del giorno?»

«La signorina Wenham».

«La signorina Wenham?»

«La preside. Abbiamo un appuntamento a mezzogiorno».

«Maledizione. Ho spostato l'orario di ricevimento a mezzogiorno perché dovevo andare alla stazione di polizia». Fece una smorfia dispiaciuta e allargò le braccia. Impotente.

Lascia stare. Puoi farcela.

«Non c'è bisogno che ci andiamo tutti e due», dissi. «Voglio vedere se qualcuno a scuola si è ricordato di altro dopo aver parlato con la polizia; ho fatto cinquecento fotocopie della sua foto scolastica, con informazioni sul posto dove è stata vista l'ultima volta».

«Pensavo se ne fosse occupata la polizia». Aggrottò la fronte come se gli fosse sfuggito qualcosa. «Ce n'è una sul palo del lampione all'esterno; la scuola ne avrà copie in quantità, naturalmente».

«Non sono per questa zona», replicai. «Ho intenzione di andare in ogni angolo di Bristol – locali notturni, pub, stazione ferroviaria, stazione degli autobus. Ovunque ci sia posto, ne affiggerò una». Mentre parlavo giravo nella stanza, raccogliendo il fascio di foto, l'adesivo riutilizzabile Bostik, puntine da disegno, martello, chiodi.

«Potrei aiutarti questa sera; forse riesco a liberarmi nel tardo pomeriggio».

Mi riuscì difficile guardarlo negli occhi.

«Verrà Michael con me».

«Cosa pensi che dovremmo dire ai ragazzi?»

«Niente».

Parve sollevato. «Davvero?»

«Hanno già abbastanza di cui preoccuparsi. L'hai detto tu stesso; non è successo niente di importante».

Ted uscì e io mi feci il bagno. Mentre ero immersa nell'acqua, il corpo alleviato dal calore, immagini insopportabili cominciarono a intrufolarsi nella mia mente. Naomi sporca e desiderosa del conforto di un bagno caldo, il corpo straziato e incrostato di fango o, peggio, coperto di fango. Terra in bocca e nelle orecchie. Se era morta, aveva gli occhi aperti? La bocca? Uscii in fretta dalla vasca e cominciai a strofinarmi energicamente con l'asciugamano. Pensa ad altro, una cosa qualsiasi. Qualcosa che dia speranza. I ragazzi se la stanno cavando. Jade migliora. Sopravvivi, dissi alla faccia pallida riflessa nello specchio. Pensa al viso sorridente di Naomi dopo lo spettacolo, quando Ted l'ha abbracciata. Non era possibile che non l'avrei rivista. «Sopravvivi fino ad allora», sussurrai, non sapendo se lo stessi dicendo a Naomi o a me stessa.

Non mi preoccupai di infilare il cappotto, nonostante fosse una giornata fredda e grigia di fine novembre. Fuori dalla porta, un uomo sui quaranta dall'aria stanca si staccò dal muretto del giardino, taccuino alla mano, con un'espressione di compassato cordoglio sul volto grassoccio. Cominciò a scattare foto, anche se era evidente che non avrei risposto alle sue domande. Girai la testa dall'altra parte e mi avviai in fretta lungo la strada; per un po' lo sentii ansimare alle mie spalle mentre cercava di tenere il passo. La scuola era a soli cinque minuti a piedi. Un tragitto che Naomi aveva percorso centinaia di volte. L'avevano tenuta d'occhio nelle ultime settimane? Anche se stava iniziando una nuova relazione, c'era qualcun altro che la seguiva, registrando gli orari in cui andava e veniva e quando era probabile che fosse da sola?

La signorina Wenham, una donna corpulenta sulla cinquantina, era nel suo ufficio. Si alzò per accogliermi. Aveva sempre lo stesso aspetto: giorno della premiazione annuale degli studenti migliori o giorno dedicato alle gare di atletica, i capelli grigio ferro erano sempre perfettamente in piega. Mi strinse la mano.

«Dottoressa Malcolm, sono costernata. Un momento di grande angoscia. Come scuola, stiamo facendo tutto il possibile per collaborare nelle indagini». Mentre ci sedevamo, il suo sguardo scrutò il mio viso. Non in modo sgarbato, solo curioso.

«Grazie. Ho voluto incontrarla nel caso a qualcuno del personale fosse venuto in mente qualcosa, o forse…», capii subito che non aveva nulla di nuovo da dirmi, e provai una stanchezza talmente schiacciante che quasi non riuscii a finire la frase, «…forse uno dei ragazzi potrebbe sapere qualcosa e averlo detto a lei dopo che è venuta la polizia, o…». Inutile continuare.

Lei scosse la testa. «La polizia è stata qui tre volte». Aggiunse: «Tuttavia la signora Andrews, la docente di riferimento di Naomi, voleva parlare con lei».

Fece un cenno in direzione di una sedia. Una donna giovane, pallida, che non avevo notato fino a quel momento, si alzò e venne verso di me.

«Salve, dottoressa Malcolm. Sono Sally Andrews».

Una ciocca di capelli sfuggita dal fermaglio le era scivolata davanti agli occhi. Mi strinse a malapena la mano e sorrise con evidente disagio. «Mi spiace molto per… per quel che è successo». Arrossì. «Ci ho pensato su, da quando è venuta la polizia. Ci hanno detto di riferire qualsiasi cosa fuori dell'ordinario ci avesse colpito. Ieri sera mi è venuto in mente. C'era stato qualcosa di diverso nel comportamento di Naomi». Sedette sul divano accanto a me.

«Cosa intende per "diverso"?», le domandai, più bruscamente di quanto volessi.

«Da circa due mesi era un po' trasognata. In effetti, ho pensato che fosse giù di tono. Ma mi ha detto che si sentiva bene».

Rimasi in silenzio. Pur non rendendosene conto, Sally Andrews aveva notato la sua gravidanza. Per me, niente di nuovo.

Aveva continuato a parlare: «In realtà non ero preoccupata per la sua aria trasognata, ma all'epoca mi sembrò strano che mi avesse chiesto qualcosa circa il lasciare la scuola». Deglutì a fatica. «Voleva sapere se avrebbe potuto tornare e finire gli esami nel caso avesse lasciato la scuola prima».

«Prima?»

«Pensai che intendesse dire dopo il GCSE. Forse a quel punto avrebbe voluto concedersi una pausa. Alcune ragazze lo fanno, e tornano in seguito per l'A-level. Ma ieri sera, mentre facevo il bagno, ho sentito che parlavano di Naomi alla radio».

Immaginai il suo corpo esile galleggiare nella vasca, i capelli raccolti in una cuffia da bagno, mentre suo marito ciabattava per casa.

«Mi è venuto in mente che era come se avesse saputo che avrebbe lasciato la scuola prima del GCSE dell'estate prossima. Forse è solo una di quelle strane coincidenze, suppongo, ma quando ho saputo che oggi sarebbe venuta qui a scuola ho pensato di doverglielo dire. Non si sa mai». Smise di parlare; aveva le guance rosse.

Le strinsi la mano, le ringraziai entrambe e uscii dall'ufficio. Tornai a casa quasi di corsa. Forse Naomi aveva pianificato ogni cosa, dopotutto; aveva messo i soldi da parte ogni settimana, aveva calcolato cosa fare riguardo agli esami che avrebbe saltato. Se era andata via volontariamente, questo cambiava tutto. Sarebbe stata bene. Sarebbe tornata.

Quando Michael venne a prendermi, sembrò sorpreso di vedermi in cucina bell'e pronta, truccata e con il rotolo di fotocopie in mano.

«Tutto a posto?».

Annuii e uscimmo insieme. Non ci fu alcun segno di imbarazzo quando mi aprì la portiera della macchina; evidentemente aveva accantonato quel bacio senza problemi. Poteva essere perché lo aveva già fatto altre volte e sapeva come comportarsi se non succedeva niente?

Gli riferii le considerazioni di Sally Andrews. Lo vidi valutare attentamente il significato di quelle parole.

«Naomi era incinta», disse. «Pensava al futuro. Il bambino avrebbe comportato una pausa negli studi e probabilmente saltare il GCSE. È logico che volesse sapere se poteva sostenere gli esami in seguito».

La speranza che avevo provato poco prima cominciò a spegnersi.

«Non mi sembra il tipo di ragazza che causerebbe tanta sofferenza ai suoi genitori. Se aveva pianificato tutto, ve lo avrebbe detto». Mi lanciò un'occhiata. «Mi spiace, Jenny».

Ce lo avrebbe detto? Le strade scorrevano fuori dal finestrino, piene di persone che non erano Naomi. Mentre le osservavo camminare lungo i marciapiedi, vive e libere, mi resi conto che non l'avevo appena persa; forse l'avevo persa molto prima che scomparisse e non sapevo più chi fosse.

CAPITOLO 21

Dorset 2010. Tredici mesi dopo

> Poiché un bambino è nato per noi,
> Ci è stato dato un figlio...[4]

Un coro di voci gioiose e mattiniere filtra attraverso la pietra grigia e le vetrate colorate, e si libra sopra le tombe coperte di licheni. Strano come tutti siano così felici che Gesù sia nato quando sanno come finisce la storia. Di certo si rendono conto che se la fanciulla nella stalla avesse saputo della fine che avrebbe fatto il suo bambino, le si sarebbe spezzato il cuore.

La nascita di Naomi con parto cesareo era stata facile se paragonata al tormento fisico di spingere fuori i gemelli; mi era sembrato di averla messa al mondo con l'inganno. L'avevano tirata fuori e me l'avevano data da tenere, bagnata di sangue e caldissima sulla mia pelle. Mi aveva fissato tranquillamente in faccia, gli occhi blu seri, come se mi conoscesse già. Non volevo lasciarla andare, ma l'avevano infagottata subito e Ted l'aveva tenuta nella quiete afosa della sala parto mentre mi mettevano i punti. Sembravano completamente assorti l'uno nell'altra.

Bertie fiuta il muro della chiesa e alza la zampa per lasciare una traccia. Si avvia lentamente lungo la mulattiera con il muso vicino al terreno, e io lo seguo da vicino. Ieri sera avevo troppo sonno per aspettare che i ragazzi rientrassero dal pub, ma nonostante sia andata a letto presto sono ancora stanca. Il sentiero ci porta giù alla spiaggia. In paese si racconta che questa fosse l'antica pista usata dai contrabbandieri. Di notte, dicono, puoi sentire le pietre scricchiolare sotto i loro stivali e il nitrito dei cavalli, un'eco di bestemmie e il rollio dei carri che trasportano botti di rum. Questa mattina si sente solo il lieve *crack* del sottile

---

[4] Tratto dal *Messiah*, oratorio di Georg Friedrich Händel (1685-1759) *(n.d.t.)*.

strato di ghiaccio sotto i nostri piedi. Un maschio di fagiano sbuca dalla siepe lanciando il suo rauco grido di allarme. Le note di Händel si perdono dietro di noi mentre scendo con Bertie lungo la mulattiera.

Sbuchiamo sulla distesa di ciottoli; il mare ribolle di spuma gialla. Non c'è nessuno sulla spiaggia. Mentre il sole si leva nel cielo, punti di luce danzano e scintillano sull'acqua; se socchiudo gli occhi posso immaginare che siano le luci della città, che mi erano parse così vivide e luminose la notte in cui è nata Naomi. Lo psicologo mi disse di "impacchettare" dei ricordi per quando mi fossi sentita abbastanza forte. Adesso lo sono. Ricordo che la vista della città si era spiegata di fronte a me come una tela luccicante. Ero rimasta ad ammirarla dalla finestra dell'ospedale; persino a mezzanotte sfolgorava ancora di luci, magica e misteriosa. Sapevo che le strade pulsavano di traffico e che ci sarebbe stato del vomito sui marciapiedi, ed escrementi di piccione e rifiuti portati dal vento. Ma dal quarto piano del reparto maternità, le strade mi erano parse festose e immacolate. In lontananza, il Clifton Suspension Bridge risplendeva di luci, come candeline di una torta di compleanno in una stanza buia. La sua testolina sembrava di cera contro le mie labbra, i capelli piume bagnate. Mi ero seduta su una sedia vicino alla finestra, sussultando quando i punti di sutura mi avevano tirato la pelle dolorante. Naomi si era agitata e aveva piagnucolato. Avevo avvicinato delicatamente il faccino al capezzolo. Mentre la allattavo, mi ero sentita così unita a lei, come se fosse ancora dentro di me. Ted era andato a casa a dormire. Lo immaginai disteso a pancia in giù, la testa girata verso il mio lato del letto, un braccio sopra il mio cuscino. Di certo stava russando tranquillamente. Ricordo che sorrisi mentre la cullavo tra le braccia, sentendo il suo calore penetrarmi nel cuore.

Ha ripreso a nevicare; è ora di andare a casa. Mi guardo intorno, aspettandomi di trovare Bertie a pochi passi da me. Non c'è. So che è sceso lungo il sentiero fino alla spiaggia. Le onde sono alte e violente. In pochi istanti sono diventate minacciose – dov'è finito? Grido più volte il suo nome, ma il vento mi ruba la voce; corro lungo la spiaggia, incespicando sui ciottoli. Forse si è incamminato verso casa. D'un tratto lo vedo, nascosto dietro una barca. È disteso a terra, trema; un'onda deve averlo preso in pieno. È fradicio. Lo sollevo a fatica, ma lui si divincola dalla mia stretta e ricade in piedi, scodinzolando di gusto.

«Stupido cane». Accosto la guancia al muso bagnato. «Non farlo mai più».

Al cottage sono già tutti in piedi. Il fuoco è acceso. Respiro l'aroma del caffè e della pastella mentre strofino Bertie con un asciugamano. Sam si è messo il mio grembiule, e sul tavolo c'è una macchina per fare cialde con un fiocco rosso sul coperchio.

«Un regalo per lei», dice. «Volevo offrirle un assaggio».

Cialde dorate e croccanti sono impilate su un piatto. Il suo sorriso è smagliante e affabile. La tensione dell'incontro di ieri si è dissolta e solo ora sento di fare la sua conoscenza nel modo giusto.

Ed arriva dal soggiorno ma evita di guardarmi. Probabilmente è stato contento che io sia andata a letto presto; ha evitato un secondo confronto con me. Prende una cialda e la mangia in un boccone. Non mi ero accorta che fosse così magro.

«Allora quando arriva papà?», mi chiede.

«Mi ha mandato un messaggio ieri. Non verrà… dice che è impossibilitato a venire. Problemi con l'aereo, immagino».

«Lo sapevo. Ti avevo detto che era in vacanza».

Si siede. Sam gli dà un buffetto sulla spalla e continua a mescolare la pastella.

«È colpa di quella donna, no?». Finalmente Ed alza gli occhi su di me.

«Quale donna?». Lo guardo, confusa. Pensa che la segretaria di Ted sia responsabile per i voli cancellati?

«Oh, per l'amor del cielo, mamma. Non devi fingere con me. Lo so già».

«Sai cosa?»

«Di Beth, naturalmente. Sono passati a salutarmi proprio prima di partire per il Sud Africa. Scommetto che l'ha deciso lei. Probabilmente vuole prolungare la vacanza, fare un safari o roba simile».

Il nome "Beth" suona così casuale nella voce di Ed. Solo una volta, aveva detto Ted. L'aveva definita una distrazione, e io avevo deciso di credergli. Nella stanza cala il silenzio. Mi accorgo che Sam mi sta guardando. Mi sforzo di mantenere un'espressione calma.

«Preferisce stare con lei. Ovvio», commenta Ed.

«Forse non è come pensi». Mi metto a sedere. «Forse è bloccato da qualche parte».

«Smettila di proteggerlo. Voglio dire, chi se ne frega? Ha davvero importanza?», conclude Ed con una scrollata di spalle.

Si sbaglia. Non sto proteggendo Ted, sto proteggendo me stessa. Pensavo che gli avessero cancellato il volo. Che stupida. Mi guardo intorno nella stanza, cercando dei punti di riferimento. I ragazzi. Michael. Bertie. I miei quadri. Il cottage. Mary e Dan. Theo entra in cucina e mi dà un bacio, poi bacia Sam.

«Non osare baciarmi», dice Ed al fratello, coprendosi la testa con entrambe le mani.

«Tranquillo. Non ho intenzione di toccare la tua testa pidocchiosa». Theo prende una cialda. «Sembrano favolose».

«Papà non verrà», annuncia Ed.

«Cosa?», farfuglia Theo con la bocca piena.

«Se la sta spassando in Africa, con la sua ragazza».

«Ragazza?». Theo smette di masticare. «Quale ragazza?». Si gira verso di me.

«Mamma non ha battuto ciglio», risponde Ed. «Quindi, chi se ne frega?»

«E questo significa», Sam aggiunge altre due cialde alla pila, «più cialde per noi», conclude con una risata.

Grazie a Dio c'è Sam. Lo amo all'istante. Theo mi vede sorridere e accenna anche lui un sorriso; nel silenzio generale arriva Sophie con un pullover rosso e arancio. Guarda nella mia direzione, scruta il mio volto per vedere come sto.

«Buon Natale», dice.

Sam fa strada nel soggiorno, dove si ferma davanti al fuoco scoppiettante e apre una delle bottiglie di champagne che ha portato; il tappo colpisce il soffitto e il liquido spumante gli bagna la manica mentre lo versa nei bicchieri. Il primo lo offre a me.

«Al coraggio», brinda. Gli occhi castani sono gentili.

Gli restituisco il sorriso e levo in alto il bicchiere. «Al coraggio».

«Sì, mamma. Devi avere coraggio per ospitarci tutti qui a Natale», dice Theo.

Coraggiosa? Sono loro che mi stanno salvando. Punto lo sguardo fuori dalla finestra. In giardino qualcuno – Theo? Sophie? – ha sparso delle briciole sopra il muretto in fondo. Gli uccelli, simili a piccoli triangoli inclinati verso il basso, stanno banchettando, svolazzano su e giù, si contendono il posto. Un'immagine vivida riaffiora nella mia mente. La nostra luna di miele. Una tenda nel Serengeti. Uccelli che ci volano intorno mentre mangiamo. Si posano sul nostro tavolo, si litigano le briciole. Ted mi tiene fra le braccia. Eravamo sempre abbracciati. Calore, sesso e felicità. È un anno che stanno insieme. Non una distrazione e basta, dopotutto. Stanno festeggiando in Africa.

«Mamma, stiamo aspettando di aprire i regali».

Non ha mai smesso di vederla; non ha fatto che mentire.

«Ed, aspetta mamma».

Mi sono fidata come una stupida. I segnali c'erano stati, ma mi ero rifiutata di vederli e, se chiudo gli occhi, riesco a percepire un vago profumo di lavanda.

«Guarda, mamma».

Apro gli occhi.

Theo e Sam hanno portato dalla macchina un pacco largo e piatto e lo hanno appoggiato contro il muro. Theo va a prendere le forbici nel cassetto in cucina e me le consegna, ma tiene una mano sul pacco.

«Ripensandoci, mamma, forse vorrai aspettare prima di aprirlo».

«Aspettare? Non se ne parla». In questo momento devo concentrarmi su ciò che è importante. Il profumo di lavanda si stempera nell'odore intenso della legna che arde e dell'abete di Natale. Forse sarà una delle foto di New York di Theo, oppure di Sam. Theo e Sam con i grattacieli sullo sfondo.

Comincio a strappare la carta.

«È Naomi, mamma». Theo sembra teso.

Tiro via il resto della carta.

Sono tutte foto di Naomi. Ce n'è una grande al centro, scattata dalla scuola per *West Side Story*. Doveva essere già incinta. La pelle è luminosa. Ci sono almeno un centinaio di altre foto, di forme e dimensioni diverse. Naomi a tre anni sulle spalle di Ted; a cinque anni con la fran-getta storta che si era tagliata da sola; a dieci anni con l'apparecchio per i denti, mentre saluta dai rami del nostro albero; a dodici con un bastone da hockey, dove ride insieme a Nikita.

«Theo…». Non riesco a continuare.

«Mi dispiace, mamma». Sembra costernato.

Sam dice in tono sommesso: «Ti avevo avvertito. Portala via».

Si china per sollevare la cornice pesante.

«Aspetta. È meraviglioso. Non portarla via. Lasciala qui, vicino al muro». Indico il punto. «La appenderò accanto alla poltrona del nonno. Così la vedrò ogni giorno, quando mi siedo qui. Un po' alla volta riuscirò ad abbracciarla con lo sguardo».

«Sono tutte foto che ho trovato quando ho aiutato papà a sgombrare la mansarda». Adesso Theo ha un'aria più felice. «Avrei voluto dartele prima, ma ho pensato che era meglio aspettare. Probabilmente non avrei dovuto dartele nemmeno ora».

«È un regalo bellissimo».

Ed aggiunge altra legna al fuoco. Sam ha insistito per cucinare la cena di Natale. Ha portato pane di granturco dall'America, e da qualche parte ha trovato mirtilli rossi e ripieno. Anche Theo e Sophie spariscono in cucina; non mi permettono di entrare.

«Vogliamo che si riposi». Sophie mi sorride timidamente e chiude la porta.

Ed si è allungato vicino al fuoco, la testa poggiata su un gomito, e legge uno dei suoi nuovi libri. Il corpo è rilassato, come se avesse detto tutto ciò che doveva dire ieri. Osservo i suoi occhi scorrere lungo il testo. Forse un giorno capirà che non è stato facile, e forse è tutto quel che posso sperare.

Una bussata leggera alla porta. Ed si alza e va nell'ingresso. C'è una breve pausa, poi: «Ehi. Il tuo albero è magnifico. Vuoi vederlo?»

«No… io… volevo solo dire che mia nonna ha detto che la legna è finita… potremmo averne un po' in prestito…». La voce di Dan, esitante, speranzosa.

La porta della cucina si apre; da dove sono seduta, vedo Sam uscire

185

fuori e mettere un bicchiere di champagne in mano a Dan. «Non puoi presentarti a Natale senza entrare a bere qualcosa», dice in tono cordiale.

Dan entra, si sfila le scarpe. Mi lancia un'occhiata interrogativa. Sorrido e sollevo il bicchiere. Porta ancora la felpa col cappuccio e i jeans sono leggermente calati sui fianchi. Sembra infreddolito, come se fosse rimasto fuori per un po'.

Dan scompare con Sam in cucina. Poco dopo vedo Theo in giardino che riempie la carriola di legna per Mary, poi la spinge fuori del cancello laterale che dà sul viottolo. Mary capirà che Dan sta fuggendo dal pranzo di famiglia e lo scuserà con gli altri.

Quando ci raduniamo tutti insieme per la cena, in cucina non rimane più spazio. Fra le candele sul tavolo, decorazioni di agrifoglio e tralci di edera. Sophie ha dato da mangiare a Bertie, ora accucciato ai suoi piedi. Sam posa un piatto fumante di fette di tacchino, ripieno e salsa di fronte a Dan, visibilmente imbarazzato.

«Io non…».

Interviene Theo. «Volevamo conoscerti. Mamma ci ha detto come hai usato i rami del vecchio melo. Una volta ho fatto delle foto a mia sorella, e i rami intorno a lei erano come quelli che hai usato per le tue sculture di legno».

Sorella. Mia sorella. Erano mesi che non sentivo queste parole. Danno l'impressione che lei sia ancora qui. Ed mi guarda, un braccio intorno a Sophie, e solleva il bicchiere. Mi guarda. I suoi occhi sono circospetti, ma non come prima.

Bristol 2009. *Otto giorni dopo*

Gli occhi di Ed mi spaventarono.

Quella mattina mi ero svegliata con la consapevolezza che erano passati una settimana e un giorno da quando Naomi era scomparsa. Avremmo dovuto mettere insieme le energie, agire più rapidamente. Invece tutto sembrava andare a rilento. Io ero semplicemente in attesa. Peggio, ero inchiodata, immobilizzata dalla paura.

«Basta». Dissi nel silenzio della camera allontanando il piumone con un calcio. «Basta». Quel girono sarebbe stato diverso.

Ted era già andato al lavoro. Anche Theo era uscito presto. Aveva lasciato un appunto sul tavolo per avvertire che era andato ad assemblare il materiale d'esame per la borsa di studio. Aveva fatto domanda per un corso di fotografia presso la New York Film Academy per l'anno successivo; la borsa di studio poteva risultare decisiva, ma avevo dimenticato che fosse quel giorno. In circostanze normali, gli avrei preparato una buona colazione. Avremmo discusso insieme tempi e tecniche, e gli avrei augurato buona fortuna. Provai un profondo senso di colpa; mi stava sfuggendo tutto di mano. Ed scese in cucina mentre stavo preparando il caffè. Sedette al tavolo. Passandogli accanto, sentii di nuovo quell'odore stantio.

«Oggi è venerdì», dissi, cercando di ricordare la sua routine. «Allenamenti di canottaggio?». Anya mi aveva detto che il suo equipaggiamento era rimasto per giorni sul pavimento del bagno, zuppo d'acqua.

Poggiò le mani contro il tavolo e spinse indietro la sedia con tale violenza e rapidità che dovetti scansarmi. Alzandosi mi guardò, e fu allora che notai la furia nei suoi occhi.

«Non sono un fottuto ragazzino», mi disse prima di sbattere la porta.

Anya entrò senza far rumore. Aveva portato una piccola pianta di ciclamino rosa chiaro. La mise in un vaso sul tavolo e mi fece un cenno col capo. Sapevo che voleva confortarmi. Per un momento la mia attenzione fu catturata dai petali setosi e dai bordi arricciati. I fiori si accompagnavano alla malattia e alla morte, alle tombe, ma questi erano rosa, come quelli che avevo portato al mio matrimonio.

«Grazie, Anya, sono bellissimi».

Sorrise e cominciò a sparecchiare la tavola. Avrei vissuto la presenza di chiunque altro come un'intrusione, ma i suoi gesti attenti e premurosi erano un vero balsamo. Senza di lei, la casa sarebbe precipitata nell'incuria. Ed soffriva come tutti noi. Ma forse per lui era peggio. Per quanto gli ripetessimo che non era stata colpa sua, sapevamo che si sentiva responsabile.

Trovai un cartoncino bianco formato A3 infilato dietro la mia scrivania; Theo ne aveva comprato più del necessario per il suo progetto fotografico nel bosco. Con un pennarello blu, scrissi "Naomi" al centro del foglio e tracciai una serie di cerchi concentrici di dimensione crescente intorno al nome: il primo per la famiglia, il secondo per la scuola. Scrissi il nome di Nikita e lo spuntai perché era stata interrogata dalla polizia. James, altro segno di spunta. Insegnanti: Sally Andrews, signorina Wenham. Spuntate. E gli altri professori? La signora Mears, l'insegnante di teatro che si era dimessa? Avrei dovuto chiedere a Michael.

Tracciai un altro cerchio per le persone che vedeva spesso ma non tutti i giorni. Anya? Il marito di Anya? La guardai mentre spazzava il pavimento. Sentì che la stavo osservando e mi sorrise. Tracciai un punto interrogativo accanto al marito di Anya, per ricordarmi di chiedere a Michael se fosse già stato interrogato dalla polizia.

Anche i vicini rientravano in questo cerchio. La signora Moore della casa di fronte, suo figlio Harold, quella figura indistinta dietro la finestra. Michael doveva aver già controllato, ma misi comunque un punto interrogativo accanto al suo nome.

Cos'altro? Lo spettacolo. Chiunque avesse lavorato nel teatro. Il personale della reception. Michael aveva controllato?

Ci fu un'improvvisa esclamazione di dolore. La scopa cadde sul pavimento.

«Anya, stai bene?»

«Ho sbattuto il piede contro la sua borsa medica. Di solito non è qui. Ha cambiato posto?»

«Mi spiace. Spingila sotto la panca. Qualcuno deve averla spostata per sbaglio».

La borsa medica. Lavoro. Un altro cerchio. Colleghi e pazienti. Se tornassi al lavoro, potrebbe venirmi in mente qualcosa. Frank mi aveva detto di assentarmi per tutto il tempo necessario, ma mi sembrava già troppo lungo. Volevo fare qualcosa. Persino tracciare quel grafico significava fare qualcosa.

Quando Michael passò verso mezzogiorno, gli mostrai il mio lavoro. Mi domandai cosa si provava a entrare in quella casa e se fiutavi il dolore già sulla soglia. Si tolse la giacca e si arrotolò le maniche; aveva braccia robuste. Qualcosa nella calma del suo volto e nella concentrazione dei suoi occhi grigi mi fece pensare ai soldati prima di una battaglia.

Si lasciò sfuggire un fischio di ammirazione. «Un vero schema di indagine professionale. Cosa sono questi punti interrogativi?».

Mentre gli passavo una tazza di caffè, avrei voluto ridere. «L'intera faccenda è un unico, grande punto interrogativo».

Si chinò sul grafico. «Alcune domande hanno avuto risposta, quindi possiamo depennare qualcuno. Come la scuola», disse.

«La signora Mears?»

«Sì. Alibi verificato. Ha referenze e precedenti ineccepibili. Come l'intero corpo docente».

«E il resto del personale?»

«Fatto. Tutto il personale ausiliario, giardinieri, addetti alle pulizie, cuochi e custodi. L'addetta alla reception e il personale del bar presso il teatro della scuola. Sono stati tutti interrogati e i loro alibi verificati».

Si era dato da fare. Era un bene, naturalmente, ma mi demoralizzai; avevo pensato di rendermi utile, di fare qualcosa che ci avrebbe portati più vicino a lei. In realtà mi stavo solo trascinando stancamente nella scia delle indagini.

«Ok. Rimane il mio lavoro», dissi. «Dovremmo approfondire lì?»

«Abbiamo interrogato i tuoi colleghi. Anche loro hanno menzionato Jeff Price, ma era in ospedale con Jade, come avevi detto».

Abbassai la voce. «Il marito di Anya?»

«Interrogato. Alibi verificato. Ci hai dato molte di queste informazioni la prima sera».

Il mio ottimismo cominciò a fare acqua. Cos'era successo alla mia memoria? Tutto quel che riuscivo a ricordare era che chiedevo alla polizia di trovarla. Supplicavo e piangevo.

Tornai a guardare il grafico. «I vicini?»

«Ho finito ieri con la signora Moore», rispose.

«Cosa ha detto Harold?»

«Non c'era». Michael sorseggiò il suo caffè. «La madre mi ha detto di non prendermi il disturbo di tornare. A quanto pare, il figlio non riesce a comunicare bene».

«Non esce mai di casa e sono sicura che è in grado di comunicare. Lo sta proteggendo». Mi figurai quella donna minuta, la schiena contro la porta chiusa della stanza dove aveva nascosto suo figlio. Mi affrettai ad aggiungere: «Guarda sempre fuori dalla finestra; potrebbe aver visto qualcosa…».

«Allora dobbiamo capire se è in grado di dircelo». Michael si alzò. «Vuoi venire?», mi chiese. «Potrebbe rivelarsi utile, ma se devo interrogarlo a fondo forse dovrai lasciarci soli».

Presi alcune copie della fotografia di Naomi dalla pila accanto al mio computer. Mentre attraversavamo la strada, Michael si fermò e si avvicinò al furgone bianco parcheggiato vicino alla nostra casa. Aprì lo sportello e parlò in tono adirato, anche se non riuscii a cogliere le singole parole. Non avrebbe dovuto preoccuparsi. Non mi importava dei giornalisti; erano solo una presenza marginale nel terrore allucinante che riempiva ogni momento della mia giornata. Ted non li sopportava.

La signora Moore venne ad aprire la porta dopo qualche minuto. Aveva un grembiule legato stretto intorno alla vita. La sua espressione s'indurì appena ci vide.

«Ho già risposto alle sue domande». Accennò a Michael con fare accusatorio. «Ieri».

«E Harold?». Cercai di mostrarmi gentile. «Potrebbe esserci d'aiuto, signora Moore. Guarda fuori dalla finestra; da lì si vede bene il teatro».

«Adesso sta mangiando».

«Vogliamo solo scambiare due parole», disse tranquillamente Michael. «Non ci vorrà molto».

Entrammo. Uno specchio scintillò nella penombra dell'ingresso. La signora Moore ci guidò in una cucina spaziosa e in perfetto ordine.

Harold non stava mangiando, stava disegnando. Aveva spinto da parte il piatto con un sandwich mangiato per metà. Indossava una camicia a righe a maniche corte, la stoffa tesa sulla schiena curva; le braccia nude erano grassocce e disseminate di nei. Respirava con difficoltà, la lingua fuori mentre si concentrava sul lavoro. Una scatola di matite colorate era poggiata sul tavolo insieme a una pila di disegni. Erano tutti sbavati di pastello a cera blu. Michael prese un disegno e Harold glielo strappò subito di mano.

Mi inginocchiai accanto alla sedia di Harold e gli mostrai una fotocopia.

«Questa è una foto di Naomi, Harold. Tu conosci Naomi».

Visto da vicino, il viso era perfettamente liscio, nessuna ruga d'espressione.

«Sparita».

«Ah». Michael si girò verso la signora Moore.

«L'ha sentito alla TV», disse in tono burbero. «E ieri ha sentito mentre lei ne parlava. Non voglio che sia coinvolto. L'ultima volta che lei è venuto, gli ho detto di restare tranquillo nell'altra stanza. Non sa nulla».

«È vero, Harold?», gli chiese allegramente Michael. «O c'è qualcosa che puoi dirci?».

Harold lo fissò con sguardo assente e cominciò a fare scarabocchi con la matita blu. Mi alzai. Restammo a osservarlo per un lungo momento, restii ad andarcene.

«Bene, se ti ricordi qualcosa, ti prego di informarci», concluse Michael.

Fuori, il furgone bianco non c'era più. Michael sogghignò. Una volta in cucina, annotò qualcosa sul suo taccuino mentre io telefonavo a Frank. Fu un sollievo sentire la segreteria telefonica: significava non dover rispondere a domande del tipo "come stai?". Lasciai un breve messaggio, facendo presente che in pieno inverno l'ambulatorio era sempre affollato di pazienti e avrebbero avuto bisogno di un aiuto. Ero ancora al telefono quando sentii degli energici colpi alla porta. Michael raccolse le sue cose e andò ad aprire.

Era Harold, con un fascio di fogli sotto il braccio.

«Naomi», disse ad alta voce. «Naomi».

La signora Moore arrivò senza fiato dietro al figlio.

«Harold non ha voluto aspettare. Sembra che abbia qualcosa da dirvi, dopotutto».

Harold mise i suoi disegni sul tavolo. Una ventina, pastello a cera blu. In tutti c'era una figura approssimativamente quadrata con un rettangolo che sporgeva da un lato. Indicò la figura.

«Camion», disse.

Michael passò al vaglio la pila di fogli e ne tirò fuori uno dove la figura blu era di fronte a un perimetro quadrato.

«Quello è il teatro», disse la signora Moore. «Dopo che siete andati via ha cominciato con la storia di sua figlia».

Un camion blu fuori del teatro? Frugai disperatamente nella memoria. Avevo visto un camion blu o magari una macchina blu? Mai? Forse ce n'era una, striscata di fango, sul sedile posteriore un cagnolino col naso contro il finestrino semiaperto? Oppure era una grossa Mercedes blu scuro…? Ipotesi che potevano essere entrambe vere, o totalmente campate in aria, evocate dalla suggestione.

Harold aveva in mano un foglio accartocciato e lo stava spingendo sul disegno del camion blu. Il sudore gli imperlava il labbro superiore. Il rasoio aveva mancato qualche ciuffetto di peli vicino all'orecchio destro e un altro nella fessura sul mento. Si stava innervosendo.

«Grazie, Harold», gli disse Michael con calma. «È gentile da parte tua aiutarci a trovare Naomi».

Harold lo fissò. Michael gli tolse delicatamente di mano il foglio accartocciato e lo spiegò sul tavolo. Era la foto di Naomi.

«Grazie», ripeté Michael. «Ci sei stato di grande aiuto. Più di chiunque altro».

Appena furono usciti, mi rivolsi a Michael. «Potrebbe essere importante».

«Forse», replicò. Esaminò di nuovo il disegno. «La forma rettangolare unita al quadrato fa pensare più a un pickup». Quando si girò verso di me, un'ombra di preoccupazione gli oscurò lo sguardo. Sapevo cosa aveva davanti agli occhi: il mio volto esausto, capelli spenti, occhi arrossati. Una nuova magrezza.

«Hai un…».

«Non dirmi che ho un aspetto orribile. Non me ne frega un emerito cazzo». Un'espressione scioccata gli attraversò il viso e io scoppiai a ridere – incredibile, ma scoppiai a ridere. «Se sapessi quanto non mi interessa l'aspetto che ho».

«Ma ai ragazzi sì», disse Michael in tono fermo. «A Ted. Il tuo aspetto riflette la tua stabilità».

Sapevo che era un'osservazione sensata, ma era quasi impossibile pensare al mio aspetto quando la mia mente era piena di Naomi, dell'aspetto che aveva l'ultima volta che l'avevo vista, dell'aspetto che avrebbe potuto avere adesso.

Toccai il braccio di Michael. «Pensi che ci sarà d'aiuto questo pickup blu?»

«Potrebbe», mi rassicurò con un sorriso. «Ci sono molti pickup blu in circolazione, ma è comunque un dettaglio in più. Un altro filo. È così che funziona, sai. Sbrogliamo la matassa, un filo alla volta».

Theo tornò a casa con un'aria afflitta. Pensava di essere andato male all'esame per la borsa di studio in arte. Aveva cambiato idea troppo spesso e aveva finito col fare le cose in modo precipitoso. Cenammo insieme; Ed arrivò subito dopo. Ultimamente rientrava sempre più tardi, spesso si fermava a studiare in biblioteca fino all'ora di chiusura. Non volle niente; aveva mangiato a scuola.

Dopo cena intravidi Theo allungato sul letto, intento a parlare al cellulare; mi sorrise, sembrava sollevato. Ed aveva lasciato la porta della sua stanza aperta; si era buttato a dormire sul letto con tutti i vestiti. Gli sfilai le scarpe e gli misi addosso una coperta. Quando mi girai per uscire, la luce del pianerottolo illuminò delle banconote sul comodino. Mi avvicinai. Una pila ordinata di pezzi da dieci e da venti, forse trecento sterline in tutto. Cosa doveva fare con quei soldi? Da dove venivano? Ted trasferiva la paghetta per i ragazzi dal suo conto online, quindi era improbabile che glieli avesse dati lui. Ed lavorava in segreto da qualche parte? Forse tutte le sere che lo immaginavo a studiare a scuola in realtà stava lavorando in un pub. Perché non ce lo aveva detto? Voleva mettere i soldi da parte per darli a noi, come ammenda per non essere stato lì per Naomi, a teatro? Al pensiero mi si strinse il cuore. Avrei voluto svegliarlo e chiederglielo; ma anche nel sonno aveva un'aria esausta. Avrei dovuto aspettare fino al mattino. Uscii in punta di piedi e chiusi la porta.

CAPITOLO 22

Dorset 2010. Tredici mesi dopo

L'aria nel capanno sa di chiuso dopo Natale. Escrementi di topo sono sparsi sul foglio di carta che ho lasciato sul tavolo, e nei pastelli sono impressi i segni di minuscoli denti. Sotto le suole scricchiola la sabbia che il vento ha soffiato attraverso la fessura della porta. Richiudo il battente di legno e rientro nel cottage.

Al mattino, quando la luce è ancora grigia, mi aggiro per la casa in questi giorni anonimi fra Natale e Capodanno. Anche a occhi chiusi, so dire esattamente dove mi trovo. L'aria ha una consistenza diversa intorno alla poltrona blu, al legno liscio della scrivania, alla pila di libri. Toccare gli arredi familiari è come toccare la mia pelle. Guardo le foto della composizione di Theo una alla volta. Oggi è il turno della piccola nella carrozzina, gli occhi seri, assorti nei disegni che i fiori del ciliegio creano sullo sfondo del cielo. L'immagine ha catturato una manina aperta come una stella di mare, che cerca di toccare l'ombra delle foglie all'interno della carrozzina.

Mi mancano i ragazzi, e Michael. Con discrezione, ha preso accordi per sostituire un collega al lavoro in previsione dell'arrivo di Ted per Natale, anche se è al corrente della nostra separazione. Mi chiama ogni sera, mai di giorno; tiene ancora nascosta la nostra relazione ai colleghi. Non so cosa accadrebbe se lo sapessero. Mi manca, il suo corpo manca al mio. Inaspettatamente, mi scopro a desiderarlo. Nei miei momenti di tristezza e diffidenza, mi chiedo se ne sia consapevole, se voglia ottenere una sorta di potere su di me con la sua assenza. Sta forse giocando? Ha superato una linea di confine per fare l'amore: questo dovrebbe rassicurarmi in qualche modo circa le sue intenzioni?

Ed è tornato all'unità. Ha intenzione di restarci per qualche altro

194

mese, ma non ha parlato di piani precisi. E non mi ha più parlato dei suoi pensieri ed emozioni, ma Sophie mi ha abbracciata prima di partire. Le parole di Ed mi echeggiano ancora nella testa e non faccio che rimuginarci sopra, finché sento che finirò per impazzire: ho barattato la vita di Naomi con la mia? Adesso che ho tutto lo spazio e tutto il tempo che ho sempre desiderato, cederei ogni cosa in cambio di un secondo della sua vita.

Chiama Theo. «È fantastico essere tornato a casa». Assurdo provare una fitta di dolore. «Credo che potrei vivere qui per sempre». In sottofondo, sento un tintinnio di bottiglie e la voce di Sam che canta la *Carmen*. Un tempo la relazione di Theo con Sam ci avrebbe richiesto tempo per elaborarla, comportando una deviazione dalla traiettoria lineare delle nostre vite e da ciò che davamo per scontato. Invece ora ha trovato facilmente una sua collocazione.

Dopo la telefonata di Theo, torno nel capanno. Svuoto la scatola dei colori a olio sul tavolo, formando una piramide di tubetti malconci: blu oltremare francese, rosso indiano, giallo di Napoli, un'intera geografia di colori. Theo ha detto "per sempre": è fin lì che spazia il tuo sguardo prima che la vita ti ferisca – eppure Theo è stato ferito. No, è ancora oltre; è fin dove arriva la tua immaginazione, prolungandosi verso tutti i luoghi e tutte le persone che pensi ci saranno sempre. Ma niente dura. Non i luoghi, non le persone, non l'amore, nemmeno gli anni fugaci dell'infanzia. La perdita, invece, dura. Comincio a tracciare spesse linee rette con il carboncino di Sophie. All'inizio non sapevo se sarei mai riuscita a gestire le ore, poi i giorni, le settimane, i mesi di quel "per sempre", dove la nebbia fitta della sua assenza non accennava mai a diradarsi. Mentre disegno, delle particelle nere si staccano dal bastoncino; le soffio via. I ragazzi non parlano molto di Naomi. Lo spazio dietro di loro è pieno di lei, ma le loro vite sono andate oltre la sua. La mia no. Ho resistito, tutto qui.

Traccio delle barre orizzontali a intersecare le linee verticali in modo da formare una griglia, pensando ai colori da inserire fra le righe, luminosi, delimitati dal nero ma non macchiati da esso; questi spazi rappresenteranno le vite dei ragazzi. Cammino in cerchi stretti dentro il capanno, cercando di visionare il colore adatto, una nota chiara che racchiuda in sé note più scure. È difficile pensare a un pigmento che contenga luce e ombra allo stesso tempo, forse un rosso vermiglio acceso. Mi servono altri colori. Immagino la nota intensa di una sabbia del deserto che sia stata mondata dal vento e dal sole. Poi ricordo i capolavori bizantini dipinti nelle grotte di Göreme, in Cappadocia. Gli affreschi sulle pareti di tufo sembrano illuminati in controluce anche negli antri più profondi. Possedevano una luminosità ricca e piena di speranza, ma anche tetra. Faccio esperimenti con pennellate di colore a olio sul mio cavalletto. Giallo di cadmio, cadmio chiaro? Manca un tocco di qualcosa. Bianco? Rosso? Arancio? Poso il pennello in attesa dell'ispirazione giusta. Il sole al tramonto o il tuorlo di un uovo, forse.

Faccio per uscire e urto con le dita un piccolo fascio di legna da ardere poggiato sulla panca. Devo essermi fermata a guardare un quadro mentre andavo a preparare il fuoco, e l'avrò dimenticato qui. Sfilo un lungo ramoscello dal legaccio e lo rigiro fra le dita. Il legno è grigio bruno, con piccole protuberanze dove l'anno scorso si erano formate le gemme delle foglie, la corteccia è finemente butterata e appena spellata in certi punti, l'estremità divelta è spaccata e sfilacciata come se fosse stata mordicchiata, con le punte aperte e allargate come minuscole dita. Traccio uno schizzo approssimativo del ramoscello, poi un altro, più preciso, più grande, poi ancora più grande. Sagome e figure, in attesa di essere trasformate in qualcos'altro; l'idea di un grande dipinto comincia a prendere forma, un ciclo di vita. Un trittico. Un'insolita eccitazione comincia a crescere, talmente lieve e distante che ho paura di spegnerla se mi fermo a pensarci; mi concentro sulle minuscole gemme, uniformi, appena abbozzate.

Dopo un'ora le mani cominciano a tremare per il freddo e devo smettere di disegnare. Il tempo di rientrare nel cottage e l'eccitazione è svanita. Nelle stanze vuote, l'oscurità si addensa intorno a me, il peso familiare della tristezza talmente gravoso che non riesco a muovermi. Quando il campanello suona, arrivo a stento alla porta. Sui gradini c'è Dan, occhi seri, curvo dentro il suo giaccone.

«Non stare lì», faccio un passo fuori e gli tocco la manica, «entra. Speravo che passasse qualcuno, ed eccoti qui».

Mi passa accanto, lo sguardo basso, improvvisamente timido.

«È bello vederti», gli dico prendendogli il giaccone. «È stato fin troppo tranquillo qui, dopo Natale».

«Sta bene?». Gli occhi verdi punteggiati di marrone scrutano il mio viso.

«Sì, certo». Il mio sorriso si spegne sotto il suo sguardo attento. «Be', forse "bene" non è la parola giusta…».

Presumo che abbia saputo di Naomi da Mary, anche se io non gliene ho mai parlato. Sembra aspettare qualcosa di più e la mia determinazione viene meno: «Forse è questo periodo dell'anno, ma è il secondo Natale senza mia figlia, ed è come se si stesse allontanando sempre di più. Mi domando come sarà il terzo e poi il quarto…».

Arrossisce. «Posso restare, se vuole… Vuole che resti?»

«Hai cenato?»

«Be', no, ma…».

«Allora resta. Curry di tacchino? Puoi staccare la carne dall'osso, se vuoi renderti utile».

Entra, si siede al tavolo. Gli do un bicchiere di vino. Si toglie il pullover e si arrotola le maniche mentre io tiro fuori la grossa carcassa dal frigo. Nonostante sia inverno, le braccia mostrano tutto il sole che ha preso lavorando nel giardino di Mary.

«Bella abbronzatura». Frugando nella credenza in cerca di spezie e salsa al curry, noto un leggero rossore diffondersi sulle sue guance; anche Ed si imbarazzava facilmente. Devo fare più attenzione. «Come va con le decisioni?».

Scalca con cura, e riccioli di carne cadono sul tagliere. «Penso che andrò via per un po'». Gli lancio un'occhiata sorpresa. «Già». Abbassa lo sguardo. «Ho messo dei soldi da parte. Theo mi ha parlato di questo corso d'arte a New York. Costa meno che qui. Ho fatto domanda per i moduli di scultura».

«È magnifico, Dan. Dove alloggerai?»

«Sam ha detto che posso dormire su un materasso da loro».

«Fantastico. Vai». Gli riempio di nuovo il bicchiere e brindo con lui. «Com'è che ti sei deciso, alla fine?».

Il riso borbotta. Rovescio la polpa di tacchino che Dan ha ricavato nella salsa bollente. In cucina c'è un piacevole tepore e mi sento di nuovo a casa, come se Theo o Ed fossero qui. Mentre mangiamo, Dan mi parla della sua famiglia, della madre che approva i suoi progetti, del padre, sulle prime poco convinto, e ora pronto ad aiutarlo a pagare le tasse scolastiche. Vuole sapere a cosa sto lavorando. Il viso s'illumina quando gli descrivo il disegno a griglia.

«Sembra favoloso, Jenny. Quasi come la scultura». Non aveva mai pronunciato il mio nome prima d'ora; suona strano, anche se non so perché. Riusciva a malapena a chiamarmi signora Malcolm. Si sporge verso di me. «Vorrei scattare qualche foto dei suoi quadri… potrebbero essermi d'ispirazione».

Non li ho fatti vedere a nessuno.

«Forse», rispondo in tono evasivo. Un'ombra di delusione gli oscura il viso, così mi affretto ad aggiungere: «Nessuno li ha visti, alcuni non sono niente di speciale».

D'un tratto sono stanca. È tardi. Apro la porta a Bertie per il suo giretto in giardino, mentre Dan si alza da tavola e si stiracchia.

«Lavo i piatti».

«Grazie, ma lo faccio sempre al mattino». Vado a prendere il suo giaccone e, porgendoglielo, provo un moto di tenerezza. «Torna prima di partire, Dan. Troverò qualcosa da farti fotografare».

Sulla soglia, si volta indietro. «Voglio fare delle foto anche a lei. Al suo viso».

Il mio viso? Mi sento confusa e sorpresa. Poi mi metto a ridere. «Non a me, Dan. Mary ha un viso bellissimo. Fai qualche foto alle ragazze carine in paese».

«Ne ho già scattate tantissime a Mary e non mi interessano volti di ragazze». Mi guarda quasi con rabbia. «Anche lei è carina. Bella, direi».

«Sciocchezze, Dan». Rido ancora, ma è una risata forzata.

Allungandomi per aprirgli la porta, sussulto quando sento le sue dita sfiorarmi la guancia; poi si gira ed è sparito.

Chiudo la porta e mi appoggio contro il battente. Non avevo messo in conto una cosa del genere, oppure sì? Comincio a sistemare la cucina, butto gli avanzi, sciacquo i piatti, strofino via i residui di cibo dalle pentole. Sono irritata con me stessa. Come ho potuto permettere che accadesse? Dan è persino più giovane dei miei figli, eppure stasera mi sono lasciata consolare dalle sue attenzioni – no, mi hanno fatto piacere. Sono stata avventata; meglio che non lo veda per un po'. Mi sono allontanata più di quanto avessi immaginato dalla mia vecchia vita, dalla persona che ero, la donna perbene, felice, impegnata. Mi avvio lentamente su per le scale. Arriva l'sms di Michael a darmi la buonanotte. Di solito rispondo subito, ma stasera mi siedo sul bordo del letto, il telefono tra dita indolenti, lo sguardo fisso nell'oscurità oltre la finestra. Se torno indietro al punto in cui io e Ted siamo partiti, mi accorgo che ho viaggiato molto, molto più lontano.

Riandare col pensiero a quei tempi è come guardare un film con attori che recitano la nostra parte. Mi vedo nel caldo della biblioteca. Ricordo l'abito corto a fiori che indossavo e i capelli raccolti alla bell'e meglio; ero assorbita nella lettura di un volume di dermatologia, ignara di tutto il resto. Ero approdata all'università dopo un anno sabbatico che mi ero concessa alla fine della scuola superiore di indirizzo classico, e avevo preso medicina molto seriamente, convinta che diventare un medico fosse tutto ciò che desideravo. Edward Malcolm era del mio anno, ma frequentava un altro gruppo. Aveva una macchina quando nessun altro la aveva; giocava a cricket nella squadra dell'università. Tutto di lui mi dava sui nervi, soprattutto il suo bell'aspetto e la sua eleganza. Dubito che le nostre strade si sarebbero mai incrociate se non fossimo stati entrambi così ambiziosi, e se quel pomeriggio la biblioteca non fosse stata così afosa e affollata. Estate del 1985. Avevo buttato giù la prima stesura di un saggio con il quale intendevo concorrere a un premio di diverse migliaia di sterline. Ero contenta di avere un vantaggio su Ted Malcolm; anche lui mirava sempre a qualsiasi premio, ma non aveva bisogno di denaro quanto me. Il caldo nella biblioteca era soffocante. Mi caricai le braccia di libri da portarmi a casa e mi imbattei in Ted mentre uscivo dalla sala. Con noncuranza, sfilò il primo libro dalla pila. Lottai scherzosamente per riprendermi il volume, ridendo e provando allo stesso tempo una sorta di irritazione. Me lo restituì solo quando gli promisi di uscire con lui. Fu allora che cominciò.

Mi spoglio e mi infilo sotto il piumone. Non era un film, comunque; i film romantici hanno sempre un lieto fine. Nella vita reale solo l'inizio è felice e nulla finisce bene. D'altra parte, nulla finisce davvero.

CAPITOLO 23

Dorset 2010. Tredici mesi dopo

Il 30 dicembre, stanca di sentire la mancanza di Michael, mi organizzo in modo da non lasciare vuoti nella giornata nei quali potrei "cadere": una passeggiata a Golden Cap. Da questo punto elevato, il complesso collinare della Jurassic Coast si allarga su entrambi i lati. D'estate c'è il caldo profumo vanigliato del ginestrone, ma in questo periodo dell'anno l'aria sarà fresca e salmastra. Posso andare in cerca di colori, anche se prevedo che dovrò aspettare la stagione più calda. Potrei sempre raccogliere quel che devo tratteggiare per il grande disegno sul cambiamento che ho in mente. Mi servono foglie, ramoscelli, piccole gemme.

Bertie e io ci mettiamo in cammino alle sette. Il paese è ancora tranquillo, qualche luce qui e là, finestre illuminate di camere da letto, dove una coppia si è appena svegliata sciogliendosi dall'abbraccio. Tazze di tè passate di mano in mano e poggiate sui comodini. Il profumo della notte indugia ancora nelle ombre brumose fra i cottage. Cammino con passo leggero per non svegliare chi è ancora immerso nel sonno. Nel silenzio, distante e poi più vicino, il rumore di passi dietro l'angolo della stradina. Passi stanchi e irregolari. Forse un fattore che torna per la colazione dopo aver munto le vacche, oppure un pescatore che anela al suo letto dopo aver scaricato a riva la prima pesca della giornata.

Un uomo alto gira l'angolo; una figura curva, indistinta nell'oscurità. Mi ci vuole qualche secondo per riconoscere Ted. La camminata è diversa, lenta e leggermente esitante, non la falcata decisa che conoscevo. Sembra esausto, come se fosse arrivato alla fine di un lungo viaggio.

Mi ero dimenticata del suo SMS e la sorpresa della sua presenza mi dà un senso di malessere. Se mi fermo a lato della strada, potrebbe passare oltre senza notarmi. Troverebbe il cottage buio e chiuso a chiave e forse ripartirebbe. Mi appoggio al muretto di un giardino nella luce incerta del mattino; la pietra è bagnata e ruvida sotto le mie dita. Non mi vedrà, a meno che non guardi fra le ombre, ma potrebbe sentire il battito del mio cuore, che sembra riempire lo spazio che ci separa. È alla mia stessa altezza lungo la strada, sta passando oltre. Trattengo il respiro, ma è Bertie a correre da lui, scodinzolando. Ted si china e capisco che sta pensando quanto somigli a Bertie quel cane; poi, riconoscendolo, alza di colpo gli occhi e mi vede. Pronuncia il mio nome, c'è gioia nella sua voce. Mentre si avvicina, indietreggio, anche se di poco. Non lo guardo dritto negli occhi; anzi, mi concentro su un punto dietro la sua testa, dove l'edera sta avendo la meglio sulle pietre di un vecchio muro. Mi dice che ha lasciato la macchina nel parcheggio del pub; non voleva passare sotto le finestre dei cottage lungo quelle stradine strette, altrimenti il rombo del motore avrebbe svegliato tutti. Torniamo verso il cottage; Bertie trotterella in mezzo a noi, senza staccare lo sguardo da Ted.

In cucina, si siede al tavolo senza togliere il cappotto, come un visitatore che non pensa di fermarsi a lungo. Preparo una tazza di caffè e la poso di fronte a lui, poi mi tiro indietro, assimilando la stranezza della sua presenza.

«Perché ti stavi nascondendo?», mi domanda, e anche la voce è lenta ed esitante. Ha delle ombre scure sotto gli occhi. I capelli sono più grigi, più radi. La barba è talmente lunga che forse ha deciso di farsela crescere. «Se non ti avessi vista contro quel muro, mi avresti lasciato passare oltre».

«Non mi stavo nascondendo. Stavo aspettando…». Parole che mi costano un grande sforzo. Preferirei restare in silenzio.

«Aspettando?».

La risposta prende forma, non detta. Sì, aspettando di vedere cosa sarebbe successo, sperando che lui sarebbe passato oltre, ignaro che fossi lì. Per tutte le settimane e i mesi dopo la scomparsa di Naomi, lo avevo aspettato. Era passato oltre già allora, lasciandomi nell'ombra mentre era diretto da qualcun'altra.

«Va bene così, non sei tenuta a rispondere». Ted scrolla le spalle e allarga le mani in segno di resa, ridendo; ha i palmi arrossati di un bevitore. Si accorge che li sto osservando e li nasconde prendendo la tazza fra le mani. Qualche goccia si versa sulla tovaglia, allargandosi in piccoli cerchi.

«Allora, stai bene? Qui, intendo. Naturalmente non mi riferisco…». Si interrompe.

«Sto bene».

«Ti vedo in forma. In ottima forma, a dire il vero». Sembra sorpreso.

«Grazie».

«Intendo dire che sei bella». Socchiude gli occhi, valutando i particolari.

«Grazie». Se sono bella è grazie a Michael, ma non intendo dirglielo, non ancora.

«Come stanno i ragazzi? Li hai visti a Natale, no?». Si muove sulla sedia, come se cercasse una posizione più comoda.

«Stanno bene». Il cuore mi batte ancora forte; non riesco a formulare frasi lunghe, mentre Ted non sembra a corto di parole. D'altronde, non è lui che è stato colto di sorpresa.

«Mi mancano molto. Ho visto Ed, a ogni modo». Sta pensando di andare a trovare Ed con Beth, la porta sempre con sé.

«Cosa mi dici di Theo?», continua.

«Sta bene».

«Avrei dovuto essere qui per Natale. Mi dispiace».

La camicia è sgualcita; forse ci ha dormito. Il cappotto è troppo grande. Un odore di indumenti impregnati di fumo di sigarette riempie la cucina. Qual è la ragione precisa del suo rammarico? Il Natale? Beth? Le bugie?

«Pensi molto a Naomi?», mi chiede all'improvviso, rompendo il silenzio.

Mi giro verso la finestra, incapace di guardarlo in faccia.

Va avanti a parlare, sempre più in fretta.

«Io penso a lei di continuo».

Sbircio il suo viso con la coda dell'occhio. In mezzo alla barba grigia, uno scintillio di lacrime.

«Adesso è la sensazione delle sue mani, quando era piccola. Erano così morbide. Me le posava sulle guance e diceva che la barba pungeva, e fingevamo di fasciarle». Gli cola il naso; il viso impolverato è rigato di lacrime.

Non voglio che si apra così con me. Gli passo un tovagliolo. Si asciuga la faccia e appallottola la carta, che si riapre sul tavolo, lucida di lacrime e muco.

«La cerco ovunque vado». Parla a voce così bassa che devo piegarmi verso di lui per cogliere le parole. «Una volta, a Città del Capo, lungo la strada dall'hotel all'ospedale, mi è sembrato di vederla. Ho seguito quella ragazza dentro il parco perché camminava come Naomi». Mi sorride. «Ricordo quella sorta di passo elastico, come se potesse andare avanti per sempre».

«Solo che non l'ha fatto».

«Non ha fatto cosa?». Sta ancora sorridendo, ma è perplesso.

«Andare avanti per sempre».

«Lo pensi davvero?». Serra il pugno e lo batte leggermente sul tavolo. «Non arrenderti. Non arrenderti mai. Io sono ancora convinto che la troveremo». Si alza. «Ho commesso tanti errori».

«Non voglio sentirne parlare adesso, Ted. È troppo tardi».

Si ferma di fronte a me, dondolando leggermente sulle gambe, come se fosse ubriaco. Ma non puzza d'alcol. Non riesce a tenere gli occhi aperti. Biascica le parole.

«Scusa. Ho solo bisogno di dormire un po'. Sull'aereo non sono riuscito a chiudere occhio. Ho guidato tutta la notte, devo stendermi… Posso restare qui?».

Gli riempio la vasca da bagno e gli indico la piccola stanza per gli ospiti. Osserva le pareti color avorio che Dan ha tinteggiato con cura, le tende a strisce blu e grigie, la grata del camino piena di pigne d'abete verniciate di bianco. Nota il tappeto di cotone grezzo azzurro chiaro, poi il suo sguardo si posa sulla piccola ciotola accanto al letto, colma di vetri colorati trovati sulla spiaggia. Rilassa le spalle. Si toglie il cappotto e lo poggia sulla sedia di vimini vicino alla finestra.

203

«Bello», farfuglia. «Hai fatto qualcosa di notevole. Non so cosa. Ma è bello». Si siede sul letto, poi crolla di lato con un sospiro. Il respiro si fa quasi subito profondo e regolare. Sciolgo i lacci e gli sfilo le scarpe. Riemerge per un istante.

«Resti qui a dormire con me?».

Chiudo la porta e vuoto la vasca da bagno. Poi scendo in cucina e mi libero senza fretta degli strati di maglie e giacconi che avevo indossato in vista della passeggiata. Ormai c'è più luce, ma sento che comincia a piovere. Dopotutto, non saremmo riusciti a vedere granché dalla cima del Golden Cap. Mi slaccio gli scarponi e li tolgo. Presto sento sui piedi il peso della testa di Bertie. Gli piace la sensazione ruvida della lana sotto il muso.

Bristol 2009. *Otto giorni dopo*

Ted era in ritardo, come al solito. La cena era finita da tempo quando arrivò a casa, con gli occhi segnati e i vestiti sgualciti infilati in tutta fretta dopo l'intervento chirurgico. Ero contenta di vederlo. Mi aveva assicurato che l'episodio con Beth era stato un errore e io dovevo credergli. Avevo bisogno di lui. Non avevo energie da impiegare nella rabbia; in ogni caso, quel che Ted aveva fatto cominciò a sbiadire di fronte all'angoscia logorante dell'assenza di Naomi. Si avvicinò ai fornelli per prendere il pasto tenuto in caldo senza dire una parola. La carne si era indurita, le patate asciugate, la verdura era diventata filacciosa. Immaginai la sua giornata e come doveva aver pregustato un pasto caldo mentre guidava verso casa.

«È disgustoso, Ted. Vuoi che ti prepari una omelette?»

«Non sei tenuta a farlo». Prese una bottiglia di vino dalla credenza, la aprì e riempì due bicchieri, poi crollò a sedere con un sospiro.

«Scusa se non ho chiamato», disse mentre sorseggiava il vino. «L'intervento si è prolungato per l'intera giornata. Ho fatto più tardi di quel che pensavo. Dove sono i ragazzi?»

«Theo è in giro da qualche parte. Ed è andato a letto».

«Così presto?»

«Ha bisogno di recuperare il sonno; è sempre stanco. Anya non

204

può nemmeno entrare nella sua stanza a mettere in ordine perché si alza sempre molto tardi. L'ansia lo sta consumando». Cominciai a rompere i gusci delle uova sul bordo di una terrina. «È passato Michael. Harold Moore ci ha detto…».

«Chi diavolo è Harold Moore?». Osservò le uova sbattute scivolare, schiumando, nel burro caldo.

Gli ricordai chi fosse Harold, poi gli dissi del pickup blu.

Ted inclinò la testa. «Credo di aver visto una vettura blu, forse un furgone, parcheggiato fuori del teatro. Una o due volte, mi pare». Scrollò le spalle; evidentemente non pensava che fosse rilevante. «Probabilmente verrà fuori che è un mezzo del teatro o di qualcuno che ci lavora», continuò con poca convinzione. «Avere la sindrome di Down non ti rende molto attendibile».

«Penso che Harold sarebbe un buon testimone. Osserva ogni cosa. Era molto concentrato sul suo disegno».

Ted non replicò. Gli misi davanti l'omelette e cominciò a mangiare in fretta.

«Michael ci sta lavorando». Mi sedetti di fronte a lui. «Intende mettere su una sorta di ricostruzione dei fatti. Sai, una ragazza che lascia il teatro a tarda sera e sale su una vettura blu».

«Era tardi ed era buio, quindi può non portare a niente. Cos'altro?»

«Ted, non potresti rinviare i tuoi impegni del sabato e restare a casa domani? Se pensi che stiamo sbagliando linea d'azione, tu cosa proponi in alternativa?». Feci una pausa, costringendomi a restare calma. «Ho tracciato questa specie di schema sulla carta. Voglio il tuo parere».

Ted spinse da parte il piatto vuoto. «Fammi vedere».

Ci curvammo sul tavolo a studiare i cerchi intorno al suo nome. Famiglia. Scuola. Vicinato. Teatro.

«Devi aggiungere un altro cerchio», osservò con calma. «Nemici. Gente che serba rancore».

«Non hai nemici del genere a quindici anni». Lo guardai incredula.

«Non suoi. Nemici nostri», replicò.

«L'ho pensato anche io, riguardo al padre di Jade, persino al marito di Anya, ma mi sbagliavo. Pensi davvero che qualcuno possa odiarci fino a questo punto?».

L'espressione di Ted si fece pensierosa. «Una volta il mio assistente ha trovato la macchina con le quattro gomme squarciate. Si è chiesto se qualcuno gli serbasse rancore. Chissà cosa facciamo o non facciamo, per errore. I dottori si atteggiano a padreterno».

«Cristo». Qualcosa sembrò cambiare e venir meno nella mia determinazione. Cominciai a piangere.

Ted mi cinse forte con il braccio. Sentii il suo odore familiare, leggermente profumato.

«Mi ricorda l'estate», sussurrai, la testa contro la sua spalla.

«Cosa?». Fece un passo indietro per guardarmi.

«La lavanda». Gli rimasi accanto, riluttante a separarmi da lui. Erano giorni che non ci toccavamo. «Non è una critica. Mi piace». Gli presi la mano.

Si liberò dalla stretta e mi diede un buffetto sulla schiena. «Sono state le infermiere a scegliere il disinfettante per la sala operatoria, così è profumato, probabilmente anche costoso». Tornò a esaminare lo schema.

«A proposito di costi». Ripensai al mazzetto di banconote nella camera di Ed. «Per caso hai dato ai ragazzi una somma in contanti invece di trasferirla dal tuo conto online? Non credo sia una buona idea essere così generoso».

«Sono stato generoso?». Non mi stava ascoltando. Si era girato dall'altra parte, aveva tirato fuori il cellulare.

«Ho visto quel denaro, un mazzetto di banconote. Non dovevi farlo».

«Non so a cosa ti riferisci, Jen. Sono mesi che non do contanti ai ragazzi. Trasferisco i soldi sui loro conti tramite bonifico bancario, ricordi? Lasciami inviare un SMS al mio assistente. Deve trovare le ecografie per la lista di domani».

Ero talmente esausta che i piedi mi pulsavano dolorosamente e gli occhi mi bruciavano. Non avrei dovuto chiedergli di rimanere a casa. Era ovvio che non poteva rinviare una lista di operazioni. Da dove accidenti veniva tutto quel denaro? Ero troppo stanca per continuare a fare congetture su quei soldi. Lo avrei chiesto a Ed l'indomani. Ted andò a letto appena prima di me, ma quando mi infilai sotto le coperte accanto a lui si era già addormentato. Cercai di rannicchiarmi contro il suo corpo, ma era disteso a pancia in giù, la testa girata dall'altra parte. Gli posai il capo sulla spalla. Nonostante lo sfinimento, rimasi sveglia a pensare quali nemici potevo avere, sperando di bloccare le immagini che galleggiavano verso di me quando ero stanca e le onde di assoluta disperazione e paura che mi lambivano ovunque andassi.

Bristol 2009. Nove giorni dopo

Ed stava versando cereali nella tazza della colazione e qualche fiocco traboccò oltre il bordo cadendo sul tavolo della cucina.

«Perché devi sempre entrare nella mia stanza?».

Il tono era gelido.

«Ed, ti sei addormentato con i vestiti addosso. Ti ho solo tolto le scarpe e messo una coperta».

«Non sono un bambino».

«Quei soldi?»

«Non sono affari tuoi, mamma, chiaro?». Ci fu una pausa, poi una scrollata di spalle. «Se proprio lo vuoi sapere, parteciperò a una gara sponsorizzata, una sorta di kermesse sportiva. Sarà lunedì. Ho il denaro in custodia. Per questo faccio spesso tardi. Mi sto allenando».

Aveva senso. La stanchezza, le sere a scuola fino a tardi.

Ted dormiva ancora al piano di sopra; la lista di interventi iniziava più tardi il sabato, così lo lasciai dormire e cominciai a passeggiare nervosamente per la cucina. La paura era sempre peggio al mattino, si insinuava sottilmente sotto pelle. Non riuscivo a stare ferma o a concentrarmi a lungo su niente.

Telefonai a Michael. Mi disse che avevano controllato tutti i frequentatori abituali e gli studenti attori del teatro della scuola. Avevano tutti un alibi.

«Qual è la prossima mossa, Michael?»

«Una possibile ricostruzione della serata di giovedì. Ti farò sapere quando la allestiremo».

Quindi un'altra ragazza avrebbe recitato la parte di mia figlia, un'altra ragazza sarebbe salita a bordo di un furgone blu fuori del teatro tra le 22:30 e le 23:00, ma poi, spenta la cinepresa, sarebbe scesa dalla vettura e tornata a casa. Non volevo essere presente.

Frank mi chiamò in risposta al messaggio che gli avevo lasciato. Acconsentì a farmi riprendere le visite in ambulatorio, se ero sicura di farcela. Il ritmo di lavoro aumentava con l'approssimarsi di dicembre. I soliti raffreddori e mali di stagione. Potevo cominciare il lunedì successivo?

Bristol 2009. *Undici giorni dopo*

Non salivo in macchina da giorni, ma le mie mani sul volante sembravano sapere il fatto loro. La mia stanza presso l'ambulatorio era immacolata. La scrivania era stata messa in ordine. Posai la borsa, tirai fuori lo stetoscopio e l'otoscopio e li allineai accanto al ricettario.

Lynn entrò a darmi un caldo abbraccio.

«Non ho intenzione di essere carina con te. Ti aspetta una giornata di lavoro. Sono nella stanza accanto, se hai bisogno di me». Uscì, passandosi una mano sugli occhi.

Jo mi portò una tazza di tè e mi salutò con un bacio. «Ti abbiamo riservato pazienti facili, così puoi riprendere la mano».

Il primo paziente era un bambino. Magrolino, sei anni, con una frangetta lucida e grandi occhi castani. Sua madre, con un sari blu, sedette in silenzio sulla sedia. Il piccolo mi spiegò cosa c'era che non andava in lui in un inglese perfetto. Aveva piccole chiazze gialle in gola e la testa scottava per la febbre. Gli occhi intensi e fiduciosi del bambino e della madre mi tranquillizzarono. Quando furono andati via, mi resi conto che i pochi minuti della loro presenza avevano lenito la mia pena. Presi una sorsata di tè caldo e zuccherato. Poi fu la volta di una donnina esile, con le spalle curve. La vita era un vuoto grigio. Parlando adagio, mi disse che non riusciva più a guardare la televisione, a mangiare o dormire. Le feci qualche domanda e le prescrissi le analisi del sangue, ma poi mi sedetti e le tenni la mano mentre piangeva, finché per lei non fu ora di andare. Visitai quindici pazienti in tutto. L'ultimo della mattinata fu un giovane muratore con un'infezione a

208

un orecchio. La luce dell'otoscopio era debole: dovevo cambiare le batterie. Aprii la cerniera della borsa medica. Le fiale di morfina e di petidina erano nella parte superiore, conservate al sicuro in appositi scomparti sagomati in gommapiuma, insieme ad antinfiammatori e antiemetici iniettabili. Nell'atto di aprire la borsa, mi dissi che più tardi avrei dovuto controllarne la scadenza. Ma le fiale erano sparite.

Fissai gli spazi vuoti che avrebbero dovuto contenerle. Le avevo già eliminate e me ne ero dimenticata? Di certo mi sarei ricordata la sensazione del vetro liscio fra le dita, il lieve *crac* che avrebbero fatto cadendo nel contenitore per rifiuti taglienti. Aprii di più la borsa, sentendo un campanello d'allarme suonarmi nella testa. C'erano meno farmaci di quanti ricordassi. Le piccole cinghie elastiche laterali trattenevano di solito scatole di medicinali che usavo nelle visite a domicilio. Co-codamol. Temazepam. Spariti anche quelli. Forse mi ero scordata di reintegrare le scorte. Li avevo lasciati a casa di qualche paziente? E se fossero finiti in mano a dei bambini?

Ci misi qualche istante a elaborare l'accaduto. Alla fine trovai le batterie, le inserii nell'otoscopio, esaminai l'orecchio del giovane e scrissi la ricetta, tutto in stato confusionale. Forse i farmaci erano a casa. Forse avevo pulito la borsa e non li avevo rimessi al loro posto, e magari Anya li aveva sistemati nell'armadietto dei medicinali. Decisi di aspettare finché non fossi rientrata a casa. Non volevo dare motivo di preoccupazione a Frank.

Arrivata a casa, andai subito in cucina. Undici giorni prima, tornando dal lavoro, avevo visto mia figlia ballare da sola, felice e incolume. Mi appoggiai contro il muro nel silenzio vuoto della stanza, desiderando solo di buttarmi a terra e piangere come una bambina.

Mi staccai dalla parete. Dovevo essere forte, per lei. Quel giorno ero andata in ambulatorio. Ce l'avevo fatta. Non erano saltati fuori indizi, ma forse prima o poi qualcuno sarebbe entrato da quella porta e mi avrebbe fatto tornare in mente qualcosa che avevo dimenticato. Doveva esserci qualche particolare a cui non avevo pensato. Un velo che dovevo spingere da parte per vedere con maggiore chiarezza. Forse era solo una questione di tempo.

Guardai nell'armadietto dei medicinali ma non trovai nessuno dei farmaci della mia borsa. Cominciai a rovistare dentro gli sportelli del bagno, accanto al mio letto, in cucina. Lasciai le porte aperte mentre correvo da una stanza all'altra. Frugai nella lavanderia, vicino al cibo del cane, sotto il lavello. Niente. Mi rialzai tremando, la mano posata sui panni stirati che aveva lasciato Anya. Una pila ordinata di indumenti accanto a un mucchio di calzini appaiati. Li presi e risalii lentamente le scale. Quel che era successo doveva aver inciso sulla mia capacità di ricordare.

Frank avrebbe capito. Probabilmente avevo buttato i farmaci e gliene avevo chiesti altri, per poi dimenticarmene. Forse li aveva già lì, pronti per me. Cambiai gli asciugamani nel bagno. L'equipaggiamento da canottaggio di Ed era ancora sul pavimento. Anche lui doveva averlo dimenticato. La smemoratezza aveva preso piede nella sua vita come nella mia, ma quello era un giorno importante, c'era la kermesse sportiva di beneficenza. Tirai fuori il cellulare e mi sedetti sul letto per chiamarlo, ma entrò subito in funzione la segreteria telefonica. Doveva essere a lezione. Chiamai la scuola e chiesi di essere messa in comunicazione con il centro sportivo; alla fine mi passarono un allenatore, e io mi offrii di portare l'equipaggiamento di Ed, sapendo che non avrebbe avuto tempo di passare da casa.

«Gara di beneficenza?»

«Questo pomeriggio». Mi stupii che l'allenatore non lo sapesse. «Pensavo di portargli l'occorrente».

«Oh, io non mi preoccuperei, signora Malcolm».

«Di regola non lo faccio». Non mi piaceva il tono divertito della sua voce. «Ma è impegnato su più fronti. È comprensibile che si dimentichi qualcosa».

«Allora deve essersi dimenticato che questo trimestre non facciamo canottaggio. Adesso facciamo corsa campestre, signora Malcolm. Canottaggio sarà al prossimo trimestre». Fece una risatina, come se avesse appena detto una barzelletta.

«Dottoressa, a ogni modo», precisai. «Sono la dottoressa Malcolm, non la signora Malcolm».

«Le chiedo scusa».

Chiusi la comunicazione.

Non lo avevo mai fatto prima d'allora. Forse avevo reagito così perché continuava a usare il mio nome come un rimprovero.

Avevo ancora le mani piene di calzini di Ed. Andai ad aprire il primo cassetto del comò per metterli a posto. Dovevo sbrigarmi, nel caso fosse rientrato. Gli avrebbe dato fastidio trovarmi nella sua camera. Perché aveva mentito riguardo alla kermesse? Cosa faceva tutte le volte che diceva di allenarsi? Il cassetto era già stracolmo di calzini. Doveva aver spinto in fondo quelli sporchi. Li tirai fuori per fare spazio. Le dita urtarono qualcosa di piccolo e duro, nascosto tra le pieghe di una cravatta. Era una fiala di vetro con una piccola scritta nera sul fianco e un cerchio giallo intorno al collo, dove andava spezzata per estrarre l'oppiaceo all'interno.

CAPITOLO 24

Dorset 2011. Tredici mesi dopo

Alla vigilia di Capodanno, la presenza dormiente di Ted turba il mattino. Bertie zampetta irrequieto intorno ai miei piedi; quando lo lascio uscire, infila il naso nella siepe bagnata e starnutisce. I tralci spinosi si impigliano nel pelo folto e arricciato delle sue orecchie di spaniel; aspetta pazientemente che lo liberi. Rientrati nel cottage, preparo il primo caffè della giornata mentre Bertie si accuccia ai piedi delle scale con il muso sull'ultimo scalino, uggiolando sommessamente. Nel capanno, trovo gli steli di lunaria che mi ha dato ieri Mary. Li ho visti crescere vicino alla sua porta.

«Prendili tutti, sono contenta di liberarmene. Prendi», ha detto, consegnandomi un secchio di granturco, «visto che ci sei, dai da mangiare alle galline».

I frutti secchi della pianta sono venati e opalescenti, e lasciano intravedere i semi piatti e ovoidali all'interno. Le mie idee, seminate un po' di tempo fa, crescono in fretta. Il trittico avrà margini fluidi o forse sarà dipinto come se fosse all'interno di un globo, mostrando semi che diventano fiori che diventano frutti, poi di nuovo semi in un flusso circolare; faccio uno schizzo del progetto.

È mezzogiorno quando decido di fermarmi e torno nel cottage. Ted è in cucina. Ha trovato la vestaglia lasciata da Sam; il tessuto ricade in pieghe morbide sulla cintura. Ted ha il viso lucido di sudore, ciocche di capelli bagnati appiccicate sulla fronte.

«Mi sento uno schifo». La voce sobbalza mentre batte i denti. «Devo essermi preso qualche virus durante il viaggio. Gesù. Devo dare di stomaco». Barcolla fino al bagno; lo sento vomitare più volte. Lo seguo mentre risale al piano di sopra sulle gambe malferme e poi crolla

212

sul letto. Gli rigiro il cuscino e apro la finestra, ma rabbrividisce e si stringe addosso il piumone, così la chiudo di nuovo e tiro le tende.

«Mal di testa? Dolori addominali?». Il polso è accelerato, la pelle scotta.

«Non è meningite, o appendicite». Per un istante stira le labbra in un sorriso, poi chiude gli occhi. «Ho sete…».

Il peso della sua testa sudata mi è familiare. Dopo qualche sorso si stende con un sospiro. Il pomeriggio malinconico scorre lentamente. Gli porto su altra acqua, fette di mela, tè zuccherato. Ogni tanto si sveglia per poco; una volta mi afferra la mano e non la lascia andare per diversi minuti, farfuglia qualcosa, poi precipita di nuovo nel sonno. Più tardi sento la sua voce – sarà al telefono – e suppongo che stia meglio. Quando entro nella stanza, è sulla sedia, nudo, e sta fissando le tende. Gli occhi sono insolitamente luminosi e le mani gli tremano mentre indica le strisce sulla stoffa.

«È lì dentro», dice.

Per un istante penso che abbia visto Mary attraverso la finestra illuminata della sua cucina, dall'altra parte della strada.

«È dietro quelle sbarre». Indica ancora le strisce sulle tende e alza la voce. «Vuole il nostro aiuto. È in prigione».

Gli sento la fronte: bollente. Mi afferra la mano, ha il palmo sudato.

«Aiutala», insiste con voce tremante. «È colpa mia».

Sta male. Non c'è motivo di spaventarsi se farnetica e ha le mani che bruciano. Gli do acqua e paracetamolo. Mi stringe forte la mano, gli occhi febbricitanti.

«È stata colpa mia. Non ero lì. Mi sta chiamando, senti».

Una parte di me, la parte irrazionale che crede alla magia e ai fantasmi, vorrebbe chiedergli cosa sta dicendo e com'è la voce di Naomi. Invece, lo rassicuro con tutta la calma possibile: «La febbre alta ti dà le allucinazioni. Non è lì, Ted».

«Tu non capisci. È stata colpa mia». La voce si abbassa. Ora sta bisbigliando. Devo chinarmi per cogliere le parole. «Me l'ha detto, ma non ho fatto tutto il possibile».

«Ti ha detto cosa, Ted? Tutto il possibile per cosa?».

Chiude gli occhi e il mento gli cade sul petto. Scrolla le spalle e

213

borbotta. Riempio la vasca di acqua fredda e lo aiuto a entrarvi. Il suo corpo è emaciato; il pene rattrappito nel nido di peli grigi. La pelle tira sulle costole; la schiena è diafana e il sudore gli imperla le vertebre. Le scapole sporgono come lame di coltello. Raccolgo l'acqua nel palmo e la faccio scorrere lungo la schiena. "Con il mio corpo, ti onoro". L'avevamo detto? Avevamo promesso che sarebbe stato per sempre? Ricordo solo il calore della sua mano che teneva la mia. Pensavo che le promesse fossero irrilevanti.

Di nuovo a letto, mormora delle parole, e fra esse colgo "Naomi" e "basta" e "ti prego". Gira la testa a destra e a sinistra. Ogni mezz'ora cerco di farlo bere, gli tampono la fronte con una spugna bagnata. Più tardi gli cambio le lenzuola fradice. Lui è sulla sedia, la testa gli crolla sul petto; prova a sollevarla, ma è inutile.

«Scusa… scusa», farfuglia.

Lo aiuto a tornare sotto le coperte. Si distende con un piccolo gemito di sollievo, lo stesso che faceva quando tornava a casa dopo una lunga giornata e si lasciava cadere nella sua poltrona. Ma io non abito più nella sua casa. Non sono sua moglie. Le promesse erano più fragili di quanto pensassi. Gli calano le palpebre. Dorme.

In cucina, vedo che Michael mi ha inviato un SMS per Capodanno; è solo, sente la mia mancanza. Gli rispondo che anche lui mi manca, e gli dico che Ted è qui, ammalato.

La voce acuta dello speaker alla radio annuncia che è mezzanotte a Trafalgar Square. Il Big Ben scandisce i lenti rintocchi su un sottofondo di grida e scoppi. Nel silenzio del giardino buio, il tappo dello champagne salta in aria con uno schiocco, poi ricade con un lieve fruscio tra l'erba bagnata. Levo in aria la bottiglia.

«Buon anno, tesoro».

Il bordo di vetro sbatte contro i denti, lo champagne ha un gusto amaro. Non può sentirmi. Vuoto il resto della bottiglia sul terreno. Un altro anno che inizia.

Al mattino la febbre è calata. Ted mangia pane tostato e Marmite, beve una tazza di tè dopo l'altra e si riaddormenta. Il dipinto si sviluppa. I semi allungati brillano come perle nere nelle capsule argentee, le sembianze future ancora nascoste. Quale segreto custodisce Ted? Ha detto che era colpa sua, ma cosa intendeva? C'è una bacca coriacea di rosa canina sulla panca, vicino a un fascio di ramoscelli. L'incisione con il temperino rivela i semi piramidali stipati in file, provvisti di peli, ancora acerbi.

La sera Ted dorme ancora. Apro le tende e la finestra. Ha smesso di piovere e l'aria è fresca e pulita. Sogno semi neri che cadono, boccioli di rosa recisi prima di schiudersi.

Il mattino dopo, rientrando in cucina dal capanno, sento un profumo di pane tostato caldo e caffè. Sulla tavola, la marmellata di prugne di Mary sta colando fuori dal barattolo in gocce corpose. Ted appare stranamente ingombrante nella stanza; le gambe allungate sbucano dall'altra parte del tavolo, mostrando le caviglie pelose e i piedi grandi. Per un secondo è un estraneo, poi mi sorride.

«Mi sento magnificamente. La febbre è passata e ho una fame da lupi». Accenna alle briciole sul tavolo e ride. «Non ho potuto aspettare».

Il mio viso è troppo tirato per sorridere. Il mio spazio. La mia cucina. Il mio cibo. Poi mi vergogno. «Sono contenta che ti senta meglio».

«Cosa hai fatto questa mattina?», mi chiede mentre spalma uno spesso strato di burro e marmellata sul pane. Pensa davvero che possiamo tornare indietro di un anno in un istante?

«Ho lavorato».

«Lavori di nuovo?». Parla con la bocca piena, il tono è sorpreso. «A Bridport?»

«Ho dipinto».

«Ah, quel genere di lavoro. Sembra divertente. Posso dare un'occhiata?».

Divertente? Dalla finestra della cucina vedo l'angolo del capanno. Contiene quasi tutto ciò che mi ha riportato al mondo.

«Ok. Magari più tardi». Si stiracchia voluttuosamente. Si è fatto la barba e il viso sembra più pieno. «Grazie per esserti presa cura di me. Ti porto fuori a pranzo. C'è ancora quel locale, il Beach Hut?».

Incrocio le braccia con aria decisa. «Due sere fa hai detto che è stata colpa tua», gli dico. «Cosa intendevi?»

215

«Davvero?». Si china a bere qualche sorso di caffè, la fronte leggermente aggrottata.

Vado avanti, anche se la sua espressione sembra chiedermi il contrario. «Pensavi di aver sentito Naomi chiamare da dietro le tende».

«Cristo. Stavo davvero male». La sua risata suona forzata.

In quell'istante capisco che sta nascondendo qualcosa. Vorrei saltargli addosso e tirargli fuori la verità con le unghie. Anche se è una verità ormai passata, arrivata troppo tardi, devo conoscerla.

Sento che mi sta osservando attentamente. «Ti ho già sfinito, Jenny. Quando ti ho vista l'altra mattina avevi un aspetto magnifico. È colpa mia».

Colpa sua di *cosa*, esattamente? Il cuore mi sta martellando nel petto.

«Sto bene». Devo essere più cauta. Lo guardo con la coda dell'occhio mentre osservo fuori dalla finestra. Se lo metto sotto pressione con altre domande, si chiuderà a riccio. Aspetterò il momento giusto.

«Faccio un bagno e mi vesto, poi andiamo, ok?». Sembra di nuovo allegro.

«Ok».

Più tardi passeggiamo lungo la spiaggia, i ciottoli scricchiolano sotto i nostri passi. Ted si china a raccoglierne qualcuno di tanto in tanto. Li esamina uno a uno, scegliendo quelli dalle sfumature più tenui che scintillano come grosse perle venate d'oro.

«Quando ero in Sud Africa sono andato in un mercato di pietre preziose». Mentre parla agita la mano che racchiude i ciottoli, scuotendoli come dadi in un bussolotto. «Sul retro di alcuni capannoni c'erano blocchi di diaspro grigio del Kalahari. C'erano diverse pile, una per ogni fase della lavorazione; da una pila all'altra le pietre avevano un aspetto migliore, più luminoso, i bordi smussati». Mi guarda per un istante, distoglie lo sguardo. «Come noi».

«Non credo». Gli rubo un ciottolo bianco e piatto dalla mano e lo lancio di taglio sulla superficie dell'acqua. «La sofferenza non ti migliora». Il sasso rimbalza tre volte, bianco contro il grigio del mare, poi viene inghiottito da un'onda. «Ti rende triste, ti inasprisce».

«Sei cambiata, Jenny. Cosa hai imparato stando qui da sola?»

«Ho imparato a sopravvivere». I gabbiani volteggiano sopra le nostre teste, lanciando nel vento il loro richiamo.

Il Beach Hut è piena di gente. In un angolo c'è ancora l'albero di Natale. Le luci e le decorazioni sembrano pacchiane nella pallida luce grigia che filtra dalle finestre. Ted fa strada verso lo stesso tavolo dove mi ero seduta con Michael, e penso agli occhi di Michael e alle sue mani mentre osservo Ted avvicinarsi al bancone, ordinare il cibo e tornare con una bottiglia di vino. Lo versa a entrambi e beve un lungo sorso dal suo bicchiere, come un assetato che ingolla acqua. Sospira pesantemente e mi guarda.

«Bene, suppongo che siamo sopravvissuti in modi diversi, no?», dice. Comincia a parlare del Sud Africa, dell'ospedale dove aveva avviato la ricerca, della siccità, dei bambini emaciati, dei non comuni tumori cerebrali. Non menziona Beth.

Lo guardo, noto le spalle smagrite e le nuove rughe tra il naso e la bocca. Non è stato facile nemmeno per lui. Gli riempio il bicchiere, lo vuota di nuovo. Ci servono due grosse bistecche al sangue con contorno di patate. Non riesco a finire tutto, ma Ted mangia come se stesse morendo di fame; alla fine pulisce il piatto con il pane e si appoggia contro lo schienale con un sospiro soddisfatto. Sorride e solleva il bicchiere, invitandomi a fare altrettanto.

«Ne avevo proprio bisogno. Salute, Jenny».

«Allora», parlo con studiata calma, «vuoi dirmi cosa ti ha detto Naomi?»

«Riguardo a cosa?». Posa il bicchiere. Socchiude gli occhi diffidente.

Devo fare attenzione. Ripenso a tutti quei corsi di psicologia e al linguaggio che ci avevano insegnato a usare durante il tirocinio da medico generico.

«Quando deliravi per la febbre, hai balbettato che Naomi ti aveva detto qualcosa; che non avevi fatto tutto il possibile e che era colpa tua». Non faccio trasparire alcuna emozione dalla voce. «Evidentemente è qualcosa che ti tormenta. Ti va di parlarmene?».

Ted mi fissa per un istante, poi la sua espressione si fa meno tesa.

«Il fatto è», comincia, beve un rapido sorso di vino, «che te l'ho detto. Almeno...».

«Me l'hai detto?»

«Sì, a te e alla polizia».

Si è già messo sulla difensiva, e questo mi spaventa.

«Di cosa stai parlando?»

«Naomi si drogava».

Mi viene da ridere. Tante cautele, per un errore. «Era Ed a drogarsi». Deve essere stata la febbre, forse non si è ancora ripreso del tutto. Lo ripeto, calcando di più sulle parole: «Ed assumeva droghe. Per questo è andato all'unità di riabilitazione per tossicodipendenti».

Parlando ancor più lentamente, ribatte: «Questo è successo dopo. Naomi aveva assunto droghe prima di allora».

Lo guardo incredula, e lui continua: «Ricordi quando ti ho raccontato che Naomi aveva provato la droga insieme agli amici una volta? Eravamo da soli; credo che i ragazzi fossero fuori. Faceva caldo…».

«Una volta? Ma non è stato niente di grave».

Estate. Diciotto mesi fa. Le finestre erano aperte e l'aria calda entrava in casa portando con sé un odore di barbecue e un vago sentore di spazzatura dai bidoni all'esterno. I ragazzi erano in Marocco con la scuola. Naomi era andata a giocare a tennis con gli amici. Stavamo bevendo del caffè freddo dopo cena quando me lo disse.

«Solo una volta», aveva detto. «A una festa». Aveva posato la mano sulla mia, calda, rassicurante. «È normale che gli adolescenti sperimentino con gli amici. Non è nulla di grave. Mi ha promesso che non succederà più. Non dirle che te l'ho detto, o non si fiderà più di me; non vuole che ti preoccupi».

«Hai detto che era stato solo un esperimento». Ora sono io a fissarlo.

Ted arrossisce e distoglie lo sguardo, mentre la mia mente torna indietro a tutta velocità a quel momento. Avevo concluso che sperimentare non era come fare uso di droghe. Naomi non si sarebbe esposta a simili rischi, perché era Naomi, la mia figliola intelligente e giudiziosa che aveva fatto una di quelle cose che i ragazzi fanno prima di diventare adulti. All'inizio, mentre aspettavamo che Ted tornasse a casa dal lavoro, Michael mi aveva chiesto se c'era di mezzo la droga, e allora mi era parso un particolare irrilevante; mi ero persino preoccupata che potesse pensare che Naomi facesse uso abituale di droghe e così avrebbe perso tempo a cercare nei posti sbagliati.

«*Jenny, Naomi fumava?*»

«*No*».

«*Beveva?*»

«*Direi di no*».

«*Si drogava?*»

«*No. Be', è successo solo una volta*».

«*Sì?*»

«*Qualche mese fa. Solo quella volta, a una festa di amici. Lo ha detto a Ted. Ragazzi che provano a fumare erba. Da allora non è più successo. L'avrei saputo*».

«*Mi servono i nomi*».

Non avevo saputo dirgli i nomi. Alla fine aveva chiesto agli amici di Naomi, e poi a tutti i ragazzi della scuola. Nessuno aveva ammesso di fare uso di droghe e la cosa era finita lì.

Arriva il cameriere. Allunga le braccia robuste e abbronzate sopra il tavolo e raccoglie piatti e posate; a parte qualche brufolo vicino all'attaccatura dei capelli, la pelle del viso è liscia. Avrà circa sedici anni. Immagino che pratichi il nuoto nel tempo libero, e che non tocchi una sigaretta. Ted gli chiede di portare il caffè e il giovane annuisce senza scomporsi, poi si allontana.

«Perché pensavi alla droga quando avevi la febbre, se non era nulla di importante?».

Un accenno di sorriso. «Stavo delirando».

«Perché, Ted?».

Sfugge al mio sguardo, serra le labbra. Comincia a strofinarsi avanti e indietro il sopracciglio destro.

«In Africa ci pensavo di continuo. Nella comunità di neri, c'erano ragazzi che bighellonavano agli angoli della strada dov'erano gli ambulatori, oppure erano buttati sui marciapiedi, completamente fatti. Bambini. Cominciò a tormentarmi il pensiero che avevo creduto a Naomi sulla parola e non avevo più indagato oltre».

«Ma era marijuana, e solo una volta, Ted…».

Un leggero rossore gli si diffonde sulle guance; si agita sulla sedia, abbassa lo sguardo.

«La marijuana è stata prima, Jenny. Poi è passata alla ketamina».

Il tintinnio di bicchieri e posate diventa vago e distante, come se un sipario fosse calato fra noi e gli altri clienti del ristorante.

Ketamina. Mi sento avvampare per lo shock.

«Cazzo. Com'è possibile che tu non me lo abbia detto?». Ho alzato la voce e la giovane coppia al tavolo accanto tossisce imbarazzata e guarda dritto davanti a sé.

«L'ho detto alla polizia». Mi getta un rapido sguardo, poi abbassa di nuovo gli occhi. «Quel giorno che sono andato da solo alla stazione per dir loro… di Beth». Si versa altro vino, lo beve d'un fiato. «Quel giorno ho detto anche della ketamina. Non pensavano fosse rilevante, ma hanno detto che avrebbero indagato».

«Avrebbero?»

«Michael mi ha lasciato con un paio di agenti di servizio. Hanno preso tutte le informazioni. Non ricordo i loro nomi».

«E…?»

«Niente. Nessuno mi ha contattato di nuovo, così ho pensato che non fosse importante».

«Può essere successo di tutto a quell'informazione – potrebbero aver concluso che non era importante, oppure aver dimenticato di registrarla o non averla registrata in modo corretto…». Dentro la mia testa c'è buio e un caldo rovente; l'oscurità si allarga, mi riempie la gola e mi è difficile parlare.

«I poliziotti sono professionisti», dice.

«I professionisti commettono errori».

A queste parole si gira dall'altra parte, tamburellando le dita sul tavolo.

Il ragazzo torna con il caffè. Posa il vassoio di fronte a me con estrema attenzione e deposita i bricchi con latte e caffè. Sorride e se ne va. Versando il caffè, ricordo il consiglio di Michael: un passo alla volta, risaliamo al bandolo della matassa.

«Come l'hai scoperto?», gli domando.

«È stato quando è venuta a fare esperienza di lavoro nel mio laboratorio. Durante le vacanze estive prima dell'ultimo trimestre, ricordi?».

Annuisco. Certo che lo ricordo. Ero stata io a incoraggiarla.

«*Arricchirà il tuo CV, tesoro. È un'opportunità per scoprire cosa vuoi fare, recitazione o medicina. Se vai in ospedale per tempo insieme a papà, puoi seguirlo nel suo giro di visite in corsia. Ed lo ha fatto*».

Era stata entusiasta dell'idea. Era orgogliosa di lavorare presso l'ospedale di Ted. Via via che i giorni di esperienza di lavoro si consumavano lentamente, aveva cominciato ad alzarsi sempre prima, impiegando ore a prepararsi, a truccarsi, ad assumere l'aspetto giusto.

La voce di Ted sta continuando: «…e aveva il compito di registrare i farmaci che usavamo nella sperimentazione clinica per la cura delle lesioni al midollo spinale; era sua responsabilità riempire il foglio d'ordine per sapere quante fiale di ketamina ordinare per anestetizzare i ratti. Era rapida e precisa. Ero fiero di lei».

Si ferma, punta il gomito sul tavolo e appoggia la testa sulla mano. Così la voce risulta meno chiara.

«Nessuno l'ha mai capito. Era lei che contava le dosi, così quando ha preso alcune delle fiale, ha dovuto solo ordinarne di più per rimpiazzarle. Una volta, quando mi sono accorto per caso che il numero sul foglio d'ordine non corrispondeva alla quantità usata, mi ha detto che le era caduta una scatola intera di fiale». Abbassa lo sguardo, e anche la voce. «Mi ha persino mostrato i vetri rotti».

«Astuta», commento. «Come l'hai scoperto?»

«Un giorno ha dimenticato la borsa in laboratorio. Non sapevo di chi fosse, così ci ho guardato dentro. Ho aperto il portafoglio e ho trovato la sua carta di credito, ma c'erano anche sei fiale di ketamina, avvolte con cura perché non si rompessero».

Fa una piccola pausa. Immagino il disagio di quel momento, il silenzio del laboratorio rotto solo dallo zampettare dei ratti nelle gabbie e dal respiro di Ted.

«Ho tolto la ketamina e ho portato la borsa a casa quella sera, l'ho posata sul tavolo della cucina perché la trovasse l'indomani. La mattina dopo sono uscito presto; quando è arrivata in ospedale è venuta subito a cercarmi e ha cominciato a piangere. Ha detto che le aveva prese per darle a degli amici».

221

Riesco a figurarmela mentre spiega la faccenda a Ted: le mani sugli occhi, i capelli biondi che le ricadono sulle dita.

«A quella festa aveva fumato marijuana insieme a dei ragazzi più grandi, e quando questi hanno scoperto che aveva accesso alla ketamina l'hanno convinta a sottrarne un po'. Mi ha assicurato che lei non ne aveva mai fatto uso».

«Perché non è venuta da me?». Sono confusa; pensavo che allora Naomi mi dicesse tutto, tutto ciò che era importante.

«Le ho suggerito di parlarne con te, ma ha detto che innanzitutto non le avresti creduto e poi che saresti rimasta delusa, e questo sarebbe stato peggio di un'arrabbiatura».

Fa una pausa, mi guarda, preoccupato dell'effetto che le sue parole possano avere su di me. Non lascio trasparire alcuna emozione.

«Vai avanti».

«Ha detto che tu ti aspettavi la perfezione, non solo da te stessa ma da tutti». Sorseggia il vino e guarda fuori dalla finestra con espressione mesta. «Non permettevi alle persone di essere se stesse. Aveva la sensazione che tu non la conoscessi realmente».

«Non è vero». Sono senza fiato. «La conoscevo meglio di chiunque altro».

Cala un breve silenzio. No, non la conoscevo così bene. Non sapevo di James, o della gravidanza. Aveva condiviso molte più cose con Ted. Forse perché lui non cercava di essere perfetto? Ted abbassa la testa; intravedo chiazze sul cuoio capelluto, là dove il sole ha trovato spazio fra i capelli diradati. È andata così perché lui non cercava di essere perfetto? Il vino nella bottiglia è quasi finito. Lo verso nel suo bicchiere.

«Non capisco perché tu non me l'abbia detto allora».

Beve in fretta. Gli altri clienti sono andati via. Il cameriere sta pulendo i tavoli, guarda nella nostra direzione. «Vado a pagare il caffè. Tra un minuto andiamo». Si alza, tira fuori il portafoglio dalla giacca.

Siamo stati seduti troppo a lungo. Sto tremando di freddo e la malinconia di questo pomeriggio di gennaio si sta insinuando nel locale. Le lampadine colorate sull'albero di Natale ammiccano inutilmente nella luce grigia.

Bristol 2009. Undici giorni dopo

La fiala di vetro era fredda. La presi cautamente in mano. Lasciai la stanza di Ed, scesi le scale e, aprendo la porta sul retro, uscii in giardino, ma trovarmi in quello spazio freddo e spoglio non mi fece vedere sotto un'altra luce i fatti che si accalcavano nella mia mente. Mi fermai vicino al muro. Ed mi aveva mentito, chissà da quanto tempo. Prendeva i farmaci dalla mia borsa, forse li vendeva, e questo spiegava i soldi sul comodino. Anya aveva sbattuto il piede contro la borsa medica perché era stata spostata e non rimessa a posto. Rubava farmaci. Non mi sembrava possibile.

Ma poi, com'era possibile che Naomi fosse scomparsa da undici giorni? Sapevo che era vero perché avevo osservato le lancette dell'orologio segnare lentamente le ore; avevo fissato il telefono come se a furia di guardarlo potesse squillare. Avevo distribuito la sua foto ovunque mi ero ripromessa di farlo e anche in altri posti – edicole, uffici postali, la biblioteca e il pronto soccorso – e fare queste cose mi aveva aiutata a impiegare il tempo. La sera avevo girato per le strade, mi ero seduta vicino al molo a fissare l'acqua scura. Avevo parlato con Nikita, Shan e James. Avevo ignorato i giornalisti che facevano la fila fuori casa per parlarmi o telefonavano varie volte al giorno. E fra una cosa e l'altra ero rimasta semplicemente in piedi, come ora, perché sedermi non era giusto, troppo confortevole. Quel giorno al lavoro c'erano stati momenti in cui ero riuscita a non pensarci, ma mi era bastato vedere le dita di un bambino aggrapparsi al bordo della mia scrivania per farmi sprofondare di nuovo nello sconforto.

Se potevamo perdere nostra figlia, qualsiasi disastro era possibile.

Ci fu un rumore secco e sentii del liquido nel palmo della mano, e i bordi taglienti del vetro. Squillò il telefono. Lo bloccai tra l'orecchio e la spalla mentre mi sciacquavo la mano nel lavello, osservando schegge e sangue risucchiati nello scarico. Era Michael: voleva dirmi che avevano interrogato tutti i proprietari dei locali di Bristol ma non era emerso niente. L'indomani sarebbe tornato a farmi visita.

Mentre avvolgevo la mano in uno strofinaccio da cucina, sentii Ed rientrare. Mi fermai ai piedi delle scale, e lo ascoltai salire nella sua stanza e sbattersi la porta alle spalle. Poi la porta si riaprì. Sedetti sull'ultimo gradino, sentendo i passi scendere lentamente le scale e fermarsi accanto a me. Mi alzai e vidi le ombre scure sotto gli occhi arrossati, i capelli arruffati, le macchie sulla cravatta della scuola. Le maniche sbottonate della camicia pendevano dai polsi sottili. Era chiaro che fosse dimagrito, sebbene non lo avessi notato prima; come poteva essermi sfuggita una cosa così evidente?

«Sei tornato presto».

Non fece caso alle mie parole. «Sei entrata nella mia stanza, mamma?»

«Ma non c'è da sorprendersi, no?». Mio malgrado, stavo alzando la voce. «Perché non c'era nessuna gara di canottaggio alla fine».

«Già. Cancellata. Che mi dici della mia stanza?».

Fu la menzogna; se non mi avesse mentito, avrei potuto aspettare e vedere se me ne avrebbe parlato di sua iniziativa.

«Non è stata cancellata. Questo trimestre non c'è canottaggio. Perché ci hai mentito?»

«Gesù». Sussultò come se lo avessi colpito. «Perché con te diventa tutto una fottuta questione di stato. Se avessi finto di andare agli allenamenti, almeno mi avresti lasciato un po' di spazio».

«Spazio per fare cosa, Ed?».

Abbassò lo sguardo e si strinse nelle spalle.

«Per rubare le droghe dalla mia borsa, eh? Per fare cosa?».

Mi fissò senza parlare, il volto pallido come non lo avevo mai visto. Gli occhi più intensi e disperati.

Allora capii. Mi mossi in fretta, e prima che potesse divincolarsi gli tirai su la manica della camicia. La parte interna del braccio sinistro era disseminata di cicatrici rosse e gonfie. Nella fossa antecubitale, un reticolo di segni vecchi e freschi, procurati da siringhe manovrate da mani inesperte.

CAPITOLO 25

Dorset 2011. Tredici mesi dopo

La parete di scogliera dietro alla spiaggia presenta cavità e piccoli anfratti dove il mare è arrivato a scolpire la roccia. D'estate, c'è sempre un odore rancido di urina, ma i temporali invernali hanno spazzato via ogni residuo. Quando ci accovacciamo tra due sporgenze rocciose per proteggerci dal vento, c'è solo un odore fresco di acqua salmastra e alghe. Ted tira fuori una sigaretta da un pacchetto blu sgualcito e si curva per accenderla. Si gira a guardare il mare e sospira. Il fumo aromatico delle Gitanes evoca all'istante immagini dimenticate di lenzuola intrecciate, libri sotto il letto, appunti gettati sul pavimento. Fare l'amore dopo le lezioni. Quando ha ripreso a fumare? Forse Beth fuma, anche se non rientra nell'idea che mi sono fatta di lei. Forse fumano dopo aver fatto sesso, come facevamo noi. Pensieri che rasentano l'inquietudine per qualche secondo e poi si spengono.

«Allora, perché non me l'hai detto, Ted?», torno a domandargli.

Dà una tirata alla sigaretta, prende tempo. «Mi ha chiesto lei di non dirtelo», risponde candidamente. «Si fidava di me».

«Non ti è passato per la mente che dovevo esserne informata? Avresti potuto dirmelo di nascosto…».

Ted scrolla le spalle. «Ti saresti sentita in dovere di discuterne con lei».

Il fumo della sigaretta mi brucia gli occhi. Mi giro dall'altra parte.

Va avanti: «Per te le cose sono giuste o sbagliate. Naturalmente so che non lo avresti mai detto alla polizia…».

Prima che possa pronunciare parole che addossino a me la colpa, mi alzo in piedi. Il vento cattura i capelli, li sferza sugli occhi. Afferro le ciocche, le blocco con le mani, e sento la rabbia montare dentro di me.

In questo momento odio Ted, ma odio di più me stessa. Avrei voglia di strapparmi i capelli a manciate e gettarli al vento.

«Non avrebbe pensato che l'avrei detto alla polizia. Non l'ho mai punita». Parlo con l'affanno. «Non ricordo che Naomi abbia mai fatto qualcosa di male. Si è sempre comportata bene, persino quando era piccola».

«È questo il punto. Come poteva deluderti? Di fronte a tante aspettative, era più facile mentire».

Le sue parole sono come una rete che si stringe intorno a me a ogni mia mossa, affondando nella mia pelle. Ovunque mi giro, ho sbagliato. Il mare è cambiato: sibila e si schianta sulla spiaggia. Il vento gelido mi fa male ai denti.

«Vado a casa». Mi avvio, ma le gambe irrigidite dal freddo mi fanno camminare piano. Ted mi segue schermando la sigaretta con le mani, incespicando sui ciottoli.

«Una volta scomparsa», urlo oltre la spalla per superare il fragore delle onde, «non c'era più nulla da perdere. Perché non me lo hai detto allora?».

Mi raggiunge; mi posa la mano sulla spalla e si china verso di me, in modo che le parole cadano vicino al mio orecchio.

«Avevi troppe cose di cui occuparti». Ansima leggermente. «Da allora in poi, ho tenuto d'occhio le scorte di ketamina come un falco. Non è più sparita nemmeno una fiala». Inciampa ancora una volta e si afferra alla mia spalla. Siamo arrivati ai margini della spiaggia. Ted si ferma, mi trattiene lì con lui.

«Pensavo fosse un episodio isolato», aggiunge con più calma.

Smette di parlare. Tre gabbiani ci sfrecciano accanto puntando verso l'interno, dove nuvole cariche di pioggia si addensano all'orizzonte. Si schiarisce la gola mentre risaliamo lungo la mulattiera che sbuca sul retro del cimitero, i nostri passi attutiti dal fango.

Cosa avrei fatto allora, se lo avessi saputo? Lo avrei detto subito alla polizia e a chiunque altro avrebbe potuto essere d'aiuto, ma mi fermo di colpo ripensando ai titoli apparsi su tutti i quotidiani popolari: «Scomparsa figlia adolescente di un medico», avevano strombazzato. La foto scolastica appariva sgranata sul foglio di giornale. Alcune testate avevano pubblicato una vecchia foto di Naomi che riceveva una coppa dopo una gara di nuoto. Nel suo costume aderente era tutta gambe, i piccoli seni schiacciati; aveva quattordici anni quando era stata scattata quella fotografia, ma le immagini di una ragazza seminuda vendono di più. Se i media avessero saputo della ketamina, i titoli sarebbero stati ancora più sensazionali: «Scomparsa figlia adolescente tossica di un medico». Si sarebbe sentita tradita; non sarebbe più tornata anche se avesse potuto. D'altronde, se la polizia fosse stata informata circa la ketamina, forse avrebbe già rintracciato Naomi.

Accelero il passo, come se camminando più velocemente potessi recuperare il tempo perduto. La mano di Ted scivola via dalla mia spalla. Ora stiamo costeggiando il cimitero, dove il sentiero è buio e scivoloso, intralciato dai rami bassi e sporgenti degli alberi di tasso; in autunno, perdono le bacche cremisi a forma di lacrima, e la polpa marcita rende viscido il terreno. Adesso il fango è saturo di pioggia e di sottili aghi di ghiaccio.

Siamo quasi al cottage quando comincia a piovere. Mary sta dando da mangiare alle galline. Si gira verso di noi mentre passiamo davanti al suo cancello e ci scambiamo un breve cenno di saluto. Capirà come, a volte, persino simulare un sorriso sia troppo difficile.

Arrivati alla porta, Ted mi guarda. Gli occhi sono colmi di pena e di rimorso.

«Nel periodo in cui trovai le fiale nella borsa di Naomi, c'erano un sacco di cose in ballo. Avevano minacciato di agire legalmente contro di me dopo l'operazione al midollo spinale di quella ragazza, e facevo avanti e indietro dalla Svezia per le sperimentazioni cliniche sulle cellule staminali che non stavano andando affatto bene. Avrei dovuto chiedere qualcosa di più a Naomi».

Dentro casa, Bertie ci accoglie con aria sonnolenta, premendoci il naso umido contro le gambe. Mi chino ad accarezzarlo, assorbo il calore della schiena solida, ma non riesco a stare ferma. Cammino nervosamente in cucina, nel soggiorno, torno in cucina. Il vento rinforza e scuote la finestra, la pioggia picchietta sottile contro il vetro. Ted si toglie il cappotto e mette su il bollitore.

Quando apre la credenza per prendere le tazze, gli chiedo: «Cosa intendi con "avrei dovuto chiedere qualcosa di più a Naomi", Ted? Cosa pensi che avresti potuto scoprire di più?»

«Avrei potuto chiederle più informazioni. Mi disse che erano suoi amici. Immaginai fossero compagni di scuola, ma poteva trattarsi di qualcun altro».

Mentre assimilo questa ipotesi, un nuovo pensiero mi passa per la mente. «C'è forse un collegamento con Ed?»

«Il problema di Ed era diverso. Naomi non faceva uso di droghe come lui; lei le… rubava, e basta».

«Anche lui».

Ted posa una tazza di tè sul tavolo e la spinge verso di me. «Entrambi rubavano perché avevano accesso alle droghe, ma con motivazioni completamente diverse. È solo una sfortunata coincidenza».

Nella breve pausa che segue le sue parole, mi dico che non esiste niente del genere.

«Penso ancora che mi abbia detto la verità», riprende Ted mentre sorseggia il suo tè. «Si è trattato di un episodio isolato, per i suoi amici».

Ma Naomi aveva mentito tante volte. «Hai mai visto Naomi in ospedale insieme a qualcuno dei suoi amici, o con qualcuno che non conoscevi?», gli domando. Qualcuno che la incoraggiava a prendere la droga, magari allungandole dei soldi.

«No. La sorvegliavo sempre, sia in laboratorio che in corsia. Me ne sarei accorto».

«Non sapevo che venisse anche in corsia».

«Sì che lo sapevi». Sembra sorpreso. «È stata una tua idea che Naomi mi seguisse nel mio giro di visite in corsia. Le piaceva l'andirivieni. A volte la trovavo a chiacchierare con i pazienti in attesa che arrivassi. Credo che la prendessero per una studentessa di medicina, nel suo camice da laboratorio».

«Dava una mano anche nella somministrazione dei farmaci?»

«Per l'amor di Dio». Capisce subito cosa sto pensando. «Quei farmaci sono tenuti sottochiave. Devi essere un'infermiera qualificata anche solo per spingere il carrello in corsia. Naomi si limitava a sedersi con i pazienti, a fare amicizia».

«L'ha conosciuta?». Un nuovo sospetto mi balena davanti agli occhi.

«Conosciuta chi?»

«La tua ragazza, Beth».

«Non è più la mia ragazza. È finita». Si alza e mi volta le spalle; guarda fuori dalla finestra, il giardino investito da una cortina di pioggia. «E la risposta alla tua domanda è "no"».

«Come fai a saperlo?».

Scrolla le spalle. «Non c'era mai quando passavo a prendere Naomi; spesso faceva i turni serali».

Beth avrà visto Naomi, anche se Ted sostiene il contrario; forse si sarà chiesta come sarebbe stato avere un figlio da Ted, avrà accarezzato l'idea che Naomi fosse sua. Il pensiero prende piede.

«Dov'è ora?»

«Chi?»

«Cristo santo, Ted. Beth. Forse c'è di mezzo lei fin dall'inizio. Ha preso Naomi, perché appartiene a te e...».

«Basta». Si solleva sulle punte dei piedi e poggia di nuovo sul pavimento, le mani affondate nelle tasche. Sembra calmo, anche se stringe i pugni con tale forza da tirare la stoffa dei pantaloni; riesco a vedere le nocche attraverso il cotone leggero.

«Sai che era con me la notte in cui è scomparsa Naomi», dice senza scomporsi.

«È quel che mi hai detto».

«Era nel suo appartamento. Ha un alibi di ferro».

È lui il suo alibi? Si gira e coglie il mio sguardo.

«Non io, la polizia». Intuisco che sta ancora nascondendo qualcosa. «Ha chiamato la polizia perché quella sera qualcuno ha fatto irruzione nel suo appartamento». Esita per una frazione di secondo. «Poi ha chiamato me».

«Ha chiamato te?». La mia mente comincia a precipitare in un luogo mai esplorato prima. «Quindi non era la prima volta che andavi da lei, una stupida distrazione perché eri stanco e ubriaco. Eravate già amanti. Dio, sono stata ancora più stupida di quanto pensassi».

«Non ho avuto occasione di spiegarti ogni cosa...».

Quanto ci vuole per dire a qualcuno che hai mentito? Minuti? Mesi? Anni? Metto giù la mia tazza di tè: è spiacevolmente insipido. «So già che la storia è andata avanti dopo che mi hai detto che era finita. Non mi ero resa conto che avevi mentito anche su quando è cominciata».

«Come potevo dirtelo con Naomi appena sparita?». Si è girato verso di me.

Ignoro la sua domanda; accantono le bugie passate e quelle future. Devo rimanere concentrata.

«Beth ha chiamato la polizia e poi te, perché avevano rubato nel suo appartamento». Parlo lentamente, seguendo il mio ragionamento. «In seguito la polizia avrà collegato i fatti: il padre di Naomi era anche l'amante di Beth, e l'appartamento di lei era stato svaligiato la notte in cui Naomi era scomparsa. Un dettaglio importante. Perché Michael non me ne ha parlato?»

«Non lo sapeva». Ted torna a sedersi al tavolo, di fronte a me. «La polizia ha scoperto che stavo... con Beth solo più tardi, quando sono andato alla stazione per l'interrogatorio. Quella sera ho parcheggiato la macchina lontano dal suo appartamento e ho aspettato finché la polizia ha lasciato l'immobile».

Cosa avrà pensato mentre si nascondeva lì, nella strada buia? Si vergognava? Forse pensava alla sua ricerca o all'operazione che era andata male? No, avrà pensato a Beth. A fare sesso con lei più tardi, quando la polizia fosse andata via.

«Naturalmente», concludo. «Sono due volte stupida. La storia doveva rimanere segreta».

«Intendevo chiuderla...».

Non è questo il punto. Niente di tutto ciò lo è. C'è qualcosa che mi sfugge.

«Cosa stavi facendo quando ti ha telefonato?». Riparto dall'inizio. Un filo alla volta.

«Stavo salendo in macchina. Ero stanco morto quella sera». Scuote la testa al ricordo. «Il castello di accuse presentate in tribunale era appena crollato e io mi sentivo come svuotato. Ero così sollevato che l'intervento in programma fosse saltato; volevo solo tornare a casa. Mi ero persino dimenticato se dovevo passare a prendere Naomi o no».

Questo mi sembra vero e gli credo.

«Poi c'è stata la chiamata di Beth. Era sconvolta e spaventata. L'appartamento era stato vandalizzato. Avevano persino dato fuoco alla cucina».

Il vago ricordo di un odore riaffiora: Ted nell'ingresso, tredici mesi fa, intorno a lui un lieve sentore di bruciato. Avevo pensato che fosse il bisturi diatermico che aveva usato durante l'intervento, poi il terrore di quella notte aveva cancellato tutto.

«Avevano? Quindi erano più di uno?»

«A quanto pare la polizia ha pensato che fosse una sorta di banda, forse ragazzi. Anche quando hanno saputo della mia relazione con Beth non hanno mai pensato che fosse collegata in qualche modo alla scomparsa di Naomi».

«Cosa hanno rubato?»

«Niente, apparentemente». Scrolla le spalle; una stranezza che aveva già accettato. «Computer portatile, televisore, macchina fotografica, gioielli – era tutto lì, mescolato alla rinfusa ma c'era».

«Non ti sembra strano, proprio la notte in cui Naomi è scomparsa?». Lo guardo, ma scuote la testa.

«Ogni sera si verificano effrazioni in tutta Bristol». Ted sembra stanco.

Una bambina esile con lividi e spossatezza. Anche quella combinazione non era stata una coincidenza e neanche un abuso di minore. Jade aveva la leucemia.

«Davvero Naomi non ti ha mai visto insieme a Beth?». Difficile restare seduta; mi alzo e lavo le tazze, passando le mani sotto l'acqua corrente per scaldarle.

«No. Te l'ho appena detto…». Si interrompe, come se avesse ricordato improvvisamente qualcosa. «In effetti, ripensandoci, non è del tutto vero. Una volta Beth è entrata nel mio ufficio, ma ha visto Naomi ed è uscita subito. Naomi non se n'è nemmeno resa conto».

Si sbagliava. Naomi doveva aver sentito il profumo di lavanda di Beth; probabilmente aveva sollevato la testa, sconcertata dalla familiarità di quella fragranza, finché non si era ricordata di averla sentita sulla pelle di suo padre. Doveva aver finto di guardare fuori dalla finestra di Ted, quella stretta sopra la scrivania, con le tende disegnate a piume di pavone che avevo cucito anni prima; allo stesso tempo magari aveva sbirciato Beth con la coda dell'occhio, notando il breve sguardo d'intesa fra lei e Ted. Naomi doveva essersene resa conto in pochi istanti.

«Devo telefonare a Michael per metterlo al corrente».

«Siete ancora in contatto?».

Penso alle sue mani calde, agli occhi seri. La mia bocca che sfiora la sua.

«Sì». Abbasso lo sguardo. Perché dovrei dirgli di Michael? Ormai non devo nulla a Ted. «Dovrai restare e parlare con lui, se accetta di venire qui».

«Naturalmente. Ascolta, Jenny…».

Lo guardo attentamente, e al di là della sagoma familiare, della barba corta e delle nuove macchie di nicotina sulle dita, dei capelli più lunghi e del sorriso rassicurante, vedo un uomo di mezza età invecchiato, stanco e amareggiato, come se sapesse di aver fatto degli errori e volesse non averli commessi.

«Dicevo sul serio. È davvero finita con Beth».

«Troverai qualcosa da mangiare al pub», gli dico. «Torna quando avrai bisogno di dormire».

Dopo che è uscito, provo a telefonare a Michael, ma non risponde. Vado nel capanno. Dentro fa freddo e c'è confusione; strano, di solito non ci faccio caso. Non sono in vena di dipingere, così metto in ordine i semi mescolati alla rinfusa e le bacche di rosa canina. Ma non li sogno quella notte. Invece, nei miei sogni vedo Naomi che scaglia vetri rotti contro le pareti annerite dal fuoco della cucina di Beth, e ride. La sua risata mi sveglia, e diventa il verso di un gabbiano che grida nella notte dall'alto del tetto. Resto sdraiata nel buio. Lo scenario del passato è cambiato. Naomi. Ketamina. Vandali a casa di Beth. La mia mente continua a girare in cerchio. Come ho fatto a non accorgermi di tante cose? Ma è facile che ti sfugga qualcosa, lo so. Non avevo capito il problema di Ed. Avrebbe potuto essere troppo tardi anche per lui.

Abbandono ogni tentativo di riprendere sonno; mi alzo, scendo in cucina senza accendere le luci, e preparo il tè. Il mio album per schizzi è posato a faccia in giù, aperto. Ted gli ha dato una rapida scorsa o ha guardato con attenzione ogni singolo disegno? Forse è rimasto deluso perché lui non compare in nessuna immagine. Il suo cappotto bagnato è sopra la sedia; le maniche gocciolanti hanno formato due piccole pozze d'acqua sul pavimento. Non l'ho sentito rientrare dal pub e salire di sopra. Apro la porta che dà sul giardino e lascio vagare lo sguardo nella quiete del buio. Il temporale venuto dal mare è già passato. Chiudo la porta e mi siedo sul pavimento con la schiena contro la stufa a legna, la tazza di tè accanto a me. I bisturi sono facili da disegnare; più arduo è catturare le dita che li impugnano, impossibile fermarne il tremito sulla carta.

Bristol 2009. *Undici giorni dopo*

Ed ritirò il braccio e lo scosse per far calare la manica. Girò la testa dall'altra parte, e osservando la linea curva del collo esile capii fino a che punto si fosse spinto. Lo presi fra le braccia. Lo sentii rabbrividire.

«Che cosa ti è successo?».

Si scrollò di dosso il mio abbraccio e si allontanò.

«Non sono arrabbiata». Pensai che non mi avrebbe creduto. Ma era vero. «Voglio aiutarti».

Entrò nel salotto e si lasciò cadere sul divano, la testa buttata indietro a fissare il soffitto. Mi sedetti vicino a lui.

«Puoi dirmi cosa sta succedendo?».

Di colpo si girò a guardarmi, gli occhi furenti fissi nei miei. «Non provare a dirlo a papà».

«Stai facendo uso di droghe prese dalla mia borsa medica?».

Nessuna risposta.

«Non ce ne sono abbastanza lì dentro per ridurti così». Parlando, gli sfiorai l'incavo del gomito, ma Ed sussultò e tirò indietro il braccio. Avevo sentito una tumefazione sotto le dita, calda attraverso il cotone della camicia.

«Vado a preparare sandwich e caffè per due». Forse era così che funzionava, mostrarsi calma e ragionevole – anche se nel vedere il suo viso tirato e sofferente avrei voluto piangere. «Forse lì si è formato un ascesso, Ed. Dopo potrei dare un'occhiata».

Mangiammo in silenzio, cosa che non sembrò dargli fastidio. Andò avanti a masticare guardando fuori dalla finestra con aria assente. Poi, mentre bevevamo il caffè, azzardai la prima domanda.

«Come ti senti adesso?».

Mi lanciò un'occhiata sdegnata. «Di merda. Cosa credevi?»

«Da quanto tempo?»

«E che ne so», rispose con un'alzata di spalle.

«Con quale frequenza?»

«Ogni volta che posso».

Vidi la tensione nella sua postura allentarsi, come se parlarne gli avesse sciolto qualcosa dentro.

«Cosa stai prendendo?»

«Roba varia». Una pausa, poi un borbottio smozzicato che colsi solo avvicinandomi a lui. «Ketamina, più che altro».

Pensare al rischio che aveva corso mi diede la nausea. «Dove l'hai presa?».

Mi guardò di traverso e sorrise con aria sprezzante. «Da un uomo in un locale».

«Cosa pensi di ottenere?»

«Che diamine ne so?»

«Perché la droga, Ed?».

Alzò gli occhi al cielo. «Per tutta l'altra merda».

«Quale altra merda?»

«Problemi».

«Tipo?»

«Theo», disse a bassa voce. «Naomi».

«Theo?».

Le droghe potevano aver alleviato il senso di colpa che provava nei confronti di Naomi, ma alcune cicatrici sembravano vecchie, quindi le stava assumendo da prima che la sorella sparisse. E cosa c'entrava Theo?

«Lascia stare, mamma». Cominciò a far ballonzolare un ginocchio su e giù.

Mi guardai intorno nella stanza come se gli attrezzi per forzare il suo blocco fossero lì da qualche parte, sulla credenza o su una mensola in alto.

«Non è stata colpa tua se hanno preso Naomi. Te lo abbiamo detto; anche se tu avessi aspettato…».

«Ti ho detto lascia stare».

«I soldi?».

Silenzio.

«Ed, da dove vengono quei soldi?».

Il movimento del ginocchio divenne sempre più frenetico, poi Ed si alzò di colpo e si avviò verso le scale.

«Dove vai?»

«Al fottuto Polo Nord».

Aspettai di sentir sbattere la porta della sua camera, poi mi sedetti. Mi sembrò che la stanza si stringesse intorno a me. C'era un ronzio sommesso nell'aria come dopo un'esplosione, ma in realtà era dentro la mia testa. Guardai le mie mani sul tavolo. I tendini risaltavano sotto pelle come pallidi crinali; erano mani più scarne, ma ancora forti. Avevano aiutato a far nascere bambini, inserito cateteri e flebo, ricucito pelli lacerate, sorretto la fronte dei miei figli mentre vomitavano. Le strinsi forte. Posso farcela. Devo.

Era seduto sul letto, la schiena poggiata contro la testiera e le cuffie sulle orecchie. Aveva un libro aperto sulle ginocchia piegate e, appena entrai, cominciò a sfogliarlo in fretta.

Mi sedetti sulla coperta e lui spostò bruscamente le gambe.

«Alcuni genitori coinvolgerebbero la scuola. Altri la scuola e la polizia». Le pagine si fermarono, ma Ed non alzò lo sguardo su di me. «Molti genitori pretenderebbero di conoscere tutti i dettagli della faccenda; ti propongo un accordo».

Si sfilò le cuffie e rimase in attesa.

«Se accetti di andare in una unità di riabilitazione per tossicodipendenti, non coinvolgeremo la scuola o la polizia, e, purché tu ne parli con qualcuno e smetta una volta per tutte, non dovrai darci spiegazioni sulla provenienza delle droghe o del denaro che ho visto».

Mi fissò in silenzio. Concentrò di nuovo lo sguardo sulla pagina, ma senza leggere nulla.

«Lasciare la scuola?»

«Sì, così potrai andare in una unità di riabilitazione».

Si distese e chiuse gli occhi.

Gli presi delicatamente il braccio, tirai su la manica ed esaminai le cicatrici. La vidi chiaramente; una tumefazione grande quanto una prugna che premeva sotto pelle.

«Ed, questo va drenato. Dobbiamo andare al pronto soccorso».

«Fallo tu».

Non protestai, o avrebbe potuto rompere il patto che avevamo appena concluso. Presi un kit sterilizzato dalla cassetta di sicurezza della mia macchina. Lynn mi prendeva sempre in giro dicendo che mi portavo dietro un'unità operativa, ma negli anni si era dimostrata utile per i pazienti che avevano bisogno di interventi di piccola chirurgia e non potevano recarsi in ospedale. Spesso era stato molto gratificante, ma stavolta sarebbe stato diverso. Trovai gli antibiotici dentro la borsa medica. Il pensiero di incidere la pelle di mio figlio mi fece tremare le gambe mentre salivo le scale. Andai in bagno a lavarmi le mani, l'acqua calda quanto riuscii a sopportare. Sapevo che gli avrei fatto male. Dovevo trovare il modo di affrontare la situazione per operare in modo corretto. Mi asciugai le mani con la salvietta di carta del kit e mi infilai i guanti da chirurgo; in quel momento sentii di aver oltrepassato la linea che separava la madre dalla dottoressa. Era solo un problema che andava risolto; era semplice; potevo farlo. Disinfettai il braccio con un tampone imbevuto di iodio, coprii la parte superiore e inferiore del gomito con carta sterile, posizionai il vassoio chirurgico di cartone e spruzzai uno spray criogenico per anestetizzare l'area dell'ascesso.

«Il freddo riduce la sensibilità, ma ti farà male comunque. In ospedale ti darebbero un anestetico più efficace. Sei sicuro, Ed?»

«Fallo».

Dottoressa, non madre…

Presi il bisturi e incisi la pelle tesa e sottile sopra l'ascesso.

Ed gridò appena i due lembi di pelle si separarono e il pus giallo e denso sprizzò fuori dai bordi della ferita, colando sul gomito e nel vassoio.

«Gesù». La fronte imperlata di sudore, osservò la materia grumosa e sanguinolenta riempire il vassoio. «Cazzo, fa male».

«Ho quasi finito». Sentivo il sudore freddo colarmi dalle ascelle e non riuscivo a fermare il tremito nelle mani; tuttavia spremetti fuori le ultime gocce di pus e siringai l'antisettico all'interno. Inserii un morbido tampone giallo nella ferita, lo fermai con una fascia e mi assicurai che

236

Ed mandasse giù una dose iniziale di antibiotici, penicillina e metro-nidazolo. Paracetamolo. Tè.

Dopo di che mi sedetti sul letto e immobilizzai le mani ancora tremanti fra le ginocchia. Ed aveva le labbra bianche.

«Non dirlo a papà», sussurrò a denti stretti.

«È naturale che lo sappia. Dovrà sapere perché lasci la scuola, se non altro. Non ne sarà entusiasta, ma capirà. Anche per lui è stata dura smettere di fumare, anni fa».

«Non sapevo che papà fumasse».

«Non solo sigarette, a volte».

«Davvero?». Ed mi guardò con una scintilla di curiosità negli occhi.

«Nessuno è infallibile; tutti noi combiniamo dei casini, prima o poi».

«Sì? Persino il perfetto Theo, il figlio perfetto?».

Ah. Abbassò lo sguardo sul copriletto. Non vedevo bene il suo viso, ma il tono era amaro. Aspettai che continuasse, ma non parlò più di Theo.

«Li vendevo», borbottò, la voce indistinta. «Per la ketamina».

Aveva venduto i farmaci presi dalla mia borsa per comprare quello che gli serviva; probabilmente c'era sempre qualcuno disposto a barat-tare petidina e temazepam con la ketamina. Mi chinai su di lui mentre farfugliava qualcos'altro. Non riuscii ad afferrare le parole. Chiuse gli occhi e scivolò nel sonno.

Richiusi la porta senza far rumore e portai il vassoio e i guanti in cucina. Suonò il cellulare.

«Lo diranno al notiziario». Il tono nella voce di Michael mi mise in guardia. La droga di Ed. Qualcuno doveva averlo scoperto e rivelato ai giornalisti. Grazie a Dio Ed stava dormendo o avrebbe pensato che fossi stata io. Michael stava ancora parlando, e mi ci volle qualche secondo per capire che quel che mi stava dicendo non aveva nulla a che fare con la droga.

«Hanno trovato un pickup blu abbandonato nel bosco».

CAPITOLO 26

Dorset 2011. Tredici mesi dopo

Quando la vasca da bagno si svuota, sul fondo rimane una scia di pietruzze che mi erano entrate nelle scarpe, sulla spiaggia, e mi si erano incastonate nella pelle. Le spingo verso il buco di scarico, minuscoli residui di roccia con i bordi affilati dal mare, che precipitano in uno scintillio nero e bruno.

Dopo il bagno esco fuori a telefonare; la mia voce si perde nello spazio bianco e gelido del giardino. Tengo il cellulare accostato alla bocca. La finestra di Ted è aperta; potrebbe svegliarsi e sentire. Mentre aspetto che Michael risponda, il corpo nero di un ragno, appeso a un filo, oscilla come un pendolo di perla verso le pietre che delimitano il giardino. Michael è piacevolmente sorpreso di sentirmi.

«Ted è ancora qui». Con la punta del dito, spingo il ragno verso il muro, dove si aggrappa alla superficie ruvida.

«Ah».

«Dopo il suo arrivo si è ammalato, così…».

«Così ti stai prendendo cura di lui», finisce per me Michael.

«Gli ho permesso di fermarsi qui. Mi ha detto cose di Naomi che non sapevo. Aveva sottratto dei farmaci».

Un silenzio che dura qualche secondo.

«Bene», commenta.

«È successo quando è andata a fare esperienza di lavoro al laboratorio di Ted. Un giorno si è dimenticata lì la borsa e Ted ci ha trovato dentro alcune fiale». Le parole mi escono di bocca senza difficoltà, ma mi sento mancare il fiato.

«Perché non l'ha detto a nessuno?»

«L'ha detto a un agente alla stazione di polizia, ma evidentemente la cosa non ha avuto seguito».

Il ragno zampetta veloce sulla pietra in cerca di un buco dove nascondersi.

«Ma non l'ha detto a te», mi fa notare.

«A quanto pare non ha voluto gravarmi di qualcosa che sembrava irrilevante».

Una pausa, poi di nuovo la sua voce calma: «Ok. Quali farmaci?»

«Ketamina».

Con un tempismo perfetto, l'aria si riempie di un concerto ordinato di campane; l'esercitazione del primo mattino riversa un'innocente cascata di note negli spazi e negli angoli deserti del paese, evocando un mondo di vacanze, sole, prati rasati e pranzi della domenica.

«Ted la usava per anestetizzare i ratti. Naomi era nel laboratorio e aveva accesso al farmaco. La ketamina non è soggetta a restrizioni, e poi si fidavano di lei».

Il ragno è sparito; devo aver perso il momento in cui si è tuffato dentro un varco fra le pietre.

«C'è un grosso traffico di ketamina», dice piano Michael.

«Naomi non si sarebbe lasciata coinvolgere. Ed trafficava droga, non Naomi».

Michael continua come se non avessi parlato: «Posso procurarmi una lista di persone che ne fanno uso».

«Una lista di persone? Ted dice che aveva preso qualche fiala per gli amici…».

«Chi fa uso abituale di ketamina di solito è più grande di Naomi», mi interrompe. «È poco probabile che si tratti di studenti della sua scuola. Avrà avuto contatti di altro tipo».

Quella parola apre uno spiraglio sul mondo che Ed aveva visitato, dove figure indistinte vivono in un network ai margini oscuri della vita, organizzate e pronte a colpire. Contatti. La parola per indicare i partner di un paziente che ha contratto la clamidia o la gonorrea; qualcuno di sconosciuto, con il potere di menomare di nascosto.

«Almeno sappiamo cosa indica la "K" nel suo diario», conclude Michael.

Avevo pensato che fosse un'abbreviazione per indicare un compito svolto durante le vacanze. Com'ero stata ingenua; doveva averlo pensato anche Naomi mentre teneva per sé i suoi segreti.

«Vengo da te», dice Michael.

«Puoi?». Le lacrime mi bruciano gli occhi.

«Sarò lì fra un paio d'ore. Sarebbe utile parlare anche con Ted».

«Grazie». Vorrei aggiungere una parola che dica di più, qualcosa di più grande, ma non riesco a trovarla. Mi ricordo di metterlo in guardia: «Lui non sa di noi».

«No, non deve saperlo».

Forse potrebbe essere sollevato dal nostro caso se si sapesse che stiamo insieme, oppure licenziato. Questa segretezza pesa sulla nostra relazione, appiattendola in qualche modo. A volte, quando sono sola, penso che sia solo frutto della mia fantasia.

Terminata la conversazione, poso la mano sul muro. La pietra è ruvida e fredda. Le fenditure buie devono essere piene di ragni che non vedrò mai, fitte di ragnatele e prede intrappolate. Rientrando nel cottage, lascio dietro di me impronte marcate nell'erba irrigidita dal gelo. L'aria è pulita e gelida; sarà un giorno di sole e di ghiaccio sotto i piedi. Faccio uscire Bertie, lo guardo rotolarsi nella brina. Il calore del suo corpo scioglie il ghiaccio; quando si rialza e si scuote energicamente, c'è una macchia di verde in mezzo al prato bianco. La novità del giardino lo eccita; sembra gradire il freddo che gli penetra nella pelle. Corre in cerchio come un cucciolo.

In cucina, Ted si sta preparando una tazza di caffè. Ha un aspetto diverso da quando è arrivato, forse leggermente più florido, il busto eretto. Indossa il cappotto, vicino ai piedi ha una valigetta. I suoi occhi si sottraggono ai miei, poi tornano a studiarmi, come quelli di un bambino colpevole.

«Mi dispiace», dice.

Mi dà la tazza appena preparata e versa del caffè macinato in un'altra. Continua a parlare in fretta, come se temesse di essere interrotto prima di aver detto quel che gli sta a cuore.

«Ti voleva bene».

Non c'è bisogno che me lo dica lui. Stringo la tazza fra le mani e mi appoggio allo scolatoio. Il sole filtra attraverso i vetri e illumina i blocchi squadrati del pavimento, mettendo in evidenza la polvere e le linee scure lungo i bordi.

«Ho fatto tante cose sbagliate», aggiunge nel silenzio, inciampando sulle parole.

«Cosa esattamente?». Prendo il porridge dentro la credenza e lo verso in una pentola. So già che non c'è un "esattamente". Tutto ciò che ho sbagliato o frainteso si trova in un punto imprecisato nello spazio mutevole fra l'aspettarsi troppo e il non osservare abbastanza.

«Ero sempre via, impegni di lavoro…».

Come può pensare che sia così semplice? Che Naomi sia scomparsa solo perché lui era via, come se tutte le altre cose che ha fatto o non fatto non contassero.

«Che ne dici delle regole che hai infranto?». Doso l'acqua da aggiungere ai fiocchi d'avena con le mani che mi tremano per la rabbia.

«Così lei ha pensato che le regole non fossero importanti…». Gli getto un'occhiata, cogliendo una scrollata di spalle insofferente.

«Se ti riferisci a Beth, te l'ho detto: Naomi non lo sapeva. Sono stato attento».

Poi aggiunge, come se fosse una conseguenza logica: «Sai, è davvero finita fra noi». Si avvicina, sbircia oltre la mia spalla. «Perché non metti un po' di latte? Lo rende più gradevole».

«Michael sta venendo qui». Mi allontano di un passo, versando nella pentola un'altra mezza tazza di acqua.

«Domani ho una lista di operazioni, quindi devo tornare per vedere i miei pazienti. Dopo di che pensavo che forse noi…».

«Gli ho parlato questa mattina». Non lo guardo mentre rimescolo il porridge. «Sta venendo a parlare con noi della faccenda della ketamina».

Verso il contenuto della pentola in una ciotola e la lascio sul tavolo per lui.

«Allora aspetterò». Parla adagio, osservandomi.

L'aria in cucina è tesa, carica di parole non dette. «Vado a lavorare un po'», lo avviso, e chiudo la porta.

Non è il periodo giusto dell'anno per i fiori che mi servono per il mio ciclo della vita, ma forse troverò qualcosa nella siepe sul campo. La manica si impiglia mentre apro il cancello. Sul ramo spinoso che ha afferrato la stoffa c'è un bocciolo di rosa avvizzita dal gelo, che penzola da uno stelo annerito. Gli strati esterni si saranno seccati prima, quelli teneri all'interno, più tardi. Libero la manica dalle spine e il fiore mi cade in mano con tutto lo stelo; la ragnatela fra la corolla e lo stelo si tende di poco, poi si spezza.

Dentro il capanno, il bocciolo si delinea sullo spesso cartoncino bianco. I petali sono scuri e induriti lungo i bordi, e questi ultimi sono ripiegati indietro in minuscoli colletti frastagliati; alcuni petali sono rosa vicino al calice, ma segnati da punti e linee malva e marrone scuro; gli strati di petali sono ancora saldamente uniti a formare una coppa. Se coloro i petali di rosa e poi sovrappongo il nero, potrei ottenere il grigio spento della cenere. Non voglio ricordare la poesia di Blake, ma mentre lavoro i versi affiorano nella mente, come se mi stessero aspettando:

> Sei ammalata, Rosa:
> l'invisibile verme
> che vola nella notte
> nella tempesta urlante,

Tredici mesi fa il suo mondo era sicuro. Casa, scuola, amici. Adesso so che, al di là di quel cerchio illuminato, il mondo era pieno di pericoli nascosti, in attesa che qualcuno muovesse un passo oltre la luce, nell'oscurità delle ombre. Basta una sola persona, un solo contatto.

> ha scoperto il tuo letto
> di cremisi gioia
> e il suo oscuro segreto amore
> ti distrugge la vita.

Mi sforzo di dipingere, di concentrarmi sul foglio al punto che vedo solo colori scuri e figure ricurve. Se qualcuno l'amava, di certo non l'avrebbe distrutta. Traccio il profilo del bocciolo e la mia mente è talmente carica che quando la porta si dischiude con un cigolio, mi giro di scatto, sorpresa.

«Scusa, l'ho fatto di nuovo». È Michael con sciarpa e cappotto, le chiavi della macchina in mano. Ha immaginato che fossi nel capanno ed è venuto direttamente qui. Curva un po' le spalle larghe, come se volesse offrirmi se stesso come un porto sicuro dove rifugiarmi.

Gli tocco il viso, e la pelle è calda sotto le mie dita. «È bello vederti». Preme le labbra sul palmo della mia mano. «Hai l'aria stanca. Sarei dovuto venire prima, ma pensavo che ci fossero ancora i ragazzi».

«Sono partiti qualche giorno fa. Andiamo in casa, o Ted verrà a cercarci».

Ted ha allineato i coltelli sullo scolatoio come in una sala chirurgica. Ci sono mucchi ordinati di cipolle tritate, spezie, pastinaca affettata. Mentre entriamo in cucina, è intento a sminuzzare il prezzemolo: una mano tiene ferma la punta della lama, mentre l'altra muove rapidamente su e giù il manico del coltello. Cappotto e valigetta non si vedono da nessuna parte.

«Voglio che faccia un pasto nutriente», dice a Michael dopo che si sono stretti la mano. «Si è presa cura di me e ora sono io a prendermi cura di lei». Come se avesse percepito l'intimità che c'è fra me e Michael e stesse cercando di reclamarmi. Rimescola il contenuto del tegame.

Michael passa nel soggiorno. «Perché non venite tutte e due a sedervi?».

Ted leva il tegame dal fuoco e ci segue, si siede accanto a me, un po' troppo vicino, e allunga il braccio sullo schienale del divano.

Michael si accomoda sulla sedia di fronte e si piega verso di noi, studiandoci con sguardo attento e professionale. «Dopo che Jenny mi ha parlato della ketamina, ho fatto dei controlli. Il nostro software ci permette di accedere alle liste nazionali di consumatori e spacciatori, e possiamo effettuare correlazioni incrociate con altri crimini commessi».

Crimini come il rapimento o crimini come lo stupro e l'omicidio? Lancio un'occhiata a Ted per capire se anche lui sta pensando la stessa cosa, ma ha il capo chino e sta assorbendo l'impatto delle parole di Michael.

«Ho portato alcune liste. Quando ho digitato "ketamina" sotto

Bristol sono apparsi circa un centinaio di nomi. Guardate se qualcuno vi è familiare».

«Perché dovrebbe esserlo?», domanda Ted.

«Un nome che potreste aver sentito pronunciare casualmente da Naomi, per esempio, oppure l'amico di un amico dei ragazzi».

«Dubito che sia venuta spesso in contatto con delinquenti consumatori di droga», ribatte seccamente Ted.

«Naomi rubava farmaci. E anche Ed». Mi volto per guardare Ted in faccia, alzo la voce. Come può dare ancora per scontata l'innocenza dei suoi figli? «È naturale che siano entrati in contatto con delinquenti consumatori di droga».

Silenzio. Ted ritira il braccio dallo schienale. Michael abbassa lo sguardo sulla lista, è rosso in viso. Percepisco una nota di disappunto: è imbarazzato perché ho perso la calma. Distolgo lo sguardo da entrambi e mi concentro sull'erba, il cielo e gli alberi oltre la finestra.

Michael consegna lo stesso incartamento a entrambi.

«Qualsiasi cosa vi colpisca, per qualunque ragione, potrebbe rivelarsi utile», dice.

Tom Abbot, Joseph Ackerman, Silas Ahmed, Jake Austin, Mike Baker... Leggo i nomi sul foglio. Non ne ho mai sentito nessuno prima d'ora. È un sollievo, e allo stesso tempo non lo è... significa che non abbiamo fatto alcun passo avanti. Ted scuote la testa.

«Mi spiace. Non mi dicono niente».

«Ho una lista più ampia che comprende il Sud-ovest». Michael sta tirando fuori altri fascicoli dalla borsa.

Ted comincia a scorrere la nuova lista; legge in fretta e gira le pagine prima di me. Vorrei che impiegasse più tempo, che la esaminasse più attentamente, ma lui è sempre stato più rapido di me nella lettura, essendo in grado di estrapolare dal testo quel che gli serve omettendo il resto. Leggo e rileggo, getto uno sguardo a Michael per segnalargli la mia gratitudine, ma anche lui sta leggendo la lista, la fronte leggermente aggrottata. Deve essere stanco. Lo vedo mentre arriva presto in ufficio questa mattina, accende il computer, stampa le liste per noi, guida per due ore fino al Dorset. Gli occhi saranno stati concentrati sulla strada, ma quali pensieri gli riempivano la

244

testa mentre la campagna gli sfrecciava accanto? Strano, ma non ne ho proprio idea.

Ted ha finito prima di me. Posa la lista.

«Niente, purtroppo». Non dice altro. Torna in cucina e comincia a rovistare rumorosamente nella credenza.

Continuo a leggere, esaminando ogni singolo nome. Niente di familiare. Michael si avvicina e mi posa una mano sulla spalla. Dalla cucina arriva il sibilo di un frullatore; si ferma, riparte. Il calore del contatto con Michael mi brucia la pelle. Chiudo gli occhi; dopo qualche istante Michael torna alla sua valigetta e tira fuori due grossi fasci di documenti.

«Qui ho la lista nazionale».

«Mio Dio», esclama Ted, ricomparendo con un vassoio di tazze fumanti. «Hai coperto una vasta area».

Michael accetta una tazza di zuppa e ne beve un sorso. «Grazie. Immagino che per te sia lo stesso, quando qualcuno sta male e non sei sicuro della diagnosi. Valuti tutte le possibilità. Esami vari e analisi del sangue. Lavoro da detective».

Ted annuisce. «Ben detto. A volte basta trovare quella piccola informazione mancante – un mal di testa diverso dal solito, un lieve squilibrio elettrolitico o l'ombra più scura in un'ecografia – ed ecco fatta la diagnosi».

La zuppa è calda e speziata. Ted ha imparato a cucinare. Per un secondo vedo Beth, la mia immagine di Beth, il viso arrossato dal calore dei fornelli mentre mescola la zuppa sul fuoco. Ted si sporge oltre la sua spalla per dare un'occhiata, le bacia il collo. Mi fanno male gli occhi a furia di leggere i piccoli caratteri della lista. Vado nel capanno a prendere gli occhiali che ora uso per dipingere da vicino. Quando rientro nel soggiorno, Michael, notando le mie lenti, si alza e accende la luce.

Ted mi sorride. «Così adesso mia moglie porta gli occhiali. Ti donano». Mi siedo di fronte a lui, sulla sedia accanto a Michael.

Michael ci consegna i fasci di documenti. «Questa è la lista nazionale; se i consumatori di droga sono collegati ad altri crimini, il nome è contrassegnato da un asterisco. La lista copre Scozia, Inghilterra del Nord, le Midlands, Anglia orientale, Galles e giù fino al Sud, compresa Londra».

«Ce ne saranno a migliaia, qui dentro», commenta Ted.

Ma non ho bisogno di leggerne migliaia. Eccolo qui, in fondo alla seconda pagina, segnato da un asterisco. Yoska. Yoska Jones. Di nuovo quel bizzarro nome cristiano; resto senza fiato, come se mi avessero dato un pugno nello stomaco.

«Aveva un accento gallese», dico con un filo di voce. «Strano».

«Chi?». Michael si accovaccia vicino alla mia sedia. «Cos'è strano?», mi incalza.

«Era strano perché Yoska non è un nome gallese».

Michael dà una rapida scorsa alla pagina che sto leggendo.

«Yoska Jones? Ti ricordi di lui?»

«Ricordo un uomo di nome Yoska», rispondo guardando Michael in faccia, e invece dei suoi penetranti occhi grigi ne vedo altri, castani, su un viso lungo. Mani forti, un corpo slanciato e muscoloso, capelli neri. Zigomi alti. Poi subentra un'altra immagine e per un istante rivedo la calligrafia di Naomi: XYZ. La Y mimetizzata tra la X e la Z, scritta in rosso e toccata da un cuore. Le avrà consigliato di non scrivere mai il suo nome da nessuna parte.

«Cosa aveva che non andava?», domanda Michael.

«È questo il punto, non l'ho mai scoperto».

«Perché no? Non ti ha detto molto? Era un tipo difficile?». Le domande di Michael sono rapide, mi arrivano addosso come proiettili.

«Al contrario. Era affascinante».

«Ricordi con precisione cosa ti ha detto?». Michael mi guarda con occhi speranzosi. Ted ci sta osservando e scuote la testa, pensando evidentemente che non riuscirò ad accontentare Michael.

«Qualcosa», rispondo. «Ma è stato più di un anno fa».

Ricordo che quando è entrato nello studio e si è seduto non mi sembrava sofferente, e questo era già strano di per sé. Di solito i pazienti non hanno un bell'aspetto quando vengono a farsi visitare: sono doloranti, o preoccupati, o tristi. Yoska aveva un colorito sano e credo che stesse sorridendo, o almeno la bocca era atteggiata a un sorriso. Forse aveva una cicatrice, piccola, sotto l'occhio sinistro, che faceva apparire il resto del volto ancora più liscio. Gli occhi castani mi avevano osservato con attenzione. Non mi era parso malato, solo curioso.

«Scrivi cosa ti ha detto, se ci riesci». Michael pesca un foglio bianco nella borsa, lo ferma sotto la molla del portablocco e mi consegna il tutto. Nella tasca trova la penna che porta sempre con sé. «Potrebbe essere importante. Scrivi, così come è andata».

«Parola per parola?»

«Resterai sorpresa da quel che può venir fuori dalla tua memoria. Prova».

Mi sorride, come se ricordare un consulto di sette minuti avvenuto più di un anno fa fosse la cosa più facile del mondo. Era il 2 novembre. Lo so con certezza perché entrò prima di Jade, e la data è impressa nella mia memoria.

Scrivo la data in cima al foglio di carta e la sottolineo. Poi scrivo quel che penso ci siamo detti, e nel frattempo cerco di ricordare la sensazione che avevo avuto.

<u>2 novembre 2009</u>

«Come posso aiutarla?».

Devo aver detto qualcosa del genere; penso di non essermi dilungata oltre. Ricordo che avevo fretta perché ero in ritardo con le visite. Si era sporto in avanti e aveva posato la mano sul tavolo. Lo ricordo chiaramente perché di solito i pazienti non toccavano il tavolo: era il mio territorio. La mano di Yoska era troppo vicina alla mia, così la ritirai in grembo. Mi aveva dato l'impressione di un gioco di potere che lui aveva vinto. Aveva risposto alla mia domanda senza esitazione.

«Mal di schiena, ereditario».

Il mal di schiena in genere non è una malattia genetica, ma sentii che si aspettava una reazione da me, così non feci obiezioni.

«Cosa l'ha provocato, secondo lei?».

A volte i pazienti non gradiscono questa domanda, perché pensano che il dottore dovrebbe saperlo; non si rendono conto che è importante avere la loro opinione. A Yoska non diede fastidio. La sua risposta fu immediata, come se l'avesse preparata prima.

«Portare in giro la mia sorellina. Le piace farsi portare sulle spalle, ma comincia a essere pesante».

Non gli piacque quando gli suggerii di lasciare che la sorella camminasse con le proprie gambe. Lo avevo giudicato come il tipo d'uomo che non vuole sentirsi dire cosa fare, specialmente da una donna.

Il sollevamento della gamba tesa era limitato sul lato sinistro. Gli dissi che si trattava di sciatica e gli prescrissi degli antidolorifici. Ricordo che sorrise e mi strinse la mano. Gli restituii il sorriso, sollevata perché in fondo era filato tutto liscio.

Michael scorre velocemente il dialogo che ho scritto e Ted va a mettersi dietro di lui per leggerlo da sopra la sua spalla.

«Sarà utile?». Guardo Michael.

«Certamente». Annuisce in modo incoraggiante. «Se è lo stesso Yoska della lista. Anche se, indubbiamente, è un'ipotesi un po' azzardata…».

«Sembra sia stato un consulto come tanti altri», osserva Ted. «Non vedo come possa ricollegarsi a Naomi». Torna a sedersi sul divano e comincia a strofinare avanti e indietro il sopracciglio destro.

«Dovrei riuscire a scaricare una foto dal database», continua Michael. «Nel caso, te ne invio una copia via email».

«E poi?». Lo guardo intensamente, sentendo la piccola speranza di quel momento spegnersi. «Anche se lo Yoska che ho visto all'ambulatorio è lo stesso Yoska spacciatore di ketamina sulla tua lista, questo cosa prova?». La Y rossa sul diario sembra sbiadire mentre parlo, i cuoricini dissolversi nel nulla.

«Non posso ancora dirlo con precisione, ma potrebbe fornirci qualche elemento su cui lavorare». Poi Michael mi sorride. «Un passo alla volta. È così che funziona, ricordi?».

Più tardi, quella sera, ripenso a quando mi aveva detto la stessa cosa: piccoli passi che alla fine ti portano a destinazione. Era l'undicesimo giorno dalla scomparsa di Naomi, e io avevo pensato che non saremmo arrivati da nessuna parte.

Bristol 2009. Undici giorni dopo

Mentre ci avvicinavamo alla curva della strada che da Thornbury portava a Oldbury-on-Severn, vedemmo le colonnine spartitraffico e il giallo e il blu della macchina della polizia parcheggiata risplendere nel grigiore di un pomeriggio invernale. Era quasi buio e la pioggia cadeva fitta.

Michael accostò la jeep alla siepe, scese e si incamminò verso l'agente di guardia. Attraverso le gocce di pioggia sul parabrezza osservai i due incontrarsi a metà strada, poi proseguire insieme oltre gli spartitraffico ed entrare in un campo dal cancello aperto, per poi sparire alla vista lungo un sentiero pieno di pozzanghere.

Ero lieta che Ted fosse di servizio e che fosse stato Michael a portarmi sulla jeep della polizia. Se ci fosse stato anche Ted, in quel momento ci saremmo ritrovati insieme, da soli, ad aspettare che Michael tornasse indietro, con la paura che cresceva di minuto in minuto fino a esplodere in parole di rabbia. Invece era con Ed, che era ancora a letto con il braccio fasciato, e reperibile nel caso l'ospedale l'avesse chiamato per un'emergenza. Io ero lì, spinta dall'impulso irresistibile di essere dove Naomi poteva essere stata dopo l'ultima volta che l'avevamo vista.

Dopo qualche minuto, Michael risalì nella jeep portando con sé un sentore di aria fresca e umida, le labbra serrate in un'espressione tesa.

«Il pickup è stato abbandonato in un boschetto di fianco al campo, su per il pendio». Accennò al cancello aperto e al campo al di là di esso. Serrò le dita intorno al volante.

«Cosa c'è, Michael?», gli domandai, ma stava guardando dritto avanti a sé. «Cos'è successo?».

Staccò una mano dal volante e la posò sulle mie mentre le torcevo in preda all'ansia. «È semidistrutto dal fuoco», mi disse.

Il calore della sua mano filtrò nelle mie. Per un momento avrei voluto abbarbicarmi a quel contatto, ma Michael allungò il braccio e riavviò il motore. Ci muovemmo adagio verso il cancello aperto, dove l'agente rimosse gli spartitraffico e ci lasciò passare.

Nella mia testa risuonava il nome di Naomi, come una preghiera, mentre la jeep sobbalzava sulla stradina di campagna segnata da solchi, inerpicandosi a velocità costante lungo il terreno in pendenza. Notai il fosso vicino alla siepe, fitta di sterpi, e la distesa bruna dei campi. Il fosso era stato ripulito dalle erbacce ed era pieno di acqua melmosa. Pensai ai ratti e agli esserini morti che potevano trovarsi

249

sotto la superficie. Su un'altura isolata, arretrata rispetto al campo, notai un gruppo di alberi a mezza costa. Visto da lì, sembrava uno dei tanti boschetti di alberi spogli che popolano l'inverno nel Sud del Gloucestershire, indistinti nella foschia.

Michael fermò la jeep ai piedi dell'altura e scendemmo. Lo seguii. Aveva smesso di piovere; l'aria fredda e umida odorava di terra ed erba bagnata. C'era quiete ora che il motore era spento, ma il silenzio si riempì a poco a poco del rumore degli storni sugli alberi e dell'improvviso, rauco richiamo di corvi che volteggiavano alti nel cielo. Sentii dei muggiti in lontananza e, più vicino, il sommesso gocciolio della pioggia che cadeva dai rami. La volta grigia del cielo era immensa, lassù; eravamo più in alto di quanto avessi pensato.

Ci arrampicammo lungo il pendio ripido, con i piedi che sprofondavano nel pacciame di foglie avvizzite di faggio, e poi scavalcammo il nastro bianco e blu che era stato fissato tra gli alberi. La vegetazione del sottobosco mi graffiò le gambe, e sulle prime non vidi il pickup. Erano stato spinto sotto una conifera isolata; i rami più bassi erano spogli e bruciacchiati. I finestrini erano esplosi e il metallo del tetto era annerito dal fuoco. Mi fermai accanto al veicolo, immaginando le fiamme che lo avevano ridotto così, il calore che aveva distrutto il rivestimento esterno, il fragore e il tanfo.

Girammo intorno al mezzo; il cofano poggiava contro un tronco d'albero. C'erano ancora frammenti di vernice blu, in gran parte scrostata e macchiata di nero. La targa era stata rimossa.

«Questa parte era meno bruciata», spiegò Michael. «Il serbatoio della benzina avrebbe preso subito fuoco».

«Voglio guardare all'interno, Michael».

«Sapevo che l'avresti detto». Tornò alla jeep, tirò fuori qualcosa dal bagagliaio e tornò con un paio di guanti blu di gomma. Li infilai a fatica sulle dita bagnate.

Lo sportello del passeggero non c'era più; infilai la testa nell'abitacolo e notai il filo metallico e le molle, tutto ciò che era rimasto dei sedili. Misi la mano nel vano vuoto che aveva ospitato la radio. Quello portaoggetti era stato strappato via. Guardai dentro il sedile posteriore. Altre molle e filo metallico. La pioggia era penetrata all'interno e davanti al sedile anteriore c'era una grossa pozza di acqua nera. Non vidi nulla, ma non era abbastanza profonda da nascondere qualcosa. Infilai la mano tra le molle e passai le dita lungo il metallo sul fondo del veicolo; tastai il rivestimento del pickup con la stessa cura con cui tastavo la pelle dei miei pazienti. Niente.

«Perché qui?», chiesi a Michael. «È così lontano da tutto. Qui vicino non c'è una strada principale, né un centro abitato o una stazione ferroviaria. Non c'è possibilità di fuga».

«Non è chiaro, eh?», disse Michael. «Scusami un secondo. Devo fare un paio di telefonate».

Si allontanò fra gli alberi, curvo sul cellulare, e dopo qualche istante lo persi di vista. Pensai a come sarebbe stato diverso quel posto in primavera; sole e ombra avrebbero giocato in mezzo alle campanule e all'aglio selvatico, la luce si sarebbe colorata di verde e oro passando tra le foglie dei faggi e il piccolo bosco avrebbe assunto l'aspetto di una cattedrale.

Mi accorsi che aveva ripreso a piovere dal rumore delle gocce sulle foglie. Si era fatto più buio, e mi domandai quali rumori avrebbero animato il bosco al calare della notte.

«Dobbiamo andare». Michael era tornato indietro e si era fermato vicino a me. «Presto arriveranno altri agenti. Il pickup dovrà essere esaminato».

Esitai per un istante. Cosa avevamo ottenuto, dopotutto? Non c'era nulla in quella carcassa bruciata o nel bosco che mi portasse più vicino a Naomi, niente che potesse dirci se quello era il veicolo su cui era salita. Niente, a parte qualche scaglia di vernice blu.

«È stata solo una perdita di tempo, Michael? Non abbiamo fatto alcun passo avanti».

Michael mi afferrò la mano per un istante e poi la lasciò andare.

«Ti sbagli, Jenny. Facciamo continuamente progressi, ma devi avere pazienza. Per me è più facile; sono stato addestrato per questo. Ricorda, sono passi come questo, uno dopo l'altro, che ci porteranno a destinazione».

Ma i passi sono troppo piccoli, pensai. Ci vorrà troppo tempo. Ciò nonostante, il peso della delusione sembrò alleggerirsi un po'.

«Ora cosa succederà?», gli chiesi.

«Il pickup sarà portato nel garage della Scientifica presso la centrale di polizia di Portishead, ed esaminato centimetro per centimetro; tutti i reperti saranno conservati, nel caso vengano alla luce ulteriori informazioni che possano renderli utili. È così che funziona, sai», disse.

Uscendo dal folto degli alberi, notai per la prima volta il panorama, il verde dell'estuario del Severn che sfociava nel canale, a circa tre chilometri dalla collina su cui ci trovavamo. L'acqua sembrava marrone tra gli alti argini fangosi, dove scafi colorati di barche a vela giacevano su un fianco sopra la linea di marea. Più a sinistra, le luci del nuovo Severn Bridge brillavano nel crepuscolo.

«Laggiù c'è il Galles», disse Michael, e accennò alle colline che sembravano così vicine da poterle toccare, appena al di là del corso d'acqua.

CAPITOLO 27

Dorset 2011. Tredici mesi dopo

Tornando dal negozio, martedì mattina, vedo Mary aggirarsi nel giardino raccogliendo manciate di piume. Mi guarda dall'altra parte del muro.

«Una volpe», dice. «Si è scavata un passaggio». Forme tondeggianti sfuggono dalla sua presa maldestra, tubi contorti sbucano fra le dita nodose. Visti da vicino, si rivelano i colli torti di due galline. Dietro di lei, nella stia, ci sono mucchi di piume macchiate di sangue. Non c'è il solito chiocciare sommesso di sottofondo, né si vedono becchi che frugano nel terreno.

Nell'oscurità odorosa di catrame del suo capanno ordinato, tiro giù due vanghe dalla fila di attrezzi lucenti appesa alla parete. Scaviamo una buca profonda in un angolo dell'orto, dove il terreno è più soffice. Mary ci rovescia dentro le sei galline morte, i corpi straziati risaltano contro le pareti di terra scura. Dopo aver riempito la buca, ci camminiamo sopra per appiattire la superficie. Le immagini arrivano, le aspettavo; divampano e bruciano ancora, anche se meno spesso. Ora è il suo viso delicato a essere sotto terra; il fango le copre i capelli. Indietreggio di scatto. Mary mi sorride mentre mi toglie di mano la vanga; mi chiedo se abbia capito cosa mi tormenta.

«Almeno il prossimo anno i porri saranno più saporiti», commenta. «Maledette volpi».

In casa, sediamo in silenzio al tavolo della cucina. Al centro, c'è una teiera fiorata con dentro un mazzo di salvia ed erba cipollina, e una busta di carta piena zeppa di quadrati lavorati a maglia rossi, gialli e blu da consegnare alle vicine, che penseranno a cucirli insieme per realizzare coperte destinate alle missioni. Accanto a questi, una pila di contenitori per le uova vuoti.

Mary posa le labbra sul bordo della tazza di porcellana e spinge verso di me la scatola dei biscotti. «Sandy li ha comprati per Natale. A me non piacciono». L'amore di Mary per la figlia è sepolto nel profondo del suo cuore. A volte cerco di riportarlo alla luce.

«Probabilmente li ha fatti lei, Mary».

«Se sembrano fatti in casa è perché li ha comprati per quattro soldi alla festa di beneficenza della scuola. Non mi imbroglia». Poi aggiunge, come se fosse del tutto irrilevante: «A Dan ha fatto piacere conoscere i tuoi ragazzi. Pensa di alloggiare da loro a New York».

«Me l'ha detto». Allungo la mano e prendo una foglia di salvia, la strofino tra le dita. «È passato da me l'altra sera».

Gli occhi attenti di Mary si socchiudono dietro il vapore della tazza fumante. «Quel ragazzo ha bisogno di andare via».

Il volto di Dan indugia nell'aria fra di noi.

«Il vecchio gli ha lasciato una sommetta». Accenna alla fotografia sopra il televisore. «Per la sua istruzione. Adesso gli torna utile».

Occhi infossati sotto un paio di folte sopracciglia mi guardano severi dalla cornice. Aveva visto qualcosa in quel ragazzo. Doveva aver osservato e ascoltato suo nipote come io non avevo fatto con i miei figli. I rimpianti galleggiano appena sotto la superficie, pronti ad emergere a ogni pensiero.

Mary fa una risatina. «Dan è un po' nei pasticci con i sentimenti». Mi guarda di traverso. «Crede di essere innamorato». Si sporge sul tavolo e mi dà una pacca sulla mano. Mi sento avvampare, come se fossi colpevole di qualcosa.

«Per l'amor di Dio, Mary, è un ragazzo. Potrebbe essere mio figlio».

«Lui non ti vede come una madre, tutto qui. Non è colpa tua».

Si alza, prende i contenitori vuoti delle uova e li butta nel bidone del riciclaggio.

Più tardi, mentre dipingo nel capanno, il volto in ombra di Dan, incerto e infelice, si frappone fra me e la carta. Non l'ho più visto da quando si è fermato qui a cena. Non ammetterebbe mai di essere innamorato, non vorrebbe parlarne affatto. Girerebbe la testa dall'altra parte, distrutto. O anche qui mi sbaglio? Vorrebbe parlare di quel che prova? Mi siedo sulla panca, il pennello in mano, e guardo il cielo grigio e impassibile fuori dalla piccola finestra. Cosa ne so io di quanto spazio una persona ha bisogno di avere intorno a sé? Pensavo che Naomi avesse bisogno di spazio, ma forse ero io a pensare che fosse quello il suo bisogno primario. Era più facile, in quel modo. Riesco a pensare che fosse vero con la stessa facilità con cui credo che in realtà non lo fosse. Ogni cosa è diventata incerta. Con il tempo, avevo raggiunto una condizione che ero in grado di gestire, ma ora sto scivolando indietro al punto di partenza. Alla faccenda delle droghe, a quando ho rivisto il nome Yoska.

Mi alzo, guardo i semi sparsi sulla carta; mi concentro sui piccoli frutti rossi e ovali del biancospino selvatico, sulla chiazza nera sulla punta. Poco a poco diventano l'unica realtà presente, piccoli semi in attesa di vita, chiusi, insignificanti, inaccessibili. Il ronzio del cellulare spezza il silenzio.

«Ho trovato una foto di Yoska Jones». La voce di Michael ha un tono cauto. «Non è il suo vero cognome. Usa diversi pseudonimi».

«Che aspetto ha?». Stringo forte il telefono come se fosse la mano di Michael.

«Sui venticinque anni, corporatura media». È la descrizione concisa da poliziotto che mi comunica un improvviso senso di gelo? «Carnagione olivastra, occhi e capelli castani».

Ricordo gli occhi castani leggermente allungati che avevano seguito ogni mia mossa.

«Ho fatto qualche indagine», continua Michael. «Ci vediamo tra un paio d'ore». Termina la chiamata.

I miei pensieri si accalcano gli uni sugli altri, come le galline di Mary che battono le ali impotenti e si affannano nel buio per sfuggire alla volpe. Cosa ha scoperto? Se venisse fuori che Yoska il paziente è lo Yoska spacciatore ed è coinvolto, sarebbe meglio rispetto al pensiero che è qualcuno che non conosco? Se fosse l'uomo che ha portato via Naomi, sarebbe un bene o un male? Male, risponde la voce nella mia testa. Male, male.

255

Potrei aver detto qualcos'altro in ambulatorio? Se era lui, e se gli avessi chiesto di farsi rivedere o l'avessi rinviato a uno specialista, avrebbe potuto rabbonirsi. E se gli avessi chiesto della sorella a cui ha accennato e gli avessi offerto il mio aiuto?

In casa, accendo il fuoco in attesa di Michael. La composizione fotografica di Theo cattura la luce tremolante. La foto grande nel centro mi prende sempre: il viso sembra pieno di segreti. Oggi osservo per la prima volta la bocca. Le labbra hanno una piega beffarda. Qual è la foto precedente a questa? Nell'angolo c'è un'immagine piena di foglie d'arancio – la prima della serie scattata da Theo – e lei sta ridendo, il viso rivolto verso l'alto mostra la bocca e i denti, gli occhi sono quasi invisibili. La foto prima di questa? Il suo profilo in un giorno di vacanza. Gli occhi sono puntati su qualcosa fuori dell'inquadratura, leggermente socchiusi. Cosa stava pensando? Era stata più taciturna del solito, intenta a inviare SMS, a leggere, o curva a scrivere su quel volumetto che portava ovunque con sé. Non aveva litigato con i fratelli; non era venuta a fare la spesa con me. Ted aveva detto che era volubile. Continuo il mio viaggio a ritroso fra le fotografie e la vedo alla festa della sera di Capodanno, un anno prima; Theo deve aver preso le foto dalla parete del mio studio. Mi aveva già colpita l'intensità della sua espressione, ma ora noto uno sguardo ancor più duro e determinato di quanto mi fossi resa conto. Mi siedo, scossa da un tremito. Era da molto che aveva pianificato la fuga? E quando ne aveva avuto l'occasione, l'impazienza di metterla in pratica le aveva fatto dimenticare la prudenza e l'aveva spinta a cogliere la prima, pericolosa opportunità di andare via?

Michael bussa alla porta. Mi sfiora la bocca con un bacio, le labbra fredde sulle mie, gli occhi assorti. Si toglie lentamente il cappotto, mentre io aspetto che passi questo istante, e poi il successivo. Presto me la mostrerà, presto saprò.

Andiamo nel soggiorno; apre la valigetta, tira fuori la foto. Lo riconosco immediatamente. Gli occhi allungati, gli zigomi alti, attraente anche in una foto segnaletica.

Non voglio che sia quest'uomo; era troppo astuto e i suoi occhi erano così circospetti. «È lui. Il mio paziente». Poi mi affretto ad aggiungere: «Ma anche se quest'uomo è venuto nel mio ambulatorio, e anche se adesso sappiamo che è uno spacciatore di ketamina, resta sempre un'ipotesi azzardata, giusto?»

«Al tuo ambulatorio non hanno potuto aiutarmi perché era un residente temporaneo e ha omesso di scrivere l'indirizzo, ma c'è un'altra connessione», dice Michael. «Conosco la sua faccia. L'ho già vista prima».

«Come mai?». Ma certo, è uno dei tanti spacciatori. La polizia avrà spesso a che fare con loro.

«All'ospedale».

«Quale ospedale?»

«Il Frenchay».

L'ospedale di Ted.

«Faceva parte di una grande famiglia di zingari che ha creato un gran casino nell'estate del 2009». La voce di Michael è brusca; lo guardo, sorpresa. I nomadi suscitano spesso paure irrazionali e disprezzo. Ma Michael non la pensava così, no?

Continua: «Hanno scatenato una rissa nel reparto, fracassato il mobilio, spaccato i computer. Hanno iniziato a saccheggiare le case del posto».

«Perché?»

«Erano infuriati. L'intervento chirurgico su una ragazzina della famiglia era andato male». Si ferma, si siede sul divano e mi prende la mano per tirarmi accanto a lui. «Un intervento di neurochirurgia».

Mentre lo dice, ma anche prima che lo faccia, so di cosa sta parlando.

La voce di Ted era sommessa, monotona. Era giugno o luglio del 2009?

«Qualcosa al lavoro non è andata come doveva. È stata colpa mia».

In genere non si attribuiva colpe. Dovevo ascoltarlo. Stavo impilando sul nostro letto l'equipaggiamento per i ragazzi. Erano in partenza per le montagne dell'Atlante, in Marocco, avrebbero preso parte a una spedizione per il premio "Duca di Edimburgo" insieme alla scuola. Spuntai la lista mentre radunavo gli indumenti. Faceva caldo, Ted era tornato a casa insolitamente presto e si era buttato sul letto, la cravatta allentata, le maniche della camicia arrotolate.

«Cosa è stato colpa tua, caro?».

Gli lanciai un'occhiata mentre andavo al comò, dove tirai fuori dal cassetto dei calzini pesanti, più comodi dentro gli scarponi da montagna.

«Un intervento su una ragazzina. Aveva la sindrome di Hurler… restringimento innaturale della spina dorsale, cifosi marcata…».

Parlava in modo insolitamente lento; pensai che fosse la stanchezza dopo una lunga giornata. Negli ultimi tempi rientrava più tardi, lavorava di più. Diedi una scorsa alla mia lista: crema solare, berretti di cotone, cappelli di lana perché di notte in montagna fa freddo.

«Sindrome di Hurler. Mi dice qualcosa». Mi girai verso di lui per un momento. «Malattia da accumulo lisosomiale? Carenza enzimatica che determina un accumulo anomalo di metaboliti in ogni dove, nella spina dorsale, nel fegato?». Mi stupii di ricordare così bene gli esami di anni prima.

Credo che a quel punto Ted si sia alzato e abbia cominciato a camminare su e giù per la stanza.

«Ho lasciato l'operazione a Martin. Voleva fare esperienza. È andata male».

Tenni il segno sulla lista che stavo spuntando.

«Peccato».

Aggiunsi una felpa a ogni pila sul letto.

«È colpa mia, capisci. Almeno loro pensano che lo sia». Girò la testa dall'altra parte e non riuscii a vedere la sua espressione. «È successo durante il mio turno di servizio». La voce era talmente sommessa. Sedette sul bordo del letto e nascose il volto fra le mani. «Potrei finire in tribunale».

«È terribile, caro. Povera famiglia. Ma non è stata colpa tua. Vedrai che andrà tutto bene. Si renderanno conto che non sei tu il responsabile». Mi sedetti accanto a lui con gli indumenti piegati in grembo. Non vedevo il suo viso, così gli presi la mano.

«Ma io sono responsabile. Moralmente e legalmente». Dopo un po' ritrasse la mano e io mi alzai, restia a interrompere la preparazione dei bagagli.

«Qui ho quasi finito. Puoi aspettare fino a cena? Ne parleremo a tavola. Non ti tormentare».

Ma poco dopo il suo cellulare squillò e dovette tornare in ospedale. Cenai da sola. Pensai che ne avremmo riparlato in seguito; invece, la faccenda sfumò nel silenzio.

«Era il caso di Ted, vero?», chiedo a Michael con terrore.

«Sì».

«Merda. Allora aveva ragione». Gente che serba rancore, aveva detto. Dottori che si atteggiano a padreterno.

«Cosa vuoi dire?»

«Tempo fa, mentre stavo facendo quel grafico di persone da interpellare, Ted pensò che dovevamo prendere in considerazione la possibilità di una vendetta. Disse che è facile farsi dei nemici; basta un solo errore». Non riesco quasi a respirare mentre pronuncio queste parole. «Gli risposi che non pensavo che qualcuno potesse odiarci fino a quel punto».

Mi alzo per telefonare a Ted; risponde quasi subito. «Ho finito. Sto arrivando, voglio vedere la fotografia».

«Sì».

«Se è lui, allora è colpa mia», aggiunge in fretta prima di riattaccare. Mi rivolgo a Michael. «Anche tu avevi fatto questa ipotesi».

Aggrotta la fronte; sta riandando indietro col pensiero.

«Parecchio tempo fa mi hai chiesto di fare una lista di nemici», continuo. «Mi vennero in mente solo il padre di Jade e il marito di Anya».

Annuisce, lo ricorda. Sento subito il fuoco del rimorso. E se avessi pensato a Yoska già da allora?

Comincio a battere i denti, il corpo scosso da brividi. Devo aver preso il virus di Ted. Michael mi mette in mano un bicchiere di whisky, poi mi prepara un bagno caldo. Il calore dell'acqua spegne il tremito, e subito dopo mi ritrovo tra le braccia di Michael. Mi bacia, mi attira a sé, ma mi sento troppo male, troppo angosciata per fare l'amore. Rimane accanto a me mentre scivolo nel sonno, ma al mio risveglio sono sola. Sento la voce di Ted al piano di sotto. Mi tiro su a sedere, confusa: non mi sembra possibile di aver dormito. Appena mi alzo provo un senso di vertigine. La mia fronte scotta. Quando arrivo in fondo alle scale, Ted muove un passo verso di me.

«Gesù, hai un aspetto orribile, Jen».

Michael mi cinge con un braccio e mi accompagna alla poltrona. Il fuoco ha preso bene, la stanza è stata messa in ordine. Ted si ferma, mi guarda, poi guarda Michael e una subitanea consapevolezza gli offusca lo sguardo. Serra le labbra. Sta decidendo di non dire nulla, non ora.

«Dov'è?», domanda bruscamente a Michael.

Michael prende la foto dal tavolo dove l'avevo lasciata e gliela porge con prudenza.

«È uno di loro, non c'è dubbio», dice Ted. Sta per posarla, come se non potesse sopportarne la vista, poi gli dà una seconda occhiata. «Veniva spesso».

Lo guardo, incapace di parlare. La testa comincia a pulsare dolorosamente e piccole linee lucenti si agitano ai bordi del mio campo visivo.

«È stato sempre lì, in effetti». Si rivolge a me e la voce suona diversa, spaventata. «È il tizio dell'ambulatorio, quello di cui ci hai parlato?».

Annuisco. La voce mi esce in un sussurro: «Cos'è successo a quella ragazzina? Non l'ho mai saputo».

«Ho cercato di dirtelo». Mi fissa intensamente. «Ma non eri interessata».

Lo guardo per capire se pensa davvero ciò che ha detto. È una sorta di giustificazione oppure gli ho dato realmente quell'impressione? Ero davvero così?

Lo sguardo duro di Ted si sposta su Michael. «Non dovremmo telefonare a qualcuno? Non dovremmo fare qualcosa in questo preciso istante, ora che sappiamo?»

«È troppo presto per dire che sappiamo qualcosa di certo». La voce di Michael è calma, ferma. «Ho una squadra che si sta occupando di rintracciare la famiglia. Il modo migliore per renderti utile è raccontarci esattamente cosa è successo».

Ted versa un dito di whisky nel mio bicchiere vuoto sul tavolo e lo ingolla d'un fiato. Poi si siede accanto al fuoco e comincia a parlare fissando la fiamma. Le sue dita stringono ancora la fotografia di Yoska.

«È stato circa un anno e mezzo fa. Vidi la ragazzina per la prima volta in clinica. La stanza era affollata – gente appoggiata al muro, alla scrivania. Una famiglia numerosa. Erano zingari, così mi hanno detto, o nomadi?». Fa una risatina. «Comunque sia, ricordo di aver pensato che era una ragazzina fortunata».

«Fortunata?». Michael guarda brevemente Ted, gli occhi grigi increduli. «Pensavo fosse malata».

«Era disabile, sì, ma erano venuti tutti per lei. Nonni, genitori, zii, zie». Fa una pausa. «Era seduta in braccio a uno di loro, calma e sorridente. Era evidente che fosse molto amata».

Alzo lo sguardo su Ted. Perché ora parla di unione familiare? Vuole punire se stesso o me?

«Dove si inserisce Yoska in tutto questo?», domanda Michael.

Ted dà un'altra occhiata alla foto che ha in mano e rimane qualche istante in silenzio. «Non ho mai capito bene le dinamiche di quella famiglia, ma penso che fosse un fratello maggiore. Forse uno zio». Si ferma e guarda Michael. «Non parlava mai, ma aveva lui il potere; la madre era il portavoce ufficiale, ma il gruppo faceva capo a quel giovane».

Potere buono o cattivo? Ripenso a quei sette minuti in ambulatorio; la mano posata sul tavolo, il sorriso, il modo in cui aveva gestito il nostro incontro.

«Cosa hai detto loro riguardo all'operazione?». Michael ha tirato fuori il taccuino, la penna già corre sul foglio.

«Alla clinica spiegai cosa sarebbe accaduto se l'avessimo lasciata così com'era. Poteva finire paralizzata. Dissi che l'intervento avrebbe potuto rappresentare una soluzione, ma che comportava dei rischi», spiega Ted.

«E loro ne hanno preso atto?», gli chiedo.

Fa cenno di sì.

«Gli hai spiegato tutto di nuovo quando hanno firmato il consenso?», indago.

«Si è occupato Martin del consenso». Non mi guarda mentre risponde. «L'assistente chirurgo pediatra». Ora si rivolge a Michael. «L'équipe del reparto pediatrico aveva condiviso il caso e Martin era interessato. Un problema inconsueto alla spina dorsale; era nostra intenzione scrivere un resoconto dettagliato».

Perché la famiglia si era infuriata in quel modo se era consapevole dei rischi? Forse perché nessuno aveva dato loro ascolto? Se Ted li avesse ascoltati, avrebbe scoperto se c'erano elementi non chiari o dubbi, e li avrebbe avvisati di conseguenza. Ted sta ancora parlando.

«…e per il modo in cui la schiena era curvata, ci è voluto più tempo di quanto Martin aveva preventivato. Si è verificato un calo imprevedibile della pressione sanguigna nel corso dell'operazione e la spina dorsale ha subito un danno ischemico».

«Ora mi sono perso», dice Michael smettendo di scrivere.

«Scusa», ribatte Ted con un breve sorriso. «L'apporto di sangue ai tessuti della spina dorsale si è interrotto, perciò quella parte della spina è morta. Significa che il cervello non ha potuto più inviare messaggi alle gambe e viceversa. È rimasta paralizzata all'istante».

Un ciocco di legno si sposta e cade. C'è silenzio nella stanza.

Non riesco a stare ferma. Mi alzo, ma la testa mi pulsa e vengo colta da un senso di vertigine che mi costringe a rimettermi seduta.

«E poi cosa è successo?», chiede Michael.

«Ho saputo dell'operazione, ma la mattina dopo dovevo partire presto. Un convegno a Roma…».

«Perché?», lo interrompo. «Non potevi trattenerti il tempo utile per parlare con la famiglia? Spiegare perché non avevi eseguito tu l'operazione, nonostante fossi il chirurgo più esperto?»

«Abbiamo l'obbligo di lasciare che i medici più giovani si occupino di casi complessi», risponde Ted stizzito. «È un ospedale di formazione».

«E poi?». Michael ha ascoltato in silenzio, ma ora sollecita Ted.

«Quando sono tornato la settimana dopo, il gruppo della famiglia era più numeroso», risponde Ted. «C'era ostilità nell'aria. Persone che le stavano intorno giorno e notte come se volessero proteggerla».

Naturale. Probabilmente volevano evitare che le capitasse qualcos'altro di spiacevole.

«Ho tentato di parlare con loro, ma era come se parlassi una lingua sconosciuta».

Il gergo medico è una lingua sconosciuta, utile per tenere a bada gente impaurita.

«Gli hai detto che ti dispiaceva?».

Ted si agita sulla sedia, visibilmente a disagio. «No, ovviamente. Sarebbe stato come ammettere la mia colpevolezza».

«Sarebbe stato un modo per partecipare al loro dolore».

Ma io ero in difetto quanto lui. Se avessi ascoltato sul serio Yoska, forse avrei capito perché era venuto da me. Se gli avessi chiesto perché doveva portare in giro sua sorella, forse mi avrebbe raccontato cos'era successo e io avrei potuto spiegargli che le operazioni possono non riuscire per puro caso, non per negligenza, e forse lui non avrebbe cercato di vendicarsi. Voleva offrirmi la possibilità di riscattare Ted? Forse tutto quel che Yoska voleva da me era un po' di tempo per essere ascoltato. Rimorsi spaventosi cominciano a cingermi d'assedio, sempre più pressanti.

Michael ci guarda entrambi, poi si alza. «Caffè?», propone, poi va in cucina.

Ted e io ci fronteggiamo. C'è buio nella stanza. Vedo solo il riflesso della fiamma nei suoi occhi, fissi su di me.

Sostengo il suo sguardo. «Oltre a essere un semplice gesto di umanità, chiedere scusa offre alla gente la possibilità di perdonarti».

«In che mondo vivi, Jenny?», ribatte con una risata amara. «Chiedere scusa offre la possibilità di citarti per danni».

«Ma ci hanno provato lo stesso, no?».

Michael torna con le tazze di caffè. Ne porge una a Ted, poi una a me, sfiorandomi la mano con le dita; quel contatto mi fa ritrovare l'autocontrollo. Dare la colpa a Ted servirà solo a rallentare le cose. Vedo le foto di Naomi brillare alla luce del fuoco. Aspettaci, le dico in silenzio. Stiamo cercando di trovarti, ci stiamo avvicinando. Sorseggio il caffè e mi concentro su Ted appena mi risponde.

«Sì, ci hanno provato», dice Ted con un brusco sospiro. «Fortunatamente senza riuscirci. Non è stata accertata alcuna negligenza, quindi la questione non è mai arrivata in tribunale».

«Quando è stata eseguita l'operazione?», chiede Michael. Ha ripreso a prendere appunti e non alza gli occhi dal suo taccuino.

«In estate», risponde Ted dopo una piccola pausa. «Lo so con certezza perché ne parlavo con Naomi quando andavamo insieme in ospedale. Stava facendo esperienza in laboratorio. Sembrava così interessata al caso. Parlarne con lei mi ha aiutato molto».

«Quando ha fatto questa esperienza di lavoro?». Michael guarda dall'uno all'altro in rapida successione.

«Ai primi di luglio», rispondo immediatamente.

Ne sono sicura, perché ricordo ancora il mio disappunto. I ragazzi erano in viaggio con la scuola; Naomi aveva finito gli esami ed era assorbita dall'esperienza lavorativa. Avevo aspettato con impazienza il mese di luglio perché io e Ted avremmo avuto, per una volta, l'opportunità di fare insieme quelle piccole cose che gli altri fanno normalmente. Vedere un film o mangiare fuori. Ma fu allora che Ted cominciò a rientrare tardi quasi ogni giorno. Grossa mole di lavoro, aveva detto. Colleghi in vacanza. Avevo sfruttato quei giorni per rimettermi in pari con i miei documenti di valutazione, per incontrare qualche amica, ma non era ciò che avevo atteso con ansia.

«L'esperienza lavorativa di Naomi la portava in corsia?», chiede Michael a Ted.

«Era più che altro lavoro di laboratorio, ma le piaceva venire in corsia», risponde Ted. «Parlava con i pazienti e con i loro familiari».

«Quindi era lì nello stesso periodo in cui c'era la ragazzina, e Yoska». Poi a bassa voce, quasi borbottando fra sé, Michael aggiunge: «Yoska avrà scoperto chi era e avrà voluto conoscerla, sapere quello che faceva, allo scopo di procurarsi la ketamina. Vendetta lucrativa».

Naomi sarà stata conquistata dal fascino e dal potere di Yoska, avrà provato l'eccitazione data da qualcuno diverso dai compagni di scuola. Sarà stata elettrizzata dal suo nuovo segreto; truccarsi ogni giorno – e io avevo pensato che ci tenesse per il lavoro – così l'esotico sconosciuto non si sarebbe accorto della sua giovane età. Il loro rapporto in fase nascente deve essersi consolidato dopo la conclusione dell'esperienza lavorativa di Naomi, quando Yoska si era ormai guadagnato la sua fiducia; anche se Naomi stava ancora insieme a James, l'influenza che Yoska aveva su di lei non aveva fatto che crescere.

«Chi era l'infermiera di corsia all'epoca?». Michael si rivolge a Ted.

«Beth», risponde Ted con calma. Distoglie lo sguardo da me e lo punta fuori della finestra, anche se è troppo buio per vedere qualsiasi cosa. «Beth Watson».

«Ah, sì, naturalmente. Beth Watson. C'è stato un incendio nel suo appartamento la sera del 19 novembre». Michael fa una breve pausa per lanciarmi un'occhiata; sa che è stata l'ultima volta in cui ho visto Naomi, perciò sentire quella data è come rigirare il coltello nella piaga. Poi la sua voce riprende lentamente: «Prima stavo accennando a Jenny della zuffa in ospedale. Ragazzi nomadi della famiglia di Yoska». Mi lancia un'altra occhiata e prosegue: «Abbiamo sempre pensato che l'incendio nell'appartamento della signorina Watson fosse una semplice coincidenza».

Osservo Michael mentre si alza dalla sedia e va a mettersi davanti alla finestra. Dietro di lui, il bagliore del fuoco si riflette nel vetro. Visti da fuori, sembriamo un gruppo sereno e affiatato, amici e familiari insieme.

«Ora, tuttavia, penso che Yoska possa aver scoperto la relazione fra Ted e la signorina Watson».

Non doveva fare altro che osservarli insieme. Come sono certa avrà fatto Naomi. Yoska non ci avrà messo molto a capirlo, e comunque potrebbe averglielo detto Naomi.

«Ritengo possibile che i nomadi abbiano appiccato deliberatamente il fuoco all'appartamento della signorina Watson, sapendo che avrebbe chiamato Ted», dice Michael.

Ripenso a Ted quella sera, fermo nell'ingresso, quel sentore di bruciato. Gli do un rapido sguardo; sul volto ha un'espressione colpevole.

«Sarà stato interesse di Yoska assicurarsi che Ted rientrasse a casa più tardi del solito, dandogli così più tempo per scappare con Naomi. Più a lungo veniva trattenuto Ted, più tardi sarebbe stato dato l'allarme: contavano su questo».

Michael ci guarda entrambi. «Il vero bersaglio, quella notte, era Naomi».

"Bersaglio". Perché ha dovuto usare quella parola? Mi fa pensare a proiettili che si conficcano dentro un cerchio di cartone, un cerchio che rappresenta un cuore, un cuore pulsante.

«C'è dell'altro...». Una pausa, poi Michael riprende il discorso, quasi con riluttanza. «Sappiamo già che Ed scambiava i farmaci presi dalla borsa di Jenny con la ketamina. Sembra che – sempre nell'ambito del piano di vendetta contro Ted – Yoska si sia premurato di fornire la ketamina a Ed in cambio di quei farmaci».

Fissiamo Michael con gli occhi sgranati, increduli. Anche Ed?

Ted balza in piedi. «Impossibile. Non ha mai incontrato Ed...».

«Ieri sono andato da Ed», lo interrompe Michael. «Spero non vi dispiaccia, ma sentivo che non c'era tempo da perdere. Ho portato la foto con me. Ed ha riconosciuto Yoska come l'uomo che lo riforniva di ketamina. Pensava che fosse un tipo molto generoso; pensate che Yoska ha continuato a procurargli la ketamina anche dopo che Ed aveva esaurito i farmaci sottratti a Jenny. Ed non aveva niente da dargli in cambio, ma Yoska sembrava non preoccuparsene».

Osservo Ted camminare avanti e indietro nella stanza, incapace di accettare quest'ultima verità. Poi si ferma di fronte a Michael.

«Non poteva sapere chi era Ed – come diamine l'ha trovato? Dove?»

«Sarà stato facile per Yoska risalire a Ed da quel che Naomi gli avrà raccontato della sua famiglia», replica Michael con calma sicurezza. «Avere un nome è più che sufficiente. Qualsiasi spacciatore sa dove trovare potenziali clienti: all'entrata della scuola, nei pub, nei locali. Una volta stabilito il contatto, avrà sapientemente manipolato Ed convincendolo a procurarsi i farmaci per ottenere in cambio la ketamina e garantirgli la fornitura anche in seguito».

Un uomo in un locale. Le parole di Ed mi tornano in mente.

Ted continua a camminare su e giù, i pugni affondati nelle tasche. «Perché Ed non ce l'ha detto? Doveva sapere di Yoska e Naomi, allora perché accidenti non ha parlato dopo che è scomparsa?»

«Per la semplice ragione che non lo sapeva». Il tono di Michael è sicuro. «Ed non aveva assolutamente idea della loro relazione; è ovvio che Naomi l'aveva mantenuta segreta. Yoska non si sarebbe mai sognato di dire a Ed che era coinvolto con sua sorella. Non sarebbe servito al suo scopo».

Il suo scopo, naturalmente, era colpire al cuore la nostra famiglia, infliggerci tutto il danno possibile per vendicare la sorella.

Michael ci comunica che ora la ricerca andrà avanti più rapidamente, grazie alle nuove informazioni. Poco dopo riparte; domattina deve andare presto al lavoro.

Mi sfiora la guancia con un bacio mentre esce dalla porta. Ted aspetta ai piedi delle scale.

«Come puoi farlo, con quello che c'è in ballo?»

«Fare cosa?». Cerco di spingerlo da parte. «Sono esausta, Ted, e ho bisogno di dormire. Parleremo più tardi».

«Goditi la tua relazione, se vuoi. Chi sono io per criticare?». Eppure alza la voce. «È un agente di polizia. È totalmente contrario all'etica professionale».

«Come puoi persino pensare una cosa simile, adesso?». Noto il volto arrossato, gli occhi accesi di rabbia. «Michael è stato di aiuto più di quanto tu possa immaginare...».

Ted sbruffa con aria sprezzante. «Ovvio. Uomini così vanno a caccia di donne vulnerabili; probabilmente l'ha già fatto in precedenza».

È geloso. Mi avvio lentamente su per le scale, sentendo i suoi occhi puntati sulla schiena. Adesso sa cosa si prova, ma sono troppo stanca, troppo sconfortata per provare soddisfazione.

Il sonno non arriva. Yoska ci ha teso una trappola. Ha catturato sia Ed che Naomi. Beth sa che la notte in cui ha chiamato Ted era la notte in cui Naomi è scomparsa? Mi chiedo se si senta in colpa. Se Ted fosse rientrato a casa come al solito, la dinamica della serata sarebbe andata diversamente. Mi sarei svegliata prima; avremmo chiamato prima la polizia.

Una volta ho trovato una sciarpa di Beth. Rinunciando a prendere sonno, scendo a prendere il mio album. Mi preparo una tazza di tè e, seduta al tavolo nella cucina silenziosa, cerco il primo foglio bianco e disegno una striscia di seta, sfuggente e contorta come le fiamme nel focolare.

Bristol 2009. Dodici giorni dopo

Una sciarpa cremisi mai vista prima avvolgeva morbidamente i vecchi CD nel vano portaoggetti. Lo avevo aperto mentre cercavo una caramella per Ed, che soffriva di mal d'auto. Mi chinai, e la sciarpa sembrò risplendere nel vano buio: rossa come un segnale di pericolo. Un lieve aroma di lavanda colpì le mie narici.

«Trovata?».

Lo sportello del vano si richiuse con un *clic* metallico. Tutto nella sua macchina calda e profumata di pelle si chiudeva agevolmente, i bordi combaciavano alla perfezione. Il pickup che avevo visto nel bosco due giorni prima non aveva sportelli.

«No». Risposi senza voltarmi a guardarlo. Qualcuno aveva portato via Naomi a bordo di quel veicolo. Avevo bisogno di Ted. Insieme, avevamo più possibilità di ritrovarla. Dovevo allontanare ogni altra cosa dalla mia mente. Quel che era successo con Beth era ormai acqua passata. La sciarpa non aveva importanza.

«Possiamo fermarci alla prossima stazione di servizio». Ted cercò Ed nello specchietto retrovisore. «Ce la fai, Ed?».

Mi girai sul sedile per guardare Ed. Il volto pallido era confinato nell'angolo fra il sedile e il finestrino. Aveva gli occhi chiusi e non rispose. Fingeva di dormire; forse si era addormentato davvero. Abbassai un po' il mio finestrino. Ted preferiva l'aria condizionata, ma un po' d'aria fresca avrebbe aiutato Ed.

Mi appoggiai allo schienale e osservai le mani di Ted sul volante. Le unghie erano corte e impeccabili, persino la peluria bionda sul dorso delle mani sembrava spazzolata con cura. Il volto visto di profilo appariva calmo, persino lievemente compiaciuto. Come poteva? Ci volle tutta la mia forza di volontà per non urlare e strapparmi la pelle di dosso.

Quando ero rientrata a casa la sera prima, non riuscivo a togliermi quel bosco dalla mente. Quel luogo aveva un che di sinistro. Ora la mia fantasia cominciò a percorrere corridoi bui, a vedere Naomi trascinata fuori dal pickup, gli occhi atterriti, una mano sulla bocca per soffocare le sue grida, il suo bisogno di me, di Ted. Le fiamme che guizzano improvvise dal veicolo, terrorizzandola. Bloccai le mani sotto le cosce per fermarne il tremito.

L'espressione tranquilla di Ted mi calmò mio malgrado. Lui si occupava dei fatti; gli piacevano le cose che avevano senso. Era bravo a curare i dettagli. Mi aveva sorpreso piacevolmente dopo che Michael mi aveva riaccompagnata a casa. Aveva preso in consegna il mio impermeabile zuppo, pulito gli stivali infangati, dato da mangiare al cane. Mi aveva detto che, mentre Ed dormiva, aveva fissato per l'indomani una visita al centro di riabilitazione di Croydon, suggeritogli da un collega. Si era preso il giorno libero.

«Dobbiamo porre fine a questa storia, Jenny. Ha bisogno di aiuto, e in fretta. Prima è, meglio è. Restare a casa è uno strazio per lui, lo capisci».

Naturalmente sapevo che Ed aveva bisogno di aiuto. Ero stata io a contrattare con lui la sua cooperazione, ma era stato organizzato tutto così in fretta che avevo avuto a malapena il tempo di abituarmi all'idea.

«Cosa vuoi che facciamo con la scuola?», domandò Ted, lo sguardo fisso avanti a sé.

Mi girai di nuovo verso il sedile posteriore. Ed stava osservando la strada, e i suoi occhi guizzavano ritmicamente indietro seguendo i pali del telegrafo che sfrecciavano accanto alla macchina. Non rispose, ma notai le guance più colorite. Stava meglio.

«Non ti preoccupare per la scuola», dissi a Ed. «Sistemeremo tutto. Non ha importanza». Ed mi diede un rapido sguardo. Non mi credeva, ma era vero. Avevamo perso una figlia; dovevamo mettere Ed in salvo. Niente altro aveva importanza.

Cominciarono ad apparire gli avamposti di Londra. Ponti, una centrale elettrica, una fabbrica di biscotti. Ted si fermò a una stazione di servizio, dove comprammo dei sandwich e io misurai la febbre a Ed; era salita leggermente. Al centro della fascia intorno al gomito c'era una chiazza gialla e umida. Gli diedi la dose di antibiotici di mezzogiorno e altro paracetamolo. Mentre Ted faceva il pieno di benzina, pensai che dovevamo sembrare una famiglia normale in viaggio, magari per accompagnare il figlio all'università. Nessuno avrebbe mai immaginato che quell'uomo dall'aria tranquilla, in forma per la sua mezza età, attraente con i suoi occhi azzurri e i capelli biondi, avesse perso una figlia nelle ultime due settimane; oppure che la donna esile dai capelli neri sul sedile del passeggero si stesse aggrappando alla propria sanità mentale con tutte le forze. E a un'occhiata fugace, Ed sarebbe parso un adolescente come tanti altri.

Il centro sorgeva in uno spazio verde lungo una stradina tranquilla di Croydon, un vecchio edificio vittoriano con ampie finestre e un portone in stile gotico.

Ted parcheggiò sulla ghiaia di fronte all'entrata principale. Un ragazzo scalzo con un sorriso dolce venne ad aprire la porta. Il nodo che mi serrava lo stomaco si allentò un po'.

«Salve». La voce aveva una leggera inflessione irlandese, accogliente, gentile.

«Grazie, Jake. Ora ci penso io». Un uomo basso di mezza età con gli occhi slavati comparve dietro Jake e spalancò la porta; aveva i capelli grigi raccolti in una lunga coda di cavallo e una maglietta tesa sui bicipiti pieni di lentiggini. Il ragazzo chiamato Jake sorrise a Ed e si allontanò senza fretta, lanciando un'occhiata oltre la spalla.

«Entra. Tu devi essere Ed. Io sono Finac».

Seguimmo Ed dentro l'atrio e rimanemmo lì, incerti, infreddoliti e con gli abiti sgualciti dal viaggio. Ed continuava a sbadigliare. Lo sguardo di Finac, rapido, negativamente critico, ci inquadrò subito. Genitori, dicevano i suoi occhi, ecco il problema.

Ci strinse la mano senza sorridere. «Seguitemi».

Ci condusse in una piccola sala, dove un odore acre di sigarette indugiava sul mobilio malandato. Poltrone con logore chiazze unte erano disposte in gruppi ordinati. All'esterno, grandi alberi spogli circondavano un prato.

«Aspettate qui. Vado a chiamare la signora Chibanda».

Dopo qualche minuto una donna entrò nella stanza, avvolta in un tessuto morbidamente drappeggiato dai colori vivaci. La pelle scura era tesa e liscia sugli zigomi. Sorrise stringendoci la mano; emanava un leggero profumo di rose. Tutto di lei mi fece sentire meglio.

«Sono Gertrude Chibanda, la direttrice. Sono io che decido». Chinò appena il capo, sorridendo. Aveva denti perfetti. «Finac sarà il collaboratore di Ed, sempre che siate tutti d'accordo che questo sia il posto adatto per Ed».

Finac ci lanciò un'occhiata e confermò con un cenno della testa.

«Se per voi va bene, parlerò con Ed mentre Finac vi mostrerà la struttura, e poi avremo modo di parlare mentre Ed vede dove potrebbe soggiornare nel caso decida di venire qui…».

Seguimmo Finac lungo corridoi stretti e in stanze silenziose. Vedemmo una sala mensa spoglia e deprimente e una sala musica con poster sgualciti di Jimi Hendrix appesi alla parete, una batteria nuova e chitarre appoggiate contro il muro. Non ci fu permesso visitare le camere da letto.

Ed stava finendo una generosa tazza di caffè quando arrivammo; sparì subito insieme a Finac. Gertrude mi guardò con espressione addolorata.

«Mi dispiace per quel che è successo alla vostra famiglia. Ho perso un figlio a causa di una malattia qualche anno fa». Ci fu una piccola pausa. «Mi dispiace», ripeté semplicemente.

La guardai. «Mi spiace per suo figlio. Non riesco a immaginare cosa si provi; ma Naomi non è morta. È solo… solo…». Non riuscii ad andare avanti. Consapevole dell'espressione afflitta di Gertrude e di quella preoccupata di Ted, mi girai verso la finestra. Il verde del prato si confuse e si sciolse insieme alle lacrime. Gertrude mi porse un fazzoletto piegato con cura. Anche quello profumava di rose.

Due ore dopo erano stati presi tutti gli accordi. Finac ci aveva illustrato il programma in dodici fasi per il recupero dei tossicodipendenti e come funzionava; Ed aveva deciso di fermarsi per qualche giorno in via sperimentale. Parlai con l'infermiera del centro riguardo alla fasciatura di Ed. Il dottore sarebbe andato lì nel pomeriggio e gli avrebbe somministrato altri antibiotici. Avremmo potuto portare la roba di Ed dopo qualche giorno, e nel frattempo io avrei parlato con la scuola. Ed non disse nulla quando ce ne andammo. Non ci guardò nemmeno; lo lasciammo seduto sul suo letto a fissare il vuoto.

«Mi piace», disse Ted lungo il viaggio di ritorno. «Mi è piaciuta la donna, ma non Finac. Perché certe persone vogliono che ogni cosa sia colpa dei genitori, come se fossimo dei nemici?»

«Perché è colpa nostra». Ero troppo stanca per parlare. «Noi siamo i nemici. Non siamo stati sufficientemente attenti, eravamo troppo presi dal lavoro».

Ted mi cinse goffamente le spalle attraverso lo spazio fra i sedili. «Non avremmo potuto amarlo di più. Gli abbiamo dato tutto».

Scossi la testa.

«Non potevamo essere sempre presenti», continuò. «I ragazzi devono crescere. Diventare indipendenti».

«Indipendenti come Naomi?»

«Sono dalla tua parte, Jen». Ted guardò fuori dal finestrino. «Qui, in questo preciso momento, sono con te».

Con me? Per quanto tempo era stato con me? La sciarpa di Beth era nel vano portaoggetti di fronte a me; quando era salita l'ultima volta su quella macchina? E come poteva essere con me quando non avevo la minima idea di dove fossi?

CAPITOLO 28

Dorset 2011. Tredici mesi dopo

Mi sveglio presto; fuori, il primo strato di buio si è sollevato, facendo apparire il giardino piatto e immobile come un dipinto sotto il cielo grigio. Nel mio sogno c'era lei, sotto l'albero, al riparo dei rami, sole e ombra si rincorrevano sul viso rivolto verso l'alto. L'uniforme scolastica che indossava le andava stretta. Io ero dietro la finestra di questa stanza; ho provato a gridare il suo nome, ma la voce era poco più di un sussurro; non riuscivo a sollevare i piedi, e quando ho cercato di staccarli dal pavimento, sudando per lo sforzo, mi sono svegliata.

Passano i minuti. La delusione bruciante alla vista del giardino deserto si stempera nel dolore sordo e familiare che si localizza da qualche parte nel mio cuore, e mette radici nelle ossa, un peso da portare. Il davanzale è freddo sotto le mie mani; il sogno mi sfugge dalle dita.

Ho la testa confusa; i fatti che ieri si erano allineati in modo così ordinato cominciano a turbinare come foglie al vento. Yoska lo spacciatore di ketamina, Yoska il fratello, Yoska il paziente. Ieri ero sicura che quel nome ci avrebbe portato da lei, ma gli indizi che sembravano così certi si sono dissolti in semplici sospetti, uniti da un legame labile e temporaneo come serpenti che si attorcigliano gli uni con gli altri. Non ci sono prove. Anche se rintracciassero Yoska, non c'è niente che lo colleghi inconfutabilmente a Naomi, a parte quella "Y" nel suo diario. È sulla lista degli spacciatori di Michael, è stato in corsia con sua sorella, i ragazzi della sua famiglia hanno appiccato l'incendio, ha rifornito Ed di ketamina, è venuto da me in ambulatorio. Un bravo avvocato della difesa potrebbe sostenere che si tratta solo di coincidenze.

«Ci serve qualcos'altro», mormoro fra me e me. Fuori, i rami rimescolano l'aria del mattino e la luce via via più intensa cancella le ombre sotto di essi. «Deve esserci qualcosa di meglio».

Scendo a bere una tazza di tè dopo l'altra; mi tremano le mani e ho la gola irritata, ma il mal di testa è sparito e mi sento meglio. La cucina è stata riordinata. Riconosco il modo di piegare gli strofinacci tipico di Ted: più volte, in forma compatta. Il lavello e lo scolatoio sono clinicamente puliti. Mi ero dimenticata questa mania di Ted; persino le sue mani sono immacolate. Lo immagino mentre le pulisce a fondo prima di un'operazione, gli occhi azzurri assorti ma distanti sopra la linea della maschera, concentrato sull'intervento imminente, la stanza di lavaggio intorno a lui fredda e luminosa come un obitorio.

Il mio ambulatorio, la ketamina, la corsia, l'incendio. La piccola lista scorre nella mia testa come il nastro di una telescrivente, spingendo fuori le immagini di Ted. Yoska è il collegamento fra questi ambienti, ma dov'è la prova che ci serve?

Il cellulare di Michael ha la batteria scarica e scatta la segreteria. Gli telefono in ufficio e risponde una donna. Mentre aspetto, la sento dire a Michael che sono in linea. C'è forse una nota divertita nella sua voce? Una donna, di nuovo… sembra dire. Tu e le tue donne… Poi Michael viene al telefono. Mi ascolta attentamente prima di rispondere.

«È sufficiente così, Jenny. È sufficiente per spingerci a cercarlo e interrogarlo. Abbiamo avviato la ricerca della famiglia». Ha una voce distaccata. È in ufficio, con persone che entrano ed escono, e forse la segretaria è rimasta nella stanza a scartabellare i fascicoli in un cassetto dell'archivio.

«Ma non capisci. È astuto, davvero astuto». La famiglia di Yoska si era rivolta a lui quando la ragazzina era in ospedale; Ted aveva detto che era l'unico a sapere cosa fare. Avrebbe saputo esattamente cosa dire a qualsiasi poliziotto avesse cercato di arrestarlo, o a un avvocato deciso a farlo condannare.

«Appena lo troviamo, valuteremo le mosse successive». La voce di Michael è fiduciosa, ma ho la sensazione che non mi stia ascoltando; deve accusare ancora la stanchezza del viaggio di ieri. Probabilmente sta facendo segno alla segretaria di portargli un caffè.

«Aveva quell'asterisco vicino al nome», insisto con poca convinzione. La luce in cucina si è oscurata; un fronte di nuvole sta arrivando dal mare.

Segue una breve pausa. Sento il suo respiro nel telefono, le dita che digitano sulla tastiera e il *bip* del computer appena si apre la lista.

«Perché ha rubato una macchina, anni fa», dice Michael.

Guardo fuori dalla finestra mentre ascolto. Il verde indistinto di North Hill oltre il vetro bagnato di pioggia mi fa ricordare il piccolo bosco umido e i faggi vicino al fiume Severn, il pickup bruciato ficcato sotto i rami. Un piano sta prendendo forma nella mia testa.

«Quali altri dati avete registrato da allora?», gli chiedo.

«Dovremmo avere il suo DNA». Avverto che è distratto da qualcosa mentre parla, forse sta firmando dei documenti, il telefono bloccato tra il mento e la spalla.

«Quindi se troviamo tracce recenti di DNA che lo ricollegano a Naomi, e se corrispondono al DNA che avete, sapremo con certezza che l'uomo che ha preso Naomi è Yoska, uno spacciatore con il movente della vendetta». La mia voce è concitata, va di pari passo con il turbinio dei pensieri.

«Jenny...».

«E poi, una volta catturato, la corrispondenza tra il DNA recente e il campione che preleverete da lui, lo incriminerà una volta per tutte». Mi concedo una pausa per riprendere fiato, il mio cuore batte all'impazzata e la mano che stringe il telefono è bagnata di sudore.

«Jenny, non c'è alcun DNA recente. Di solito, l'unico modo per ottenere il DNA di un criminale è reperirlo all'interno di un corpo...». Si ferma; lo sento deglutire, come se volesse rimangiarsi le parole, ma è troppo tardi. «Scusa, ho detto una stupidaggine».

Segue una pausa, immagino stia sorseggiando il caffè. Fuori dalla finestra la pioggia si è infittita; la sento battere sulla paglia del tetto. Allontana quelle parole, cancellale.

«Ho intenzione di tornare nel bosco dove era il pickup». Mentre parlo comincio a buttare giù una lista, concentrandomi sul foglio. Torcia. Vanga. Stivali. Guinzaglio del cane.

«La polizia ha setacciato ogni centimetro della zona». Avverto una nota di esasperazione nella sua voce. Strano che riesca a coglierla così chiaramente al telefono. Non l'avevo mai notata prima d'ora.

«Le cose vengono in superficie, giusto?». Parlo così in fretta che ho l'affanno. «I boschi mutano».

Nel cottage c'è un piacevole tepore. Ted ha rifornito la stufa a legna e poi se n'è andato. Mi guardo intorno prima di uscire, nel caso ci fosse qualcosa da mettere a posto. Ma è tutto in ordine. È sempre in ordine. Nel capanno c'è una vanga, anche se non è lucida com'era quella di Mary quando l'ho aiutata a scavare la buca. Lavo via i grumi di fango dal metallo sotto il rubinetto in giardino. Le galline di Mary sono finite dentro una fossa; le loro piume avevano tutti i colori preferiti da Naomi; ma io non sto cercando una tomba. Sto cercando qualcosa che lui abbia toccato.

Il viaggio fino al bosco nel Gloucestershire dura tre ore. Sull'autostrada, il traffico procede a rilento attraverso una fitta cortina di pioggia; la macchina trema a ogni camion che le passa accanto rombando, schizzando acqua sporca sul parabrezza. Bertie dorme raggomitolato sul sedile accanto a me; guido tenendo una mano sulla sua schiena calda. Ricordo l'ubicazione del posto, tra la città di Thornbury e il paesino di Oldbury-on-Severn. Lo trovo senza difficoltà; mi torna subito familiare. Devo avere inconsapevolmente memorizzato la curva lungo la strada e il varco tra la siepe e il fosso. Accosto la macchina alla siepe come aveva fatto Michael. Con Bertie al mio fianco, mi avvio senza fretta lungo il lato del campo in direzione della collina; un vento umido mi sferza il viso. Appena il terreno comincia a salire vorrei di colpo tornare di corsa alla macchina; avrei il vento alle spalle, mi spingerebbe. Vorrei rimettere Bertie in macchina e allontanarmi il prima possibile. È mezzogiorno. Potrei trovare un piccolo caffè a Thornbury, sedermi a mangiare un sandwich e osservare le altre persone che vivono la loro vita normale e illudermi che la mia sia come la loro, e che non c'è bisogno di entrare nel folto degli alberi davanti a me a cercare qualcosa che potrebbe aiutarmi a trovare l'uomo che ha rapito mia figlia un anno fa.

I miei piedi continuano a camminare verso il bosco, scivolando di tanto in tanto nel fango; è passato un intero anno, ma la campagna non ci ha fatto caso. Gli alberi, non più circondati dal nastro segnaletico, sembrano immutati. Esito prima di entrare nella penombra sotto i rami, ma trovo il punto dove era il pickup in pochi istanti perché il tronco della conifera è ancora annerito dal fuoco. Bertie corre intorno alle radici scoperte, annusando il terreno. Un cambiamento c'è, dopotutto: due alberi sono caduti, uno è appoggiato alla conifera bruciata e il fango attaccato alle radici sembra fresco. L'avrà abbattuto un violento temporale invernale. Bertie, eccitato dall'odore di terra smossa, comincia a grattare e a scavare con le zampe.

Affondo la vanga nel punto in cui penso si trovasse il pickup, ma tiro su solo un mucchio di foglie; le sposto da parte con i piedi e con le mani, poi ritento. La punta di metallo intacca a malapena il suolo indurito. Sto cercando una tanica di benzina, un guanto fradicio. Spingo la vanga nel terreno più e più volte. Dopo un po' devo fermarmi a riprendere fiato. I capelli pesanti di pioggia mi scivolano davanti al viso; li pettino indietro con le dita sporche e il fango mi brucia gli occhi.

La vanga impatta sulle radici. Tiro su fango, sassi e frammenti di coccio. Niente. Bertie uggiola, lo ignoro. Quando avrò scavato questa buca, la allargherò, e poi scaverò un cerchio ancora più grande tutto intorno. Bertie comincia ad abbaiare. Gli vado vicino; ha trovato qualcosa? Sotto il frenetico scavare delle zampe intravedo piccole sagome bianche. Un leggero senso di vertigine mi fa crollare sulle ginocchia. Bertie ne ha afferrata una con i denti: è un osso, piatto e incurvato. Lascia che glielo sfili di bocca. È solo la costola di una pecora; ma è piccola, forse di un agnello o di un cerbiatto. Bertie sta scavando ancora; affiora un cranio di forma allungata, con i molari di un erbivoro ancora intatti.

I boschi mutano. Le cose vengono in superficie.

Mi siedo sui talloni. Michael aveva ragione. Non c'è niente qui. Gli indizi saranno da qualche altra parte. Sto cercando nel posto sbagliato. Non sono poi così astuta. Lascio cadere il piccolo osso nel fango. Naomi riderebbe se mi vedesse ora o, ancora peggio, proverebbe pietà per me. Non so.

Bristol 2009. Venti giorni dopo

Ted e io avevamo esaurito gli argomenti. Ed era andato via. Theo passava ore e ore nello studio a scuola e tornava stressato e con poca voglia di parlare. Ted mi osservava e sapevo che voleva dire qualcosa, ma non ci riusciva, né io lo aiutavo; anche io non riuscivo a dire niente. Ero sprofondata nel silenzio. Non avevo la forza di parlare.

In ambulatorio era più facile. Potevo fingere che fosse tutto a posto. Mi lavavo i capelli e stiravo i vestiti per avere un aspetto normale. Visitavo i pazienti e affrontavo i problemi. Solo per mezza giornata. Funzionava. Non sorridevo, non riuscivo a sorridere a nessuno, ma facevo il mio lavoro. Misuravo la pressione, palpavo addomi, esaminavo eruzioni cutanee, osservavo, ascoltavo, riempivo moduli e scrivevo ricette. Naomi non era stata spesso nel mio ambulatorio, così a volte, nella mia stanza, per pochi minuti, sembrava che non fosse successo nulla. Pensavo che sarei riuscita ad andare avanti così a lungo, ma mi sbagliavo.

Jade non era fra i miei appuntamenti di quel pomeriggio, perciò la signora Price doveva aver convinto Jo a lasciarle entrare fra un paziente e l'altro. La piccola si affacciò timidamente sulla porta, tenendo un mazzolino di fiori davanti a sé. La madre le diede una spinta d'incoraggiamento e la fece inciampare. Jade era smagrita ma i lividi erano spariti, e portava un cappellino di lana rosa calato sulle orecchie, così nessuno si sarebbe accorto che non aveva capelli. Erano passate solo cinque settimane da quando era stata ricoverata.

Riuscii ad accennare un sorriso. «Ciao, Jade».

La signora Price si mise a sedere e Jade cercò rifugio nel corpo abbondante della madre, infilandosi tra le sue ginocchia.

«Abbiamo pensato di venire a trovarla», disse la signora Price aggrottando la fronte.

La guardai, un nodo mi strinse la gola.

«Be', so cosa significa». Torse la bocca. «Quando succede a te, voglio dire».

Smise di parlare e mi fissò. Adesso ero io dall'altra parte, la parte sbagliata: ero la vittima. Difficile sapere cosa dirmi.

278

Si alzò e prese Jade per mano. «Quel che voglio dire è... Avanti, Jade».

La piccola mi consegnò i fiori con un breve sorriso, poi nascose il viso nel cappotto di pelliccia della madre.

Quando furono uscite, chiusi la porta e mi appoggiai contro il battente, poi mi lasciai scivolare giù finendo goffamente in ginocchio sul pavimento. I fiori sgusciarono fuori dal cellophane. Mi ripiegai su me stessa: sentii l'odore acre della varechina sul linoleum sbiadito e notai le piccole crepe che lo solcavano. Poi la mia faccia si contorse e un suono cupo e lamentoso mi salì dal petto, come il gemito di un animale ferito. Dopo un po' mi alzai e feci scorrere l'acqua del rubinetto, così nessuno avrebbe sentito; strappai il lenzuolo di carta dal lettino e me lo premetti sul viso. Ero stata folle a pensare di poter tornare al lavoro così presto. Non ero in grado di gestirlo. Non ero in grado di gestire nulla. Volevo tornare a casa e rannicchiarmi sotto le coperte, al buio. Volevo smettere di respirare.

Sedetti alla scrivania e feci dei lunghi respiri, scossa da un tremito incontrollabile. Non so come, riuscii a chiamare l'interno della segretaria e Jo mi ascoltò mentre la incaricavo di dire ai pazienti che ero stata chiamata fuori per un'emergenza. C'era una porta sul retro; i pazienti in attesa avrebbero pensato che ero uscita in tutta fretta da lì.

Restai seduta nella mia stanza. Jo mi portò una tazza di tè e mi diede una stretta affettuosa; aveva avvisato Frank, e lui avrebbe visitato i pazienti della mia lista che non potevano essere rinviati. Poi mi lasciò sola con me stessa.

La stanza si oscurò. Il mondo si ridusse alla mia mano posata sulla scrivania. Erano passati venti giorni da quando Naomi era uscita dalla nostra cucina. Ogni giorno, ogni istante di ogni giorno, avevo allontanato immagini di lei sofferente, legata, ferita, insanguinata; il suo corpo senza vita dentro una busta di plastica lungo la strada o gettato in una fossa poco profonda. Chiusi gli occhi, cercando di ricordare qualcosa di vivo e luminoso per bloccare quelle immagini. La festa dopo la prima dello spettacolo. Quante voci allegre avevano riempito la cucina quella sera; di colpo riaffiorò nella mia mente, vivida come se stessi guardando una fotografia. Naomi in piedi vicino

279

ai fornelli, un piede scalzo sulla schiena di Bertie: si era isolata per qualche momento. Mi stavo avvicinando a lei, ma mi ero fermata; era così assorta a sbirciare di lato che avevo seguito il suo sguardo per capire dove fosse diretto, ma fuori della finestra c'era solo il buio della notte. Quando ero tornata a osservarla, aveva la bocca increspata in un sorriso. Un sorriso intimo, segreto. Mi era sembrata così diversa. Forse era per via dell'abito nero che indossava ancora, quello per la scena della morte di Tony in *West Side Story*, ma per un istante era diventata più grande, più determinata, in un modo che non riuscivo a spiegare. Un'ombra di inquietudine si era insinuata nella stanza rumorosa. Theo si era avvicinato alla sorella per dirle qualcosa e Naomi era scoppiata a ridere, ed era stata di nuovo lei; qualcuno mi aveva toccato sulla spalla e mi ero voltata, così la scena mi era uscita di mente. Fino a quel momento. Sola nel mio studio, realizzai che il suo sorriso mi aveva detto qualcosa. Era un indizio.

Quando ero uscita dall'ambulatorio era buio e faceva freddo, ma la stanza di Naomi era calda. Avevo lasciato il termosifone acceso perché andavo a sedermi lì quasi tutte le sere. A volte pensavo che molecole della sua pelle o dei suoi capelli fossero ancora nell'aria, e se erano lì sarebbero venute a contatto con il mio viso, con le mie mani. Forse, se fossi rimasta perfettamente immobile, le avrei sentite.

Quella sera una nuova speranza mi serrava la gola, impedendomi quasi di respirare. Volevo con tutte le mie forze che avesse pianificato la fuga. Volevo che fosse quello il motivo del suo intimo sorriso. Non mi importava se sapeva che ci avrebbe fatto soffrire, o addirittura se era quello il suo scopo. Non mi importava, se significava che era sana e salva.

La sua stanza era stata ispezionata dalla polizia e da Michael. Avrei fatto un altro tentativo. Se aveva pianificato tutto, forse c'era ancora un indizio. Il cappotto pesante era nell'armadio, insieme alle gonne per la scuola. Tastai la tasca del cappotto. Niente. Tutte le scarpe erano allineate in fila: le ballerine verdi, le Converse, le infradito. Feci scivolare la mano dentro una delle ballerine, sentendo i piccoli avvallamenti della suola di pelle che avevano ospitato le dita del piede. Aprii i cassetti del comò, infilai le mani sotto i pullover messi alla rinfusa. Niente. I soprammobili sulla mensola del camino erano stati spostati; mani esperte in cerca di indizi avevano tolto le foto dalle cornici per vedere se nascondevano qualcosa e le avevano riposizionate un po' di traverso. Tutto il resto era al suo posto: il cavallo di porcellana, le foglie autunnali, il portagioie.

Sotto di me, sentii aprirsi la porta di casa e i passi di Ted che attraversavano l'ingresso.

Mi sedetti sul letto. Appena alzai il coperchio bianco del portagioie, la ballerina di plastica con la gonna di tulle rosa piroettò al suono incerto e rallentato della melodia. Chiusi gli occhi. Ripensai al giorno del suo sesto compleanno, quando aveva scartato il portagioie e trovato all'interno la collana di corallo. Spalancai gli occhi di colpo. La collana non c'era più. Frugai dentro. Dov'era? Conservava sempre i coralli nel portagioie. Qualcuno li aveva presi, e di recente. C'era ancora l'impronta nella morbida imbottitura di raso. Guardai sulla mensola del camino, sul pavimento, sotto il tappeto. Poi mi precipitai giù.

«Lo sapeva. Aveva pianificato tutto».

Ted era seduto sulla poltrona, lo sguardo fisso avanti a sé, un bicchiere in mano. Si girò verso di me con aria assente.

«Pianificato cosa?»

«La collana è sparita, i coralli che le aveva regalato mia madre. Spariti. Deve averli portati con sé». Mi fermai per riprendere fiato.

«Come fai a dirlo?». La voce di Ted era fiacca e inespressiva. «Potrebbe averli persi anni fa».

«Sono stati prelevati di recente; c'è ancora l'impronta».

«Allora li avrà persi di recente».

«No. Non li avrebbe mai persi. Amava quei coralli. Significa che era tutto pianificato. Li avrà portati con sé. Sapeva che sarebbe andata via. Per questo sorrideva fra sé».

«Sorrideva fra sé?»

«Sì. Alla festa».

«Quale festa?».

Ignorai la domanda. La mia mente stava lavorando a pieno ritmo.

Cercai di ricordare l'ultima volta che avevo visto Naomi. Indossava la collana? Forse era nella busta insieme alle scarpe? Le domande iniziarono a rincorrersi l'un l'altra.

«Jenny, sei completamente esausta». Ted si alzò e mi passò un braccio intorno alle spalle. «Sembra che tu abbia pianto».

Il braccio era pesante, l'alito sapeva di alcol. Mi tirai subito indietro. «Non...».

Mi guardò come se non mi riconoscesse. Scrollò le spalle e si avviò verso le scale.

«Significa che non è stata rapita, non lo capisci?», gli gridai dietro.

Continuò a camminare. «Ora sono troppo stanco», disse. «Non ti preoccupare per la cena. Ho mangiato qualcosa in ospedale. Vado a sdraiarmi».

Lo osservai mente saliva adagio la rampa, aggrappandosi alla ringhiera. Ebbi la sensazione che stesse uscendo lentamente dalla mia vita. Non mi importava. Naomi aveva preso la collana di corallo. Aveva pianificato la fuga. Era salva.

CAPITOLO 29

Dorset 2011. Tredici mesi dopo

Naomi sta ballando. È Maria che balla con Tony e si vede che si sta innamorando. È diverso dal vero *West Side Story*, ma nel mio sogno non ha importanza. Il ritmo è lento e ballano insieme, vicini, rispecchiandosi l'uno nei movimenti dell'altra. A poco a poco la musica accelera, e devono ballare sempre più velocemente, poi il volume aumenta sempre più, finché smette di essere musica e diventa rumore, sgradevole e assordante. C'è agitazione tra il pubblico. Le luci cominciano a sfarfallare, così i movimenti della danza appaiono bizzarri e spasmodici. C'è qualcosa che non va e in sala si sentono brontolii di protesta. La gente sta lasciando il teatro. Un colpo di tamburo forte come uno schianto mi sveglia di soprassalto, lasciando un'eco evanescente nella mia testa.

Il battito del cuore rallenta in pochi minuti. I sogni tornano ogni notte, ormai.

Erano mesi che non pensavo a quel teatro. Scosto i capelli dagli occhi, così posso rivedere nell'oscurità le immagini che ancora mi affollano la mente. Yoska è stato una figura, un'ombra, intravista in fondo alla platea dalla professoressa e da Nikita. James lo aveva visto appoggiato contro una parete.

Pensieri cominciano a sfarfallare nella mia mente come le luci nel sogno. Aveva dimenticato qualcosa in teatro? Un cappello? Fibre del suo cappotto scuro rimaste su una poltrona? Qualsiasi cosa venuta a contatto con la sua pelle poteva contenere tracce di DNA. La polizia aveva guardato nel teatro, ma poteva essergli sfuggito qualcosa. Telefonerò a Michael e gli chiederò come hanno proceduto. Posso tornarci di persona e cercare meglio. Penserà che sono diventata pazza. Forse è così. Forse dovrò guardare di nuovo in ogni posto – altrimenti come posso essere sicura che non ci siano altre tracce? Da qualche parte, nel mondo, c'è la prova che è stato lui a portarla via. Devo solo trovarla.

Rimango sveglia per il resto della notte, tormentata da mille interrogativi. Alle sette telefono a Michael.

La sua voce è circospetta ma gentile. «Volevo venire da te ieri sera, ma si è fatto tardi. Sono stato in pena. Non avrei dovuto dirti quelle cose sul reperimento del DNA».

«Avevi ragione».

«No, affatto. Non c'è alcun corpo, naturalmente. Non c'è mai stato. Quindi è ovvio che non ci sia alcun DNA».

Forse stava per ripetermi che l'unico posto dove trovare il DNA di un criminale nella ricerca di una ragazza scomparsa è dentro il corpo della malcapitata, ma lo so già. So che cercano nella vagina, nell'esofago, sugli indumenti, sui capelli. Non voglio sentire altre parole sull'argomento. Se non le dirà, non dovrò figurarmi le immagini che parole del genere evocano.

«Intendevo dire che avevi ragione a proposito del bosco. Non c'era niente», gli spiego, per impedirgli di aggiungere altro.

«Così alla fine ci sei andata? Ah, Jenny». Avrà piegato in giù gli angoli della bocca. È stata una delle prime cose che ho notato di lui; ricordo di aver pensato che fosse un buon segno che i casi della vita potessero ancora renderlo triste. «Ti ho detto che la polizia aveva setacciato ogni angolo possibile».

«Anche il teatro?»

«Anche il teatro», ripete lentamente.

«Sì. Sai, l'ho sognato stanotte». Ma se pensa che sia impazzita non mi aiuterà; meglio ricominciare il discorso. «Ha recitato in *West Side Story*, ricordi?». Una breve pausa fa seguito alle mie parole.

«Certo che mi ricordo. Abbiamo fatto una perquisizione accurata, a cominciare dallo spogliatoio».

«Cosa significa, esattamente, una perquisizione accurata?».

Un piccolo sospiro, il rumore di una lampo che si apre mentre tira fuori il portatile dalla custodia. «Ti richiamo fra un minuto e ti darò tutti i dettagli».

Avranno cominciato dallo spogliatoio dove si è trasformata in Maria ma, pensandoci adesso, lo usava solo per cambiarsi. Dopo di che, rimessi i suoi vestiti, non si struccava. Non solo, si truccava sempre a casa, prima di uscire. Perché? Forse lo incontrava mentre andava o tornava dal teatro. Avrà avuto l'aspetto di una diciottenne con l'eyeliner e il fondotinta. Vedendola, Yoska si sarà sentito autorizzato a fare... cosa?

Quando suona il telefono rispondo dopo il primo squillo.

«Come pensavo, hanno guardato dappertutto». La voce di Michael è calma e convinta. «Ho qui la lista».

«Sì?»

«Hanno rilevato le impronte digitali ovunque: maniglie delle porte, rubinetti, sedili in fondo al teatro, toilette. Hanno controllato ogni armadietto, le ceste dei costumi, le pattumiere e i cassonetti all'esterno». Breve pausa. «Hanno sollevato l'impalcato».

Questo non lo sapevo. Quindi persino allora avevano considerato l'ipotesi della sua morte.

«Jenny, questa storia deve finire». Si schiarisce la gola, alza la voce. «Finirai per impazzire». Si ferma, poi riprende con tono più pacato: «Lascia che ci pensiamo noi. Molla tutto».

«Non mollerò mai». Silenzio da parte di Michael. Riprendo a parlare, imperterrita. «Michael, quando lo prenderete, negherà tutto». Yoska scuoterà la testa con sguardo divertito. «Saprà che senza prove inconfutabili non possiamo dimostrare la sua colpevolezza. Ci serve la prova che sia stato con lei».

«Non puoi cercarla in teatro solo perché l'hai sognato», ribatte con una risatina.

Ma io non posso cancellare quel sogno; non posso cancellare Naomi.

Prendo il telefono e digito il numero della scuola di Naomi. La preside è in riunione con il consiglio dei docenti ma mi richiama dopo dieci minuti.

Il tono è gentile. «Sono così contenta di sentirla. Spesso mi sono chiesta come stava».

«Bene, grazie, signorina Wenham».

Se mi vedesse, sono sicura che lo penserebbe anche lei. I mesi sul mare sono serviti a qualcosa. Ho un aspetto decisamente migliore dell'ultima volta che mi ha vista. Non avrebbe modo di accorgersi che le ferite si sono riaperte; anche se sanguinano, non si vede all'esterno.

«Stavo pensando al teatro», dico cautamente. «Potrebbe esserci qualcosa che è sfuggito alla polizia». Parlo in fretta, nel timore che mi interrompa e io mi lasci prendere dal panico. «Vorrei controllare. Forse un oggetto dimenticato è ancora lì, nonostante sia passato tutto questo tempo. So che può sembrarle stupido. Magari un cappello, o una giacca…».

Le parole mi sfuggono troppo in fretta di bocca, e nel silenzio che perdura all'altro capo della linea suonano assurde.

La signorina Wenham è esitante. «Può guardare, naturalmente, mia cara. Ma è improbabile che troverà qualcosa. Ora è molto diverso».

«Diverso?». Forse ora hanno messo porte autobloccanti. Tastierino numerico con password, o un portiere fisso. Una lezione imparata dalla vicenda di Naomi.

«Be', non è ancora ultimato», continua con voce misurata. «Ma siamo in dirittura d'arrivo. Un ex allievo ci ha lasciato una somma nel suo testamento per rimettere a nuovo il complesso». Fa una piccola pausa, ma io non faccio commenti e lei va avanti: «Ci sono stati molti cambiamenti, un nuovo palcoscenico e così via…». La voce si spegne nel silenzio. Si è resa conto di essere stata indelicata.

«Forse potrei venire a dare un'occhiata, non si sa mai». Cerco di infondere una nota di speranza nella mia voce, ma vorrei morire. Troppo tardi, fin troppo tardi.

«Quando avranno finito i lavori, una delle ragazze la accompagnerà in giro per il teatro. Provi a richiamarmi fra una settimana o giù di lì. Sono così contenta…».

Non aspetto di scoprire la causa di tanta contentezza. Metto giù il telefono. Sarà troppo tardi quando avranno finito i lavori; andrò oggi. La giacca può essere ancora appesa a un gancio, un oggetto a cui sono passati davanti mille volte fino a non farci più caso; il cappello magari sarà finito sotto i piedi, spinto in un angolo con un calcio. Posso sempre dare un'occhiata, anche se con quasi quattordici mesi di ritardo.

A volte è così che funziona in medicina: un'illuminazione improvvisa mentre esco in retromarcia dal garage. Visiti di nuovo il paziente, o qualcuno lo fa per te, ed ecco la diagnosi, proprio quando tutti si erano arresi. A volte è la cosa più ovvia a cui nessuno aveva pensato. Per un istante, mi sembra di vedere il visetto di Jade fluttuare nello specchio. Vale sempre la pena dare una seconda occhiata.

Bertie è già sul sedile del passeggero, naso sulle zampe, occhi chiusi, pronto a partire, ma qualcuno bussa al mio finestrino mentre giro la macchina in direzione della strada. È Dan, più alto nel suo cappotto nuovo, il bavero alzato per proteggersi dal vento.

Abbasso il finestrino. «Bel cappotto».

«Grazie. Regalo di Natale della nonna. Nei film nevica sempre a New York».

«Allora ci vai davvero?». Non mi ero resa conto che il tempo passava anche nelle vite degli altri.

«Parto domani. Il corso comincia la prossima settimana». Il volto è compassato, ma la voce tradisce eccitazione.

«Aspetta, parcheggio di nuovo la macchina».

«Non si preoccupi, torno più tardi».

So che non lo farà, e se lo farà io non ci sarò. Spengo il motore e scendo rapidamente.

«Mary sentirà la tua mancanza. E anche io».

Abbassa lo sguardo a terra per un istante.

«Che piani hai?»

«Starò da Theo e Sam finché non troverò un'altra sistemazione».

«Hai soldi a sufficienza?». Ma è una domanda di troppo. Fa un passo indietro, di colpo ostile.

«Parla come mia madre».

«Sono una madre, ecco perché».

«Non la mia». Mi guarda dritto negli occhi, poi continua: «Le farò sapere come va». Pausa. «In ogni caso ci penserà Theo».

C'è un istante in cui potrei toccarlo, un istante in cui resta lì, l'aria smarrita. Come se avesse indovinato i miei pensieri, arrossisce e si gira. «Ci vediamo», dice.

Poi si sta già allontanando lungo la strada, e io non l'ho nemmeno ringraziato. Lo raggiungo con la macchina davanti al negozio, abbasso il finestrino, ma proprio in quel momento due ragazze escono dall'entrata e lo salutano. Nello specchietto retrovisore, lo vedo scendere sull'asfalto, sporgersi per seguire la macchina con lo sguardo; un istante dopo una delle ragazze gli si avvicina e lo prende sottobraccio. Giro l'angolo e non lo vedo più. Andrà a New York; comincerà una nuova vita. Ha ancora tutto davanti a sé. Una vita da vivere, una vita intera, ininterrotta.

Siamo a Bristol per mezzogiorno. L'ultima volta che sono stata qui era estate. I castagni nel Downs sono spogli; ci siamo persi la caduta delle foglie. Il periodo dell'anno preferito da Naomi. L'agente che aveva perquisito la sua camera era rimasto sorpreso dalla collezione di foglie appassite e dal mucchietto di castagne d'India avvizzite sul comodino.

Parcheggio davanti alla nostra casa. Bertie uggiola davanti al cancello, agita la coda. Il pilastro è ruvido sotto le mie dita, la vernice si sta scrostando. I vetri delle finestre sono sporchi e il giardino è pieno di erbacce. Dentro sarà tutto in ordine, grazie ad Anya. A quest'ora Ted sarà al lavoro. Alzo lo sguardo sulle grandi finestre buie, ricordando come, negli ultimi mesi trascorsi qui, tutto il calore e la luce avessero lasciato il posto a una vuota oscurità in cui persino i miei passi avevano assunto la qualità del sogno.

L'anno scorso avevo aspettato qui da novembre fino ad agosto, nove mesi durante i quali il nostro matrimonio si era sfaldato, la speranza si era dissolta e gli amici erano spariti. Frank aveva capito quando non ero riuscita a tornare al lavoro dopo la sera in cui ero crollata. Aveva trovato un altro sostituto, ma il pensiero che Frank fosse lì ad aspettarmi aveva aumentato il mio carico d'ansia, così gli avevo detto che non avrei più ripreso le visite in ambulatorio. Un senso di sconfitta che si era diluito nei mesi senza senso che erano seguiti. Mi sdraiavo sul suo letto, sul pavimento della sua camera, immobile, osservando la luce del giorno inondare la stanza e ritirarsi col passare delle ore. Volevo morire. Poi un giorno ero tornata al cottage. Ed aveva bisogno di alcuni libri che aveva dimenticato lì in un'altra occasione. Aveva cominciato a studiare per l'A-level e stava seguendo il programma di riabilitazione. La luce nel Dorset sembrava diversa. Era più vivida, l'aria più calda. Dal giardino si sentiva il grido dei gabbiani. Ero tornata a casa, ma via via che le ricerche per Naomi rallentavano e le settimane si trascinavano stancamente, avevo cominciato a pensare sempre più spesso al cottage. All'arrivo dell'estate avevo già elaborato un piano, e alla fine di agosto me ne ero andata. Ho vissuto della piccola eredità lasciata dai miei genitori. Ted mi avrebbe dato tutto il necessario se glielo avessi chiesto, ma non ho avuto bisogno del suo aiuto.

Per un momento sono tentata di suonare il campanello. Anya potrebbe essere qui. Ma ora questa casa è territorio di Ted e tiro via Bertie dal cancello.

Ci sono i ponteggi all'esterno del teatro, scale poggiate contro il muro e una pila di termosifoni di ghisa dentro un cassone. Un paio di furgoni sulla strada con gli sportelli aperti; all'interno, gli operai si concedono una pausa per il tè, curvi sulle tazze fumanti. I battenti della porta sono aperti, bloccati con un cuneo. Esito, chiedendomi se posso portare Bertie con me. La sua presenza mi dà coraggio.

Nessuno ci ferma mentre entriamo, calpestando le lastre di compensato che proteggono le nuove tavole di legno lucido dell'ingresso. Il pavimento aveva subito danni quando avevano sollevato le vecchie assi per cercare il suo corpo? Il bar è stato dipinto di rosso; è più grande, adesso, e dietro il bancone c'è uno specchio nuovo. La polvere indugia nell'aria e c'è odore di intonaco. Bertie starnutisce due volte. Spingo le pesanti porte di legno che danno sulla sala, e un sentore acre di vernice e di polvere di legno ci avvolge immediatamente. È più ampia e più luminosa di quanto fosse prima. Non ci sono più zone in ombra sotto le luci forti che si riflettono sulle pareti tinteggiate di fresco. Il palco è sparito. Assi scheggiate sono ammucchiate da una parte, alcune spezzate in due, e c'è una grossa pila di lunghe tavole lucide per il nuovo palcoscenico accostata al muro. Bertie tira il guinzaglio, impaziente, e per un pelo non ruzzola dentro la botola del sottopalco, ora aperta. Ci affacciamo sul bordo: sotto di noi, un uomo dai capelli grigi in tuta da lavoro blu sta misurando il pavimento con una livella a bolla d'aria. Ci sono un paio di sgabelli di legno, un camino apparentemente di plastica e un mucchio di sacchi di tela sporchi in un angolo. L'uomo guarda su, la fronte imperlata di sudore. Mi fa un cenno di saluto, poi, notando Bertie, la sua espressione si addolcisce e si avvicina per allungare la mano e accarezzarlo.

«Non avrebbe dovuto portarlo qui dentro, anche se è simpatico. Ne ho uno simile a casa. Cercava qualcuno?»

«Mia figlia recitava in uno spettacolo lo scorso… prima di… non ritrova alcune cose. Forse sono state messe da parte?»

«Gli oggetti dimenticati sono stati smaltiti molto tempo fa». Scuote la testa. «Cestinati, la scorsa estate».

Mi sento mancare. Che stupida sono stata a venire qui.

Con un ultimo cenno di saluto, l'uomo si gira, ma in quel momento Bertie salta giù nella botola, tirando il guinzaglio. Lo lascio andare, non voglio che si strozzi. L'uomo ride, si china sul cane.

«Ti piaccio, eh?», dice con aria trionfante, accarezzando le orecchie di Bertie.

«Scusi». Mi siedo, infilo le gambe nella botola e salto giù; è più alto di quanto pensassi e atterro goffamente, storcendomi una caviglia. Una fitta di dolore mi blocca appena poggio il peso su quel piede, riesco a malapena a reggermi in piedi. «Scusi», ripeto, consapevole di essere diventata una seccatura e ansiosa di togliere il disturbo.

«Faccia attenzione». Si avvicina e mi aiuta ad arrancare verso i sacchi di tela nell'angolo.

«Si sieda su uno di questi. Dentro ci sono dei costumi, non può fare danni. Una tazza di tè?»

«Costumi?». Mi lascio cadere adagio sulla tela.

«La polizia li ha lasciati qui. Pronti per la prossima occasione, insomma». Si china a stuzzicare Bertie, evidentemente ha voglia di chiacchierare. «Nessuna richiesta di spettacoli da quando è scomparsa quella ragazza. Brutta storia».

Devo allontanarmi da quest'uomo prima che dica altro, ma appena provo ad alzarmi mi mette una mano sulla spalla.

«Tranquilla». Mi sorride. «Stia comoda. La ragazza non è dentro uno di questi sacchi».

Lo guardo in silenzio, soffocando un senso di nausea.

«Mi sembra un po' pallida». Si gratta la testa con aria meditabonda, poi sembra aver trovato la soluzione: «Sa cosa le dico, non si muova da qui. Gliela porto io una tazza di tè. Torno fra un istante».

Si issa sul piano del palco e scompare alla vista.

Ci sono almeno sei sacchi. Potrebbero aver trovato qualcosa di Yoska e averlo mescolato ai costumi per errore. Scivolo via dal sacco su cui sono seduta, mi inginocchio a terra e lo apro. È una mossa azzardata perché ho solo pochi minuti prima che l'uomo ritorni. Infilo dentro la mano e mi affido al tatto: tela ruvida e corda. Ne apro un altro e tiro fuori una giacca di pesante velluto nero, bordata con passamaneria in oro, un cappello di feltro con la tesa sgualcita e una malconcia penna gialla. Li ficco di nuovo dentro. Il terzo contiene tute mimetiche, ripiegate con cura. In quale spettacolo le hanno usate? È probabile che Naomi le abbia viste. Me ne aveva parlato? Se lo aveva fatto, ecco un'altra cosa che mi era sfuggita. Il quarto sacco contiene indumenti morbidi. Tiro fuori una camicia blu, poi il mio cuore perde un colpo: un berretto da poliziotto. Agente Krupke. Rovescio il sacco e lo vuoto a furia di strattoni: gonne rosse e blu, top con volant, abiti di pizzo, foulard di seta. Ultimi a cadere sul pavimento, del tulle viola, un paio di stivaletti, sciarpe e collant. Nessun costume dei ragazzi – devono aver usato indumenti propri per il ballo sincopato sopra i tetti. Osservo ogni cosa per un momento; rivedo le scene di danza dove le gonne ruotavano nell'aria e la musica di Bernstein riempiva la sala. Ma adesso, proprio come gli alberi e il fango nel bosco, questo mucchio di vestiti colorati e scarpe alla rinfusa non mi dice nulla. Solo costumi, come ha detto l'uomo.

Afferro rabbiosamente gli stivaletti per ficcarli di nuovo nel sacco e le dita sfiorano un tessuto di seta, arrotolato e spinto in fondo alla tomaia. Calzini? Fazzoletto da collo? Lo spiego sul pavimento ed è più grande di quanto pensassi: un abito corto di seta rossa, scollato.

Bottoncini di madreperla. Il vestito di Nikita. Quello che Naomi aveva preso in prestito per le prove, quello che non aveva riportato a casa. Nascosto nello stivaletto, sarà sfuggito alla polizia. Lo accosto al viso. Ha un lieve profumo di limoni? Non devo piangere. Lo spiego di nuovo sul pavimento, e con la parte del mio cervello ancora in grado di ragionare lucidamente registro che sul corpetto è presente una macchia irregolare giallognola. Sollevo il bordo e guardo dentro il vestito. Rumore di passi che si avvicinano. Arrotolo rapidamente la stoffa morbida e la faccio scivolare nella tasca del cappotto, ficcando il resto degli indumenti nel sacco proprio mentre l'uomo si affaccia dalla botola. Si cala pesantemente nel sottopalco e mi porge la tazza fumante.

«Così ha dato un'occhiata ai costumi». Mi guarda, divertito. «Ha avuto fortuna?».

Scuoto la testa; il tè è scuro e molto dolce, mi rimette in forze.

«Glielo avevo detto», conclude tranquillamente. «Hanno buttato via tutto».

Mentre zoppico lungo la strada in direzione della macchina, vorrei avvolgermi quel vestito intorno al collo, a contatto con la pelle. Ma lo lascio in tasca. Michael lo farà avere alla Scientifica.

Le finestre della casa sono ancora buie. Sistemo Bertie sul sedile e avvio il motore. Il cuore mi batte in testa in un misto di speranza e paura.

Bristol 2009. Ventuno giorni dopo

Non vedevo l'ora di dire a Ed dei coralli scomparsi. Si sarebbe reso conto che era un buon segno, e solo Dio sapeva quanto aveva bisogno di nuove speranze. Avrebbe capito che la sorella aveva pianificato la fuga, e portato con sé qualcosa che le ricordasse la famiglia fino al suo ritorno. Sarebbe stato eccitato quanto me.

Il cellulare di Ed deviò subito la chiamata in segreteria, così chiamai il centro. Rispose la signora Chibanda e andò a chiamarlo. Dopo quella che mi sembrò una lunga attesa, sentii i suoi passi lenti avvicinarsi.

«Ciao mamma». Sembrava stanco, più vecchio.

«Stai bene, tesoro?»

«Perché?»

«È passata più di una settimana. Volevo sapere come stavi».

Sospirò nel telefono, ma non rispose.

«So che mi avrebbero chiamato se le cose non andassero bene…», mi sfuggì di bocca nel silenzio.

«Lascia perdere, mamma», mi interruppe. «Lasciami in pace».

Chiusi gli occhi. Da quando Naomi era scomparsa, tutto era diventato più chiassoso. Persino i suoni mi ferivano, come se mi stessi ammalando, come se avessi perso uno strato di pelle. Avevo dimenticato come rivolgermi a Ed. La conversazione aveva già preso la piega sbagliata. Cominciai a pentirmi di averlo chiamato.

«Noi ti pensiamo sempre». Non era quello che volevo dire, e a lui non sarebbe piaciuto.

«Tipico», ribatté con un filo di voce.

«Cosa vuoi dire?». Non avrei dovuto chiederglielo. Non era per quello che gli avevo telefonato.

«Sapevo che avresti detto una cosa del genere». Dovetti tendere le orecchie per sentire la sua risposta; era come se stesse parlando da solo. «Non hai mai parlato con me prima».

Sta soffrendo per Naomi. Venendo fuori dalla droga. È solo. Non sta dicendo sul serio.

«Ho sempre parlato con te, Ed».

«*A* me».

Cambiai argomento. «Sai una cosa? La collana di corallo di Naomi è sparita!».

«Quale collana?». La voce suonò distante.

«Quella con i rametti color arancio».

«E allora?»

«Deve averla portata con sé. Significa che sapeva che sarebbe andata via».

«Cristo, mamma. L'avrà perduta o regalata a qualcuno».

Vuole distruggere ogni speranza? «Gliel'ha regalata la nonna anni fa».

«A maggior ragione. Tu non la conosci, mamma. Nemmeno un po'».

Dopo averlo salutato e aver aspettato che riagganciasse per primo, camminai su e giù per la cucina. Volevo liberarmi delle sue parole. Non volevo pensare a quel che aveva detto o alla rabbia che ribolliva nel suo animo.

Alla fine telefonai a Shan. Non avrei saputo chi altro chiamare, sebbene non ci fossimo più sentite dopo quel giorno alla stazione di polizia.

«Jen. Ti avrei chiamata più tardi».

Non seppi cosa risponderle, ma non fu un problema perché aggiunse allegramente: «Un periodo così frenetico». Risatina. «Solo Dio sa perché. Il Natale, immagino».

Natale? Quando era stato Natale? Guardai fuori dalla finestra ma la strada era sempre la stessa. Erano settimane che non andavo in giro per negozi. I regali erano fuori dalla mia portata.

«Come stai?», balbettò nel silenzio, suonando più come la vera Shan.

«Me la cavo. Ma c'è una novità positiva. Pensavo di fare un salto da te». Volevo vederla sorridere; quando le avrei detto dei coralli, mi avrebbe abbracciata dicendomi che aveva sempre saputo che tutto si sarebbe risolto per il meglio.

«Preferisci che venga io?»

«No, ho bisogno di uscire». Feci la doccia e trovai dei jeans puliti e una camicia nuova. Mi truccai, persino. Il fondotinta aveva perso fluidità e il rossetto risaltava in modo vistoso sul pallore della pelle, così finii per togliermi tutto con acqua e sapone. Mentre guidavo, una voce piatta alla radio cominciò a leggere il notiziario, ma per me rimase un fastidioso rumore di sottofondo finché non sentii il suo nome: «...scomparsa ormai da ventuno giorni». La voce compiaciuta continuò: «Le ricerche sono ancora in corso; tutti gli aeroporti...». Spensi la radio, disgustata. Michael mi aveva detto di non ascoltare i notiziari.

Shan aprì la porta e mi strinse subito fra le braccia.

«Scusa per come mi sono comportata alla stazione di polizia. Sono stata una pessima amica».

Mi accompagnò in salotto e ci sedemmo insieme.

«Sembri leggermente dimagrita, Jen», disse in tono preoccupato, poi mi prese la mano e sorrise con affetto. «È bello rivederti».

«Naomi aveva una collana», le dissi di getto. «Ieri stavo guardando nella sua camera, nel portagioie…». Mi interruppi, sentendo dei rumori dalla cucina; un bollitore messo sul fuoco, qualcuno che rovistava nella credenza in cerca delle tazze. Shan si girò e parlò verso la porta aperta.

«Se stai preparando il caffè, Nik, Jen ne gradirebbe una tazza. E anche io. Bello forte, per favore».

«È quasi pronto», rispose Nikita.

Shan tornò a rivolgersi a me. «Sta lottando», mi bisbigliò.

«Lottando?», ripetei. Un'immagine di Naomi che si dibatteva nella presa ferrea di un uomo mi bloccò all'improvviso. Nikita era nella stanza accanto, a preparare tranquillamente un caffè. La sua vita stava seguendo il suo corso. Quella di Naomi era stata deviata. Non dovevo provare rabbia; non era colpa di Shan.

«Sì», continuò a bassa voce. «Si sente in colpa. Avrebbe dovuto dirci prima che a Naomi piaceva quel tipo».

Di nuovo quel senso di nausea. Non sarei dovuta venire. Nel silenzio che seguì, Shan arrossì e accennò un sorriso.

«Scusa. Che stupida. Dimentica quel che ho detto. Mi stavi dicendo della collana nel portagioie».

Mi posò una mano sul braccio; il calore di quel contatto filtrò attraverso la manica fino alla pelle. Non dovevo biasimarla se le sue parole sembravano fuori posto; in ogni caso, non c'erano parole adatte. Le restituii il sorriso.

«Era di corallo. Sai, quei piccoli bastoncini color arancio? Non riesco a trovarla da nessuna parte».

Non arrivavano più rumori dalla cucina; sentii i passi leggeri di Nikita salire rapidamente le scale che portavano alle camere. Nella quiete della casa riuscii a cogliere una nota di speranza nella mia voce.

«Era un regalo di mia madre, Naomi era piccola. La teneva sempre dentro il carillon. Ma ora non c'è. Ho guardato ovunque».

Shan mi stava fissando; capii che era sconcertata dal mio atteggiamento sorridente. Stavo per spiegarne il motivo quando Nikita entrò in salotto, un po' affannata, con due tazze di caffè in equilibrio su un vassoio. Si chinò sul tavolo per fare spazio e i capelli le scivolarono davanti al viso come un drappo di seta nera.

«Grazie, Nikita». Le sorrisi. Dopotutto, era la migliore amica di Naomi.

«Prego». Quando rialzò la testa, notai le guance rosso fuoco.

Tese una mano verso di me. Al centro del palmo era arrotolato un filo di coralli, splendido e fragile.

«Ho sentito quel che ha detto prima. Non l'aveva persa», disse in fretta. «Naomi l'ha data a me, ma non si preoccupi, non è che per lei fosse preziosa o roba del genere. Voleva liberarsene».

Ancora un minuto, poi forse sarei riuscita ad alzarmi e andarmene.

«Dio, Jen. Sei bianca come un lenzuolo. Riprendila. Non ti dispiace, vero, Nik?». Shan era sinceramente preoccupata.

«No. Tienila». Se parlavo adagio, avrei controllato il tremito nella voce. «Quando te l'ha data, Nikita?»

«Prima dell'ultimo spettacolo. Me l'ha lanciata; stava ridendo».

La fissai attonita. Cercai di ricordare quando era stata l'ultima volta che avevo sentito Naomi ridere.

«Penso che ora andrò». Dopo pochi secondi mi alzai e uscii.

Quando arrivai a casa cominciava a imbrunire e faceva freddo. La giornata era passata in qualche modo e io non me ne ero accorta.

«Tu non la conosci, mamma».

Mi sdraiai sul letto e tirai il piumone fin sopra la testa. Sentii Bertie abbaiare in lontananza, reclamando la cena, poi di nuovo il silenzio. Evidentemente crollai nel sonno, perché al mio risveglio trovai Ted che dormiva accanto a me. Il suo corpo emanava un calore sudaticcio, così rotolai su un fianco, il più lontano possibile da lui. Mi raggomitolai sul bordo del letto, aspettando che la notte finisse.

«Nemmeno un po'».

CAPITOLO 30

Dorset 2011. Quattordici mesi dopo

Gli ultimi boccioli di bucaneve risaltano nel fango come bianchi denti aguzzi; altri sono già fiori dai bordi più teneri, il capo chino esposto e venato di verde. Mentre mi chino ad ammirarli, i rumori del mattino filtrano attraverso il silenzio; un pettirosso che fruga nella siepe, il grido lontano dei gabbiani, il respiro lieve del mare. Una pace effimera indugia per un minuto o due, fino a quando una parvenza di movimento alle mie spalle cattura la mia attenzione. Michael. Passi silenziosi sull'erba umida. Sembra piccolo nello spazio verde del giardino, irreale nel suo completo nero e scarpe tirate a lucido. Il suo sguardo prende nota del pigiama raggrinzito di Theo, degli stivali di gomma di Ted. Per un istante ci studiamo come due estranei.

«Come mai sei qui?», gli domando impaziente. «Cos'hai trovato?». Rimango immobile, in attesa della risposta. I rumori intorno a noi passano in sottofondo.

«Stai bene? Hai un'aria...». Si ferma.

Stava per dire "strana"? "Sconvolta"? Che importanza può avere il mio aspetto?

«Ho visto i bucaneve dalla finestra, così... Per l'amor di Dio, Michael. Dimmi cos'è successo».

«Buone notizie. Sappiamo con certezza che Yoska ha preso Naomi e pensiamo che lei l'abbia seguito di sua volontà».

Tendo le mani verso di lui, accecata dalle lacrime.

«Come fai a saperlo?»

«Te lo spiego in casa». Mi prende la mano. «Stai gelando, hai le labbra blu».

È serio, quasi spazientito. Probabilmente lo spavento.

«Sei sicuro che sia lui?»

«Lo hanno visto. Ti dirò di più quando ti sarai scaldata. Devi metterti qualcosa di più pesante».

Il suo tono mi urta, il braccio che mi cinge mentre ci avviamo verso la porta sul retro è irritante. Non sarei arrivata fin qui senza di lui, ma devo fare attenzione; non siamo ancora giunti a destinazione. Mi vesto nella camera da letto fredda, armeggio con i bottoni, strappo via le calze di lana. Michael mi aspetta in fondo alle scale, una tazza di cioccolata fumante in ogni mano.

«Ho comprato latte e cioccolato. Sapevo che avresti avuto il frigo vuoto».

È anche infastidito. Non sa ancora badare a se stessa, sta pensando, dopo tutto questo tempo. Accenna al soggiorno.

«Ho appena acceso il fuoco. Sediamoci lì, staremo più caldi».

Aspetta che io mi sieda vicino al focolare, poi posa delicatamente una tazza sul tavolo accanto a me e prende una sedia. Le sue ginocchia quasi toccano le mie mentre si china.

«Ormai lo abbiamo preso».

«Preso?». È in un cellulare della polizia? Dentro una cella da qualche parte?

«Be', non l'abbiamo ancora arrestato, ma è come se lo avessimo fatto, grazie a te. C'è voluto qualche giorno per avere i risultati, ma abbiamo accertato che il DNA è identico a quello rilevato nel crimine precedente».

«Cioè?». Cosa mi sta dicendo? Ho il cuore in gola.

Mi guarda, esita, mi scruta non sapendo come riferirmi ciò che ha scoperto. Alla fine lo dice, adagio: «Sul vestito che hai trovato c'era il suo sperma».

Mi viene da vomitare. Faccio per alzarmi, ma mi trattiene per un braccio.

«Aspetta». Si schiarisce la gola. «Quando hanno analizzato cosa c'era sulla stoffa, hanno trovato anche del sangue. Di Naomi».

Come sono stata ingenua. Avrei dovuto considerare questa possibilità quando gli ho consegnato il vestito. Speravo che fosse utile per le indagini, ma i miei pensieri si erano fermati lì. Sono diventata brava a bloccarli. Sangue e sperma. L'ha violentata e poi nascosto l'abito nello stivaletto? Ma mentre questo pensiero comincia a prendere forma, un altro lo segue da vicino. Quella sera era rientrata con l'uniforme scolastica dopo aver lasciato il vestito in teatro, era affamata, stanca, sorridente. Non era stata stuprata, proprio come non era stata violentata quella volta nel cottage con James. Doveva aver fatto l'amore con Yoska con quel vestito addosso, poi lo aveva arrotolato con cura e nascosto dove nessuno lo avrebbe trovato: dentro un paio di stivaletti che sapeva non sarebbero serviti. Non avrebbe potuto agire con tanta lucidità e premeditazione se fosse stata stuprata. Aveva voluto Yoska. Aveva voluto fare sesso con lui.

Non riesco a restare seduta. Gli occhi preoccupati di Michael mi seguono da sopra il bordo della tazza mentre cammino nervosa per la stanza. Naturalmente non era stata la prima volta. Era già incinta. Ma James lo conosceva da anni. Erano coetanei; ragazzini che giocano a fare gli adulti, sprovveduti, in un certo senso. Il sesso con Yoska sarebbe stato diverso. Avrebbe davvero infranto le regole. Pensai a quel suo intimo sorriso. Era per Yoska. Doveva essere preoccupata per la gravidanza, ma lui l'aveva resa felice.

Guardo fuori dalla finestra, ma invece del giardino e del cielo la mia mente si chiude su un'immagine vivida di Naomi, la schiena contro il muro nel sottopalco buio e soffocante, la seta rossa del vestito tirata su malamente, le mutande intorno a una caviglia, una gamba avvinghiata intorno al suo fianco, per tenerlo stretto. La testa nera di Yoska affondata nel collo di Naomi, il corpo che affondava nel suo. Naomi ha gli occhi chiusi. Saliva e sudore le sbavano il trucco sulle guance. Scuoto la testa per scacciare quell'immagine, ma i pensieri continuano la loro corsa. Subito dopo le avrà detto di andare a casa, altrimenti i suoi genitori avrebbero sospettato qualcosa. Naomi gli avrà chiesto di aspettare, si sarà sfilata il vestito e lo avrà usato per asciugarsi l'inguine e le gambe. Avrà indossato l'uniforme scolastica che aveva portato con sé e ficcato in tutta fretta il vestito dentro uno degli stivaletti che aveva trovato tra i costumi. Lo avrà nascosto in fondo al sacco di iuta, pensando forse di recuperarlo in un secondo momento, ma se n'era dimenticata.

Il sangue... «Quanto sangue?». Torno a sedermi, guardo Michael, ma solo per un istante.

«Non molto. Non più del solito».

Serro le mani intorno alla tazza. Mi costringo a domandare: «Non più del solito per una coppia che ha fatto l'amore o per uno stupro?»

«Anche dopo il sesso consensuale si trova spesso del sangue. Piccole tracce, rilevabili con un microscopio».

Per questo mi ha detto che l'aveva seguito di sua volontà? Michael ha usato la mia stessa logica; ha concluso che, dopo aver fatto l'amore, Naomi avrebbe voluto rimanere con lui.

«Durante la gravidanza aumenta la vascolarizzazione della cervice». Lo dico più che altro a me stessa. «È facile avere perdite di sangue». Era successo il giorno dopo che era andata a letto con James sperando di abortire, ma non aveva funzionato.

Anche le infezioni possono causare perdite di sangue. Forse c'era stato qualcun altro; forse aveva contratto un'infezione prima di rimanere incinta.

Chissà quando avevi cominciato a cambiare. A diventare una persona completamente diversa senza darlo a vedere. Come avrei potuto capirlo, se ti nascondevi con attenta maestria dietro la bambina che pensavamo che fossi? Come avrei potuto proteggerti?

«Ormai gli stiamo alle costole». Michael fissa un punto lontano fuori dalla finestra; il cielo bianco di gennaio si riflette nei suoi occhi grigi. «Abbiamo seguito le tracce della sua famiglia fino a un campo nomadi nella regione centrale del Galles». Abbassa istintivamente la voce, come se qualcuno potesse sentire e metterli in guardia. «C'è un sito illegale nei pressi di una fattoria abbandonata».

Ricordo le colline gallesi appena al di là del fiume Severn; dal boschetto dove era stato rinvenuto il pickup sembravano così vicine da poterle toccare. C'erano barche sdraiate lungo gli argini. Una volta appiccato il fuoco al veicolo, ci saranno volute non più di due ore per attraversare il fiume con l'aiuto della marea. Lui avrebbe saputo come governare una barca, aveva mani capaci. Le vedo manovrare l'imbarcazione, tirarla sopra la linea di marea sulla riva opposta. Le immagino tendersi verso Naomi, aiutarla a scendere a terra, a mettersi al sicuro.

«Entreremo nel campo nomadi di notte», continua Michael.

«Quando? Come fate a sapere che sono lì?».

Abbassa gli occhi; non ha intenzione di dirmi quando hanno stabilito di agire. Teme che io preceda la polizia, che entri nel campo gridando il suo nome? Lo farei?

«Stiamo tenendo d'occhio l'accampamento», riprende dopo una pausa. «Lo hanno visto, come ti dicevo». Mi lancia una breve occhiata. «Non voglio crearti false speranze, Jenny, ma ieri un'adolescente con i capelli biondi è uscita da una roulotte ed è entrata in un'altra. L'hanno vista da lontano; non ci sono altri elementi che la identifichino come Naomi. Non dovrei nemmeno dirti questo…».

Mi ritrovo in piedi, incapace di respirare o di muovere un passo. Queste sono le parole che ho aspettato di sentire per quattordici mesi. Potrebbe non essere lei, niente me lo assicura, eppure il mio cuore sta battendo talmente forte che riesce quasi a coprire la voce di Michael.

«Potrebbero esserci complicazioni». Stira le labbra in un'espressione preoccupata. «Porteremo i cani. Armi da fuoco».

Guardo il suo volto risoluto e comincio ad avere paura.

«Lui potrebbe nascondersi da qualche parte, ma perquisiremo ogni roulotte, ogni rimorchio, ogni furgone per trasportare i cavalli, ogni mucchio di spazzatura». È come se stesse parlando a se stesso.

Naomi e Yoska sono insieme. In questo preciso momento.

«Forse dovremo arrestare tutti».

«Tutti?».

Nel buio della notte, i bambini cominceranno a piangere, figure in pigiama usciranno allo scoperto, confuse, sbattendo le palpebre alla luce cruda di potenti torce. E sopra l'abbaiare dei cani poliziotto che strattonano irrequieti i guinzagli, si leverà il vagito acuto di un neonato. Pensieri che girano come le bobine di vecchi film in bianco e nero, dove la Gestapo rastrellava le sue vittime durante la notte.

Quando Michael alza di nuovo lo sguardo su di me, le pupille si restringono rapidamente. Lo fanno sembrare in collera.

«Sì». La voce è molto dura. «L'intero gruppo».

Il sole che entra dalla finestra fa risaltare i fili grigi tra i capelli. Le rughe tra le sopracciglia sono marcate come se la pelle fosse stata incisa con un coltello. Non le avevo notate prima d'ora. La luce del mattino non perdona.

Naomi è là, lei e il suo bambino adesso faranno parte della famiglia di Yoska. I nomadi credono nella famiglia. Era incinta; il rapporto con Yoska le avrebbe offerto la possibilità di tenere il bambino, con gente che trova il tempo per i propri figli. Erano venuti tutti alla clinica di Ted, la ragazzina aveva bisogno di loro; erano stati con lei in corsia, quando altri bambini sarebbero rimasti soli. Altri bambini, le cui madri lavoravano quanto i loro padri, quanto io ero solita fare. Figli di genitori che erano troppo impegnati per parlare delle cose che contavano veramente, o per accorgersi che i loro figli stavano cambiando.

«Le donne l'avranno aiutata durante il parto». Mi sforzo di parlare con calma, ma vorrei gridare e cantare e ballare. È viva. Viva. Non l'ha uccisa. Si amano. Anche se l'aveva cercata per vendicarsi, era successo qualcosa di inaspettato. Si era innamorato di Naomi, nonostante il suo piano. Durante i mesi in cui si erano incontrati in segreto, Yoska doveva aver attraversato la linea invisibile che separava la vendetta dall'amore; forse già dopo essere venuto da me in ambulatorio. Le aveva offerto un mondo diverso, l'aveva fatta sorridere; lei aveva ricambiato il suo amore. Non l'aveva rapita; Naomi era andata con lui. Le ha dato quell'anello, la ama, Naomi è a posto. Non riesco più a trattenere le lacrime. Cammino a passo svelto per la stanza, sorridendo, mordendomi le mani per smettere di ridere; più tardi avrò tempo per essere felice. Devo far capire a Michael che Yoska è importante.

«Naomi, il bambino e Yoska. Potrebbero essere una famiglia, ormai».

Ora è Michael ad alzarsi in piedi. Posa la tazza.

«Ha commesso dei crimini. Sesso con una minorenne, rapimento, imprigionamento. Chiunque ne fosse al corrente sarà ritenuto complice».

«Forse non sapeva che era minorenne. Sembrava più grande con il trucco. Potrebbe avergli mentito circa la sua età». Gli tendo la mano, lo faccio sedere accanto a me. «Se Naomi si trova lì, è perché vuole starci».

Michael mi fissa in silenzio.

«Non… rendere tutto questo romantico, Jenny», dice dopo un po'. «È un criminale. Il suo posto è in carcere».

Cerco le parole che potranno convincerlo. «L'ha conosciuto in ospedale a luglio. Se n'è andata a novembre. Quattro mesi. Sufficienti per capire cosa voleva. Nel frattempo ha lasciato James; ha scelto un uomo, non un ragazzo. Michael, forse ha pensato che andando via con lui avrebbe potuto tenere il bambino».

Michael si lascia sfuggire un sospiro insofferente. «Avrà anche avuto il bambino, ma non nelle circostanze migliori. La gente che vive in quel modo, be', non è come noi».

È questo che pensava quando era di pattuglia nelle comunità di neri in Sud Africa? Non l'ho mai sentito parlare così prima d'ora.

«Cioè?»

«Vivono in modo diverso».

Pensavo che fosse questo il punto. Mi guardo intorno, i miei libri, i miei quadri, i tappeti antichi che mio padre amava. *Echi* di vita, non vita. «Ha regalato la sua collana. Forse voleva qualcosa di diverso». E più parlo, più il cuore mi batte forte; immagino il suo viso, immagino il suo bambino.

La voce di Michael si alza, rallenta, come se potesse aiutarmi a capire meglio. «Vivono nella miseria, su terre che non gli appartengono. Rubano ogni cosa».

Guardo il suo volto familiare; forse, dopotutto, lo conosco appena. Nel mio cuore, sto parlando con lei.

Sono sicura che hai avuto una bambina. Ormai avrà sei mesi; presto mi dirai il suo nome.

«Se Naomi si trova lì, è perché può tornargli utile. Ricorda che spaccia droga. Naomi ha rubato la ketamina per lui. Ci sono bande di trafficanti a Cardiff, e Yoska è coinvolto in altri racket». Non dice "prostituzione ", ma la parola è comunque nell'aria.

Quando Yoska mi aveva sorriso, in ambulatorio, non mi era parso un pericoloso criminale. Forse le persone pericolose sono quelle di cui pensi di poterti fidare, come Michael. Uomini che esprimono giudizi, uomini che hanno bisogno di potere. Forse Ted aveva ragione su Michael? Si era legato a me perché mi aveva vista così vulnerabile? Non mi importa se ha approfittato della situazione, o se voleva avere potere su di me. L'unica cosa che conta è che mi riporti Naomi sana e salva.

«Devo andare». Beve l'ultimo sorso di cioccolata e si alza. «È superfluo dire che sono informazioni strettamente confidenziali, ma anche così potrebbero arrivare ai notiziari. Volevo che tu fossi preparata anche a questo». Si infila il pesante cappotto nero e aggiunge con calma: «Ted deve essere informato. Gli telefono».

«Lascia fare a me», mi affretto a dire. «È meglio».

La sua espressione si addolcisce e mi prende il viso fra le mani.

«Certo, Jenny. Ma diglielo presto. Essendo il padre, deve saperlo subito».

«Grazie», mi ricordo di dire, «per essere venuto ad avvisarmi. Stai attento a… lei».

«Ti farò sapere. Jenny, non…».

«Cosa?»

«Non fare niente».

Mi siedo e abbasso lo sguardo sulle mani, ascoltando la macchina allontanarsi lungo la stradina.

Non ho fatto niente per molto tempo. Per ora non lo dirò a Ted. Aspetterò che lei sia qui al sicuro. Michael la riporterà indietro insieme a lui. Apro la finestra e lascio che l'aria fresca stemperi il calore nella stanza. Mi correrà incontro. Di nuovo le lacrime, fredde sulle mie guance sferzate dal vento. La stringerò fra le braccia. Il mio viso premuto contro il suo – la sua pelle avrà ancora lo stesso odore? Forse i capelli saranno più lunghi. Sarà diventata più alta. Mi porterà la sua bambina.

Ho aspettato quattordici mesi; posso aspettare ancora qualche giorno.

Ma non si tratta di qualche giorno. Solo poche ore.

Un bussare insistente mi scuote a poco a poco dal sonno, e mi ritrovo confusa nel buio e al freddo, il collo dolorante per aver dormito sul divano. Il fuoco si è spento, la grata è coperta di cenere. La luce del portico si è accesa da sola e vedo Michael attraverso il vetro. Deve essersi dimenticato qualcosa ed è tornato indietro. Apro la porta. Mi guarda, e sebbene abbia sempre pensato che lo avrei capito subito, non è così. Ha un'aria esausta. Muove la bocca e la osservo con grande attenzione, perché sta dicendo parole senza senso. Continua a ripetere la stessa cosa all'infinito, finché le parole si fanno sempre più vicine e pressanti e le capisco.

«Mi dispiace. Mi dispiace».

Mi afferra mentre la stanza comincia a ondeggiare e mi fa sedere cautamente in fondo alle scale.

«...mesi fa», sta dicendo.

Se non ascolto, forse Naomi potrebbe essere ancora nel buio del giardino, fuori della porta aperta. Forse è rimasta lì ad aspettare con la bambina in braccio, non sapendo come l'avrei accolta. Mi alzo e cerco di spingerlo da parte, ma Michael mi ferma e mi blocca sul posto.

«È stato dopo aver avuto il bambino». Ha la luce alle spalle, il volto è in ombra. «Ha contratto un'infezione».

«Ma tu hai detto che era lì». Gli urlo le parole in faccia. «Una ragazza con i capelli biondi, hai detto...».

«Non avrei dovuto dirtelo. È venuto fuori che era una giovane madre di due bambini, sui vent'anni. Le ho parlato. Mi dispiace, Jenny».

«Trovalo. Sarà scappato. Devi trovarlo». È stata colpa di Yoska. L'ha lasciata morire.

«Yoska è morto, Jenny. È stato colpito ed è morto subito dopo la mezzanotte».

Michael mi tiene per le braccia e comincia il racconto. Le parole volano intorno alla mia testa come corvi neri.

«È uscito fuori da un furgone e ha aperto il fuoco. Non sappiamo perché; avrà pensato che il campo fosse stato attaccato da una banda di trafficanti. C'erano già stati scontri a fuoco per via della droga. Non ci ha dato la possibilità di negoziare. Ha continuato a spararci addosso; lo abbiamo avvertito». Scuote la testa. «Ha continuato ad avanzare verso di noi, sparando. Sembrava che stesse chiedendo di farlo fuori. Non ci ha lasciato scelta». Fa una pausa. «È stato colpito al petto ed è morto all'istante».

Yoska ucciso. Naomi morta mesi fa.

Michael mi sorregge appena le gambe mi cedono, mi accompagna al divano nel soggiorno. È buio, ma non ha importanza.

«Il bambino, Michael». Mi aggrappo alla sua giacca. «Dov'è il bambino?».

Mi stringe forte a sé. Sento le sue parole attraverso le ossa della faccia.

«Il bambino è morto insieme a Naomi. Avevano la stessa infezione».

Le parole hanno perso il loro potere; non hanno nemmeno più molto senso. La sua voce mi ricorda il modo in cui si era rivolto a noi nella cucina di Bristol, al nostro primo incontro. Lento e cauto, con pause frequenti.

«La sorella di Yoska, Saskia, ci ha raccontato cosa è successo. Ora i suoi genitori sono in arresto».

I bottoni della giacca premono dolorosamente contro la mia guancia, ma resto immobile.

«Il bambino è nato nella roulotte. Avevi ragione; le donne della famiglia l'hanno aiutata».

Naomi avrà preso il corpicino scivoloso con le sue mani da ragazzina e l'avrà stretto a sé, la sofferenza ormai dimenticata e il cuore inondato d'amore. Avrà pensato a me? In quel momento avrà capito cosa ho provato tenendola fra le braccia?

«Era una bambina, vero?»

«Sì». Sembra sorpreso. «Sì. Una bambina».

Il mondo di Naomi sarà diventato un faccino addormentato, una piccola bocca che succhia il latte, le dita minuscole e perfette dei piedini che si arricciavano nelle sue mani.

Michael sta ancora parlando. «...e dopo cinque giorni si è sentita male, era inquieta, facile al pianto. Hanno pensato che fosse lo stress emotivo».

«Lei non piange mai». Suona come un'eco da un passato lontano.

«La bambina scottava di febbre», continua. «È stato allora che si sono rese conto che anche Naomi bruciava».

Capivo sempre quando le saliva la febbre, bastava accostarle le labbra alla fronte. Mi accorgevo se era aumentata anche solo di mezzo grado. Sarà stata una sepsi puerperale. Un'infezione da streptococco, letale se non curata tempestivamente.

Michael si muove irrequieto. «Vuoi che ti racconti tutto adesso?». Fuori ci sono già le strisce di luce dell'alba. Mi afferro al bracciolo del divano.

«Certo».

«Quando ha cominciato a vomitare, Yoska ha chiamato il dottore. Hanno aspettato per tre ore e nel frattempo lei ha perso conoscenza».

Chissà quanta gente c'era nella roulotte; l'aria doveva essere soffocante. Le pale del ventilatore che utilizzavano nelle notti d'estate battevano il ritmo di un incubo. Naomi giaceva immobile nel letto zuppo di sudore, la piccola rossa di febbre incollata alla pelle.

«Yoska era sconvolto. Decise di portarle in ospedale. Quando lo zio gli disse che qualcuno al pronto soccorso avrebbe potuto riconoscerla, gli ha spaccato il naso. Proprio mentre la sollevava dal letto, Naomi ha smesso di respirare. La bambina è morta dopo pochi minuti. Ormai era troppo tardi».

Troppo tardi. Le parole indugiano nell'aria come il *clic* di una porta che si chiude.

Michael si alza, mi viene vicino, mi cinge le spalle. «Saskia ha detto che Yoska le ha avvolte in un lenzuolo e le ha adagiate delicatamente sul sedile posteriore della macchina». Fa una pausa. «Poi ha portato fuori dalla roulotte tutte le sue cose, quelle della bambina, il letto, il tavolo, tutto. Le ha accatastate insieme, ci ha vuotato sopra una tanica di benzina e ha appiccato il fuoco».

Una pira funeraria. Le fiamme voraci si saranno levate alte nel cielo. Nessuno si sarà potuto avvicinare. Non sarà rimasto niente. Nessuna spazzola con lunghi capelli dorati impigliati fra le setole, né braccialetti o fermacapelli. Poteva esserci un diario, o le prime righe di una lettera per me. Forse aveva raccolto altre foglie d'autunno e le aveva fermate dietro lo specchio. Niente foto della bambina, niente vestitini.

«Dove le ha portate?», chiedo a Michael.

«Fra i nomadi è tradizione seppellire la propria gente in un luogo segreto. Nessuno ha ammesso di sapere dove le ha portate».

La propria gente? Naomi era mia.

È ancora buio nel soggiorno, ma mentre osservo le strisce di luce allargarsi nel cielo, una scintilla di speranza sibila nel silenzio della mia testa. «Chi ti dice che sia vero? Perché credi a tutto quel che ti ha detto la sorella? Forse Naomi non era nemmeno lì…».

Non risponde, ma infila la mano nella tasca interna della giacca e tira fuori qualcosa; me la mette in mano, ripiegandomi le dita intorno a una superficie curva.

«Saskia ha detto che dovevi averla».

Sento i manici, e benché non riesca a vederle nel buio, so che intorno al bordo sono disegnate delle rane salterine. Sul fondo della tazza c'è una rana sorridente, in rilievo.

"Finisci di bere, tesoro". Gli occhi di Naomi sono così azzurri mentre mi osservano oltre il bordo della tazza. "La piccola rana sta aspettando…".

La tazza che usava da bambina, per la sua bambina. Non mi ero nemmeno accorta che non c'era più. Mi domando cosa avrà fatto dei bottoni che ci conservavo dentro.

Il braccio di Michael mi stringe forte; mentre parla sento il suo respiro fra i capelli.

«Persino i bambini ci hanno saputo dire come è morta. Tutti hanno detto la stessa cosa. Ci hanno mostrato l'erba bruciata, la roulotte vuota…».

La voce continua. La sento appena, in sottofondo, mentre parla di impronte digitali e tamponi, alto livello di sospetto, scavi in zona da iniziare domani. Le roulotte sono state già perquisite. Alcune figure chiave del campo nomadi sono sotto custodia; altre sono state rilasciate, purché rimangano nei paraggi. Dovranno continuare le indagini.

C'è una pausa, poi Michael dice: «Dobbiamo trovare il suo corpo. Prima o poi, qualcuno si lascerà sfuggire dove è sepolta». Ignoro le sue parole.

Così quella era la sua casa. La loro casa. Ora è solo una scatola vuota. La luce obliqua della luna illuminerà un pavimento nudo. Forse sta brillando su un giocattolo rotolato in un angolo.

La voce di Michael aumenta di tono. «Yoska è stato via per due settimane e al suo ritorno non ha aperto bocca. Ogni giorno rimaneva ore e ore seduto nella roulotte della sorella, con lo sguardo fisso nel vuoto…».

Lo interrompo senza esitazione. «Voglio andare al campo nomadi, Michael».

La sorella di Yoska ha detto alla polizia di non sapere con certezza dove le ha sepolte; ma forse a me lo dirà.

«Ti porterò laggiù non appena avremo chiuso le indagini. Te lo prometto. Dobbiamo controinterrogare tutti i testimoni, scavare nel sito e perquisire di nuovo ogni veicolo».

Michael va in cucina e intanto tira fuori una fiaschetta dalla tasca. Sento il gorgoglio del bollitore, un tintinnio di posate. Quando torna, resta a guardarmi mentre bevo un caffè corretto col whisky. Questa mattina, quando mi ha preparato la cioccolata calda, Naomi era ancora viva. O è stato ieri? No, che stupida. È morta mesi fa.

Nella luce crescente del mattino, il viso di Michael è pallido di stanchezza; dopo un po' va di sopra a dormire. Sento il tonfo delle scarpe lasciate cadere sul pavimento, qualche brontolio nello sforzo di togliersi i vestiti, lo scricchiolio del letto. Poi la calma. Il silenzio è talmente profondo che è come se una musica che suonava in sottofondo fosse finalmente finita.

Ed ha detto che non la conoscevo nemmeno un po', che non avevo il minimo indizio.

E invece sì. Avevo un sacco di indizi. Li ho avuti intorno a me per molto tempo. Chiudo gli occhi e ripenso all'ultima volta che sono stata nella sua stanza. Persino allora avrei potuto vederli.

Bristol 2010. Nove mesi dopo

Quella mattina Ted andò a fare una lunga passeggiata. Mi disse che non voleva essere presente quando avrei lasciato la casa. Era domenica. Me lo ricordo, perché per anni lo avevo visto uscire di

309

casa ogni giorno della settimana tranne la domenica. Quando uscì, salii nella stanza di Naomi. L'impresa di traslochi sarebbe arrivata a mezzogiorno. Avevo imballato tutto quel che dovevo portare al cottage. Il resto poteva rimanere a casa con Ted.

Faceva già molto caldo. Il sole splendeva in un cielo senza nuvole: una di quelle giornate estive esemplari, che i ragazzi avrebbero ricordato per tutta la vita. La stanza era vuota, a parte il letto e le tende, che erano chiuse. L'aria era soffocante. Aprii la finestra e scostai un po' le tende. La strada era deserta. I giornalisti si erano eclissati da tempo, migrati verso altre tragedie che garantivano più facili guadagni. Mentre guardavo giù in strada, l'aria calda sulla mia pelle, una donna con un prendisole girò l'angolo, spingendo un passeggino con una mano. Aveva un cellulare incollato all'orecchio e muoveva il capo su e giù. Mi ricordò il cagnolino con la testa oscillante che avevo tanto amato da piccola e avevo perso anni prima. Il passeggino era ben imbottito e non riuscii a vedere il bambino all'interno. Seguii la donna finché scomparve alla vista, muovendo sempre la testa su e giù.

La tenda sotto la mia mano era orlata di polvere, soffice e pesante allo stesso tempo. La stoffa era a strisce rosse e oro. L'avevamo scelta insieme, Naomi e io, in un punto vendita John Lewis tre o quattro anni prima. Ma in realtà non avevamo scelto insieme. Io avevo tirato fuori un rotolo di cotone con un motivo a foglie grigio, bianco e giallo limone, immaginando come la luce diffusa dalle tende avrebbe dipinto la stanza di colori freschi. C'era un altro tessuto che mi piaceva, tempestato di piccoli fiori. Mi ero girata per chiedere a Naomi di decidere fra i due, ma lei si stava già dirigendo verso la cassa con un rotolo di stoffa dall'aspetto esotico più alto di lei. La stoffa era riccamente colorata con fasce lucide rosse e oro. Piuttosto appariscente con quelle grosse strisce. Le dissi che avrebbe impedito il passaggio della luce e come la sua stanza sarebbe stata diversa dalle altre della nostra casa. Sarebbe stata buia e appartata. Come una grotta nascosta, senza luce, piena di segreti. Aveva sorriso. Un segno premonitore di quel suo intimo sorriso. «È proprio quello che voglio», aveva detto.

CAPITOLO 31

Dorset 2011. Quattordici mesi dopo

Nel silenzio della cucina all'alba arriva un rumore improvviso di qualcosa che si lacera o brucia; dopo un istante, il rumore si palesa nella pioggia che scroscia sulla paglia del tetto. L'acqua che batte sui vetri ha il colore grigio del cielo. Devo sbrigarmi a finire le mie lettere. Voglio mettermi in viaggio e ci vorrà di più sotto la pioggia. Quando strappo qualche foglio bianco dal mio album, la rilegatura si sfalda e i disegni si staccano, allargandosi a ventaglio sul pavimento: lo schizzo delle sue scarpe, il piccolo top con cappuccio, la giraffa di peluche, una gazza. Altre pagine vanno a posarsi sopra di esse e le lascio là dove sono cadute.

Ted,
so che starai dormendo mentre ti scrivo questa lettera, ma quando la riceverai avrò parlato con te e tu l'avrai detto ai ragazzi. Ho pensato che sarebbe stato utile scrivere anche le lettere. Mi sono sempre chiesta se sapere sarebbe stato meglio che sperare. Non saprei. Non mi sembra ancora vero.

Non è stata colpa tua o, se lo è stata, è stata anche colpa mia. Avrei dovuto prestare maggiore attenzione quando Yoska è venuto da me. Forse ci avrebbe perdonato. Doveva essere indeciso sul da farsi persino allora; faceva parte di una famiglia, quindi sapeva come avremmo sofferto. Alla fine, credo che l'abbia portata via con sé perché erano innamorati; non avremmo potuto evitarlo.

Vado in Galles. Spero che qualcuno al campo nomadi mi dirà dove sono sepolte.

Ti prego, dillo ad Anya.

Verrò a Bristol il prima possibile.

Jenny

Il rumore del pennino che graffia la carta è niente rispetto al fragore della pioggia. La cucina è calda e accogliente, ma dove sarà Ted quando leggerà questa lettera? I ragazzi saranno con lui; forse Anya si muoverà in silenzio sullo sfondo. Vedo il suo viso, rigato di lacrime.

Caro Ed,
ormai papà ti avrà detto cosa è successo alla nostra Naomi.

Finalmente aveva trovato quel che voleva; tante persone non ci riescono mai.

Se non si fosse ammalata, ci avrebbe fatto conoscere la sua bambina, prima o poi.

Sono così contenta che tu abbia Sophie.

Ci vediamo più tardi, oggi o domani. Ti penso sempre.

Mamma

Spero che Sophie lo stia stringendo fra le braccia. Spero che sia vestita dei suoi mille colori. Lei lo ascolterà, gli renderà più facile la cosa.

Accendo il bollitore; Bertie si agita un po' sentendo il rumore, poi ripiomba nel sonno. Il caffè è nero e bollente.

È difficile scrivere a Theo; mi sembra di soffocare la sua luce con una pennellata di vernice nera.

Theo caro,
sarai in viaggio verso casa, perciò ti invierò questa lettera a Bristol. Spero che Sam sia lì, seduto vicino a te.

Hai detto che non parlava molto con te prima di andarsene. Neanche con me lo faceva. Penso ci stesse dicendo addio.

Ha preso la tazza che usava da bambina, quella con la rana sul fondo. Adesso ce l'ho io.

Quando troveremo lei e la bambina le riporterò a casa. Le seppelliremo qui nel cimitero, così sapremo dov'è.

Mamma

La pioggia cade più leggera, la luce è più forte. Le ultime due lettere.

Nikita,
oggi chiamerò tua madre, così ti avrà già detto cosa è successo.

Michael mi ha detto che tu sapevi che era incinta. Sarebbe contenta di sapere che hai mantenuto il suo segreto. Ha avuto una bambina. Non so il suo nome.

Penso che i coralli fossero un regalo d'addio per te, anche se tu non sapevi che stava per andarsene. Sono felice che li abbia tu.

Jenny

La lettera per Michael è la più difficile. Lo conosco così bene eppure così poco – è come scrivere a uno sconosciuto. Elaboro frasi nella mia testa mentre cammino su e giù per la cucina, ma sembrano insincere sulla carta. C'è così tanto da dire che non riesco a trovare le parole e finisco con lo scrivere quasi niente.

Caro Michael,
 sono in partenza e non so quando tornerò.
 Bertie starà meglio qui. Puoi farlo uscire in giardino e dargli da mangiare prima di andartene? C'è una mezza scatoletta in frigo. Mary lo terrà con sé fino al mio ritorno. Le telefonerò e verrà a prenderlo.
 Ho bisogno di stare con la mia famiglia. So che capirai.

Jenny

Lascio la busta di Michael poggiata contro il barattolo del caffè sul tavolo e sulle altre scrivo l'indirizzo della casa di Bristol. Anche su quella di Nikita, non ricordo il suo indirizzo. Non ho francobolli, ma posso fermarmi lungo la strada a comprarli.

Le dita di Michael sono piegate sul bordo del piumone. Quando faccio scivolare la mano dentro la sua, serra la presa ma i suoi occhi restano chiusi. Gli chiedo a bassa voce dove sono stati portati i genitori di Yoska, così saprò da dove cominciare. Mi sussurra un nome nel sonno, poi la mano si rilassa e il respiro si fa profondo e regolare.

Newtown. Una città sulle rive del fiume Severn nel Powys, Galles centrale. Il sito web turistico mi fornisce il codice di avviamento postale e lo inserisco nel navigatore satellitare. Devo guidare piano; non ho dormito. Sono passate quattro ore da quando Michael mi ha svegliata e il tempo è passato, svanito. Lo shock echeggia nella mia mente; sto aspettando ancora che arrivi il dolore.

Lascio scivolare la macchina giù per la piccola discesa che porta alla strada e avvio il motore fuori portata d'orecchio dal cottage.

Il paesaggio ondulato del Dorset si appiattisce nel Somerset; supero Bristol, solo un segnale che mi lascio alle spalle lungo l'autostrada. Mi fermo in un garage fuori Newport, le buste scivolano giù dal cruscotto e finiscono sul pavimento della macchina. Mary risponde al telefono dopo un po'; accetta immediatamente di prendersi cura di Bertie senza

313

fare domande. Poi chiamo Ted. Quando risponde, sento la radio in sottofondo. Me lo immagino alla finestra della camera da letto, intento a fare il nodo alla cravatta mentre pianifica la sua giornata.

Lo avverto che ho cattive notizie e lo sento spegnere la radio e mettersi a sedere. Poi gli racconto cosa è successo. Nel silenzio che segue, ascolto la mia voce dire che Naomi era diventata parte di un'altra famiglia. Aveva dato alla luce una bambina. Non era stata stuprata o menomata, era stata amata. Ted comincia a piangere e cerco di parlargli ancora. Gli dico che sto per spedirgli una lettera, ma non risponde. Dopo un po' mette giù il telefono.

Prendo una tazza di caffè, ma ha un sapore amaro, così lo verso a terra e riparto. Le strade si stanno riempiendo di macchine e camion. Accelero. Michael ha detto che stavano aspettando il momento opportuno; forse si stavano preparando a partire in questo momento.

A Cardiff prendo la strada per Pontypridd e Merthyr Tydfil. Le Black Mountains. Comincia a piovere e guido con attenzione mentre la strada digrada e serpeggia intorno alle Brecon Beacons. Theo deve averla portata qui da qualche parte per il suo progetto; i suoi occhi erano così vivi in quelle foto. Una volta siamo venute qui anche noi, solo Naomi e io. Avrà avuto nove anni, forse dieci. Un cappellino di lana rosa calato sui capelli biondi, le gambe avvolte in pantaloni impermeabili che si arrampicavano su per i pendii bruni, avanti a me, sempre. Si fermava su costoni alti, troppo alti, piegandosi verso il vento. Non avevo il coraggio di guardare.

A mezzogiorno arrivo a Newtown, dove trovo un piccolo pub con parcheggio lungo la strada. Il viaggio fin qui è durato quattro ore. Fa caldo dentro il pub e l'odore di birra stantia e di cane è soffocante. Un jukebox attaccato alla parete suona della musica, e un gruppo di uomini seduti vicino alla finestra sta bevendo e leggendo i giornali. Un vecchio collie sdraiato sotto il tavolo mi guarda con occhi assonnati. La donna dietro al bancone alza gli occhi al cielo quando le domando se nelle vicinanze c'è un campo nomadi e non mi risponde.

Dietro di me, voci maschili si intromettono. L'intonazione cantilenante non si armonizza con il loro modo di parlare.

314

«Per mesi c'è stato un campo vicino Llanidloes, alla vecchia fattoria di Hugh».

Mi osservano, parlando intorno a mozziconi di sigaretta stretti fra i denti, gli occhi socchiusi per il fumo. Pensavo che fosse vietato fumare nei pub, ma non faccio commenti.

«Venivano in città a sgraffignare roba e far casino».

«La polizia non faceva niente».

«Zingari. Ha letto sui giornali del traffico di droga?»

«Vagabondi».

Esco dal pub senza nemmeno salutare.

Llanidloes è un posto grazioso con un vecchio mercato coperto in legno e muratura. In un punto vendita Budgens all'incrocio, un uomo con un grembiule marrone sta riempiendo le mensole di barattoli di burro di noccioline. Abbassa lo sguardo su di me.

«Non vorrà andare là», dice. Quando insisto si stringe nelle spalle, prende la mia cartina e la appoggia contro la mensola vuota.

«È oltre Bwlch-y-sarnau», dice, indicando un punto con il dito macchiato di giallo. «Prenda la B4518 appena fuori città. Quando vede la buca delle lettere vicino al bungalow grigio alla sua destra, prenda la prima a sinistra e poi giri ancora a sinistra. È in un avvallamento. Vedrà un sentiero sassoso che porta al campo. Attenta, ci sono dei cani».

Vuole dirmi qualcos'altro. Forse vuole dirmi che ieri notte c'è stato un putiferio. È intervenuta la polizia. Era ora, potrebbe dire. Mi segue con lo sguardo mentre riparto.

Sto percorrendo una strada in discesa piena di curve quando un Land Cruiser Toyota arriva nella direzione opposta. Mi infilo in retromarcia in un cancello. Segue una macchina con un rimorchio per il trasporto dei cavalli. Aspetto mentre passa lentamente oltre. Mi affaccio di nuovo sulla strada, ed ecco arrivare un minibus che mi fa tornare sui miei passi. Dei bambini guardano dai finestrini. Borse, pacchi e valigie premute contro i vetri; è allora che mi rendo conto che alcuni dei nomadi stanno traslocando, come aveva detto Michael, almeno quelli che non sono sotto custodia.

Se proseguo lungo la strada, troverò il sentiero di cui mi ha parlato l'uomo nel negozio. Posso raggiungerli se mi sbrigo. Superata la curva, il sentiero e il campo compaiono alla vista. C'è un gruppo di roulotte verso il bordo del campo, vicino ad alcuni alberi a un centinaio di metri da dove parcheggio. La maggior parte delle roulotte sono dietro un nastro bianco e blu che isola quella parte del sito. Nel mezzo, verso il fondo del campo, ci sono circa dieci poliziotti e uomini con impermeabili gialli allineati in fila, curvi a scavare.

Davanti al nastro c'è una roulotte, e un uomo sta fissando il gancio da rimorchio sul retro di una Land Rover schizzata di fango. Deve essere l'ultima famiglia che la polizia ha autorizzato a partire. La pioggia è cessata e un ragazzino con i capelli neri di circa sei anni, pollice in bocca, è appoggiato contro la roulotte a godersi il sole, osservando l'uomo al lavoro. Quando scendo dalla macchina e apro il cancello, il movimento attira l'attenzione del ragazzino, mentre la polizia non si accorge di niente; se mi vedessero, mi fermerebbero. Il piccolo si gira a guardarmi e l'uomo vicino a lui solleva la schiena. Il volto, rosso per lo sforzo e bordato da una barbetta grigia, è più vecchio di quanto farebbe pensare il fisico robusto. Sessant'anni? Settanta? Mi getta un rapido sguardo, accenna un saluto, poi si china di nuovo sul gancio. Dopo un istante grida qualcosa che non riesco ad afferrare. Una donna di mezza età scende i gradini della roulotte con passi rigidi; è vestita di nero, con una sciarpa nera legata intorno ai lunghi capelli corvini. Ha una grossa borsa di tela sulla spalla. Prende il bambino per mano e, senza guardare nella mia direzione, apre lo sportello della Land Rover. Fa salire il bambino nella vettura, poi si volta verso la porta aperta della roulotte.

«Carys», chiama, cantilenando le sillabe nel suo accento gallese.

Mi guardo intorno. Nell'erba verde sono visibili riquadri sbiaditi dove erano posteggiate altre vetture. Niente cani alla catena; un mucchio di sacchi della spazzatura legati con cura. Al centro c'è una chiazza di erba bruciata. Uno dei poliziotti mi urla qualcosa e mi fa cenno di andare via. Esco dal cancello.

«Carys», chiama di nuovo la donna, poi sparisce dentro la Land Rover.

La porta della roulotte si spalanca di colpo e una giovane donna appare sulla soglia. Appena la vedo, mi manca il respiro e mi aggrappo saldamente al cancello. Si è rasata la testa. I capelli cortissimi sono stati tinti di rosso e ben si armonizzano con il colore della lunga gonna. La pelle è molto chiara. Ha un tatuaggio intorno al collo, sembra un disegno di foglie. Ha in braccio una bimba di circa sei mesi, anche lei con i capelli rossi; da qui vedo i riccioli risplendere al sole. La piccola è avvolta in una coperta a strisce gialle e rosse e sembra addormentata. Arrivata in fondo ai gradini, la giovane si gira verso il cancello, tenendo la bimba davanti al petto come uno scudo.

Le dita che reggono il fagotto sono lunghe, anche se da qui è impossibile vedere le lentiggini – grani di zucchero di canna grezzo – fino alla seconda nocca, o se le unghie sono mordicchiate. È troppo lontana per vedere il piccolo neo sotto il sopracciglio sinistro. Il suo sguardo incontra il mio; gli occhi sono calmi, anche se arrossati come se avesse pianto. Ci guardiamo. So che non smetterò mai di pensarci, ma ci sono cose nel suo sguardo che non saprò mai definire pienamente. Riconoscimento. Sì. Vendetta, chiusura. La sua Maria si è vendicata dopo la morte di Tony. Era stato un avvertimento? E poi qualcos'altro, qualcosa di opposto, di più tenero… Dolore o perdono? Non saprei. È lì. Questo basta. È lì. Il mondo scompare intorno a lei. Le bugie che devono aver detto alla polizia, persino le bugie che hanno insegnato a dire ai bambini, scompaiono. Non piango, non rido né sorrido. Non c'è spazio. Non c'è tempo.

«Carys. Dobbiamo andare».

A quel punto corro verso di lei, ma i piedi scivolano nel fango vicino al cancello. Mi sforzo di non perdere di vista il suo viso anche mentre perdo l'equilibrio e cado goffamente su un fianco, ma mentre la guardo si gira dall'altra parte. Nasconde la testa della bambina nella curva del collo esile e si china per entrare nella macchina. Non la vedo più.

Mi rialzo in piedi, sporca di fango, e mi lancio in una corsa disperata. La Land Rover ha avviato il motore e le ruote slittano sull'erba bagnata. Accelero e per un istante sembra che l'abbia raggiunta, ma la macchina fa un balzo in avanti e si avvia verso il cancello. Se le sbarro la strada si fermerà di certo, ma vedendola avvicinarsi, mio malgrado, cambio direzione. Il lato del suo viso, parzialmente nascosto dalla bambina, è talmente vicino che se il finestrino fosse aperto potrei allungare la mano e toccarla. Poi, all'improvviso, alza la mano vicino al vetro, apre le dita. La linea della vita risalta nitida sul palmo, curva come una strada su una mappa. E poi la macchina è passata oltre; non si ferma quando si immette sulla strada, ma accelera su per la collina e sparisce rapidamente alla vista.

Quindici mesi dopo

Carys. È un nome gallese. L'ho cercato. Significa "amore".

RINGRAZIAMENTI

Vorrei ringraziare i miei agenti, Eve White, Jack Ramm e Rebecca Winfield.

Grazie infinite al team della Penguin, in particolare a Maxine Hitchcock, Samantha Humphreys, Celine Kelly, Clare Parkinson, Beatrix McIntyre, Elizabeth Smith e Joe Yule.

Grazie anche al team della HaperCollins USA, in particolare a Rachel Kahan, Kim Lewis, Lorie Young e Mumtaz Mustafa.

La mia gratitudine va anche ai miei tutor, compresi Patricia Ferguson, Chris Wakling, Tessa Hadley, Mimi Thebo e Tricia Wastvedt, il mio tutor personale. E a Rowena Pelling.

Grazie al mio gruppo di scrittura: Tanya Atapattu, Hadiza Isma El-Rufai, Victoria Finlay, Emma Geen, Susan Jordan, Sophie McGovern, Peter Reason, Mimi Thebo, Vanessa Vaughan.

Sono grata all'agente Nick Shaw per i dettagli sulla polizia e per il suo gentile aiuto con il manoscritto, e a mia sorella, Katie Shemilt, per la sua abilità di fotografa.

La mia famiglia ha avuto un effetto determinante. L'incoraggiamento di Martha è stato il punto di partenza, e Henry e Tommy sono stati molto generosi con le loro capacità tecniche. Steve, Mary e Johny sono stati un'indispensabile squadra di sostegno.

A mio padre e a mia madre, dei quali ogni giorno sento la mancanza, grazie.

INDICE

Jane Shemilt
Un delitto quasi perfetto

Volume rilegato di 320 pagine, euro 4,90

Emma e Adam Jordan sono due medici all'apice della carriera, così quando viene loro offerta l'opportunità di trascorrere un anno in Africa, con i tre figli, per collaborare a un progetto di ricerca, accettano con entusiasmo, convinti sia l'occasione che aspettano da sempre. E sarà di certo un'esperienza che non dimenticheranno, ma non per le ragioni che i Jordan immaginano. Quando una sera Emma torna a casa e trova vuota la culla del piccolo Sam, il più piccolo dei loro figli, la famiglia capisce che il sogno si è trasformato nel peggiore degli incubi. Un anno dopo, a migliaia di chilometri di distanza, Emma è ancora ossessionata dall'immagine di quella culla vuota, e continua a isolarsi sempre di più dal resto della famiglia. Che ne è stato di Sam? È ancora vivo? Si è trattato di un rapimento o di qualcosa di più inquietante? Cos'è successo davvero quella notte?

NEWTON COMPTON EDITORI